Le Temps paralysé

Du même auteur
aux Éditions Albin Michel

CHASSE À MORT
LES ÉTRANGERS
LES YEUX FOUDROYÉS

Dean Koontz

Le Temps paralysé

ROMAN

traduit de l'américain
par Evelyne Châtelain

Albin Michel

Édition originale américaine :

LIGHTNING
© 1988 by Nkui, Inc.
G. P. Putnam's Sons, New York.

Traduction française :

© Éditions Albin Michel S.A., 1990
22, rue Huyghens 75014 Paris

ISBN 2-226-04804-9

A Greg et Joan Benford
Parfois, j'ai l'impression que vous êtes les personnes les plus merveilleuses que nous ayons jamais connues. Je prends deux aspirines, mais hélas, l'impression persiste.

Le cri du nouveau-né se confond avec le cri de l'agonie.

Lucrèce

Je n'ai pas peur de mourir. Mais je ne veux pas être là le jour où ça arrivera.

Woody Allen

PREMIÈRE PARTIE

LAURA

Etre aimé vous donne de la force ;
Aimer vous donne du courage.

Lao Tzu

UN

Une chandelle dans le vent

· 1 ·

Le jour de la naissance de Laura Shane, il y eut un orage mais d'une nature si étrange qu'on s'en souviendrait pendant des années.

Mercredi 12 janvier 1955, une journée glaciale, grise, sombre. Au crépuscule, de gros flocons de neige cotonneux descendirent en spirale du ciel bas ; à Denver, tout le monde se blottissait déjà, redoutant un terrible blizzard venant des Rocheuses. Vers dix heures cette même nuit, une bourrasque d'un froid mordant souffla de l'ouest, hurlant dans les cols et les collines boisées et escarpées. Les flocons se firent plus épars, fins comme du sable, corrosifs comme du sable, qui frappaient les vitres de la bibliothèque tapissée de livres du Dr Paul Markwell.

Enfoncé dans son fauteuil derrière son bureau, Markwell buvait du scotch, pour se tenir chaud. Mais s'il frissonnait, ce n'était pas à cause du froid, mais d'une lame glacée qui torturait son esprit et son cœur.

Depuis la mort de son fils unique, Lenny, à la suite d'une poliomyélite, quatre ans auparavant, Markwell buvait de plus en plus. Il était de garde à domicile, pour l'hôpital du comté, et pourtant, il se servit un autre verre de Chivas Regal.

En cet an de grâce 1955, les enfants bénéficiaient du vaccin du Dr Jonas Salk, et le jour était proche où plus personne ne souffrirait de paralysie et ne mourrait de la poliomyélite. Mais Lenny avait contracté la maladie en 1951, un an avant que Salk fasse les premiers tests. Ses muscles respiratoires avaient été frappés de paralysie et, de plus, une broncho-pneumonie avait compliqué les choses. Lenny n'avait pas eu la moindre chance de s'en tirer.

A l'ouest, sur la montagne, un coup de tonnerre sourd résonna dans la nuit d'hiver, mais au début, Markwell ne le remarqua même pas, tant il était prisonnier de sa propre souffrance, du noir chagrin qui le rongeait à tel point que parfois, il était à peine conscient de ce qui se passait autour de lui.

Sur le bureau, il y avait une photographie de Lenny. Quatre ans plus tard, Markwell était toujours tourmenté par le sourire de son fils. Il aurait dû ranger la photo, mais au lieu de cela, il la laissait en vue, car l'autopunition était pour lui un moyen de compenser ses sentiments de culpabilité.

Aucun de ses collègues ne savait qu'il buvait. Il ne paraissait jamais saoul. Ses erreurs dans le traitement de certains patients s'étaient traduites par des complications qui auraient pu survenir naturellement, et personne ne les avait jamais attribuées à une mauvaise pratique. Mais *lui* savait qu'il s'était trompé, et il noyait sa culpabilité dans l'alcool.

Un deuxième coup de tonnerre. Cette fois, le médecin identifia le son, mais sans se poser de question.

Le téléphone sonna. Sous l'effet de l'alcool, il était engourdi et lent à réagir, si bien qu'il ne décrocha pas avant la troisième sonnerie.

— Allô ?

— Docteur Markwell ? Henry Yamatta.

L'interne de l'hôpital semblait nerveux.

— Une de vos patientes, Janet Shane, vient juste d'arriver avec son mari. Elle est en plein travail. En fait, ils ont été retardés par l'orage, et c'était déjà bien avancé quand elle est arrivée.

Markwell but son verre tout en écoutant, puis, satisfait d'entendre que sa voix n'était pas trop pâteuse, il demanda :

— Elle en est toujours au premier stade ?

— Oui, mais les douleurs sont très intenses et les contractions prolongées, pour ce stade. Elle a des pertes sanguinolentes...

— C'est normal.

— Non, non, pas à ce point, répondit Yamatta, nerveux, ce n'est pas ordinaire.

Des pertes sanguinolentes étaient un signe annonciateur de l'accouchement, mais Yamatta avait dit que le travail était déjà bien avancé. Markwell avait commis une erreur en affirmant que le symptôme était normal.

— Ce n'est pas suffisant pour parler d'hémorragie, mais il y a quelque chose qui cloche. Inertie utérine et obstruction du pelvis.

— S'il y avait eu des risques, je l'aurais remarqué pendant la grossesse, répondit Markwell d'un ton sec.

Pourtant, cela aurait pu lui échapper... s'il avait examiné la patiente en état d'ébriété.

— Le Dr Carlson est de service ce soir. Si cela se complique avant que j'arrive...

— On vient de nous amener quatre accidentés de la route, le Dr Carlson est débordé. On a besoin de vous, docteur Markwell.

— Bon, j'arrive, je serai là dans vingt minutes.

Markwell raccrocha, termina son whisky et sortit une pastille de menthe de sa poche. Depuis qu'il buvait, il en avait toujours sur lui. Il la mit dans sa bouche et quitta son bureau.

Il était saoul, et il allait donner naissance à un enfant ; il allait peut-être tout gâcher, ce qui signifierait la fin de sa réputation, de sa carrière, mais il s'en moquait. En fait, depuis longtemps, il attendait une catastrophe de ce genre avec une sorte d'impatience perverse.

Il enfilait son manteau quand un coup de tonnerre déchira la nuit. Toute la maison en trembla.

Il fronça les sourcils et regarda par la fenêtre, près de la porte. Une neige fine, sèche, tourbillonnait devant les vitres, restait suspendue un instant tandis que le vent se remettait à souffler. puis tourbillonnait à nouveau. Au fil des ans, il avait déjà vu des éclairs pendant une tempête de neige, mais toujours dès les premiers flocons, au loin, atténués. Il n'avait jamais rien vu d'aussi menaçant.

Les éclairs étincelaient... d'autres éclairs encore. La neige scintillait dans la lumière irrégulière et, pendant un bref instant, les vitres se transformèrent en un miroir où Markwell vit son propre visage tourmenté. Le dernier coup de tonnerre fut encore plus puissant que les autres.

Il ouvrit la porte et jeta un coup d'œil intrigué sur la turbulence de la nuit. Les bourrasques emportaient la neige du toit et l'entassaient contre les murs. Un manteau blanc recouvrait la pelouse et les branches de pins.

Les éclairs lui faisaient mal aux yeux. Le vacarme du tonnerre semblait venir des profondeurs de la terre aussi bien que du ciel, comme si cieux et enfers s'éventraient, annonçant le Jugement dernier. Deux éclairs superposés fendirent l'obscurité. Partout, surgissaient d'étranges silhouettes blanches, vacillantes. Les ombres de la rambarde, du perron et des arbres appartenant au monde familier de Markwell étaient si distordues qu'elles rappe-laient une peinture surréaliste : la lumière irréelle donnait aux objets un aspect fantomatique de mutants.

Désorienté par le ciel embrasé, le tonnerre, le vent, et l'écran de neige de l'orage, pour la première fois de la soirée, Markwell se sentit saoul. Il se demandait si le phénomène qu'il observait était bien réel ou si ce n'était qu'une hallucination d'alcoolique. Prudemment, il avança sur le perron glissant, vers les marches qui menaient à l'allée couverte de neige. Appuyé sur la balustrade, il pencha la tête pour regarder les cieux déchirés.

Des éclairs en chaîne illuminèrent la pelouse et la rue, avant de les replonger dans le noir, comme une scène de film interrompue par les courts-circuits d'un projecteur défaillant. Toute couleur était éliminée, laissant place au blanc étincelant des éclairs et de la neige et au noir profond des ombres.

Tandis que, terrifié, abasourdi, il observait l'étrange spectacle céleste, une autre déchirure s'ouvrit dans le ciel. L'extrémité de l'éclair frappa un lampadaire à une vingtaine de mètres, et Markwell hurla de frayeur. La nuit devint incandescente, la lampe explosa. Le coup de tonnerre le fit claquer des dents, le perron sembla se fracasser. Soudain, l'air froid sentit l'ozone et le fer rouge.

Le silence, l'immobilité et l'obscurité revinrent.

Markwell avait avalé sa pastille de menthe.

Des voisins surpris apparurent sur le pas de leur porte, à moins qu'ils n'aient assisté à tout le tumulte et que Markwell ne les ait remarqués qu'après le retour du calme relatif d'une tempête ordinaire. Certains avancèrent dans la neige pour regarder de plus près le lampadaire détruit, la couronne de fer à demi fondue. Ils s'interpellèrent et lui firent des signes, mais il ne répondit pas.

Le spectacle terrifiant ne lui avait pas fait retrouver sa sobriété. De peur que les voisins ne remarquent son ivresse, il fit demi-tour et rentra à l'intérieur.

Et puis, il n'avait pas de temps à perdre à discuter de l'orage. Une femme enceinte l'attendait, il devait délivrer l'enfant.

Luttant pour retrouver son calme, il prit une écharpe de laine dans la penderie, la mit autour de son cou et la croisa sur sa poitrine. Ses mains tremblaient et il avait les doigts raidis, mais il réussit néanmoins à boutonner son manteau. Etourdi, il enfila des bottes de caoutchouc.

Il était persuadé que cet orage incongru revêtait une signification particulière. C'était un présage, un augure. Foutaises ! Le whisky lui embrumait l'esprit. Pourtant, la sensation persistait tandis qu'il se dirigeait vers le garage, levait la porte, faisait marche arrière, dans un léger crissement de pneus équipés de chaînes.

Au moment où il arrêtait la voiture dans l'intention d'aller refermer le garage, quelqu'un frappa contre la vitre du chauffeur. Alarmé, Markwell tourna la tête et vit un homme qui l'observait à travers le panneau de verre.

L'inconnu avait environ trente-cinq ans, des traits nets, bien dessinés. Même à travers la vitre embuée, son visage était frappant. Il portait un manteau de marin au col remonté. Dans l'air glacé, de la fumée sortait de ses narines, et ses mots sortaient en pâles volutes de buée :

— Docteur Markwell ?

Le Dr Markwell baissa la vitre.

— Oui ?

— Docteur Paul Markwell ?

— Oui, je viens de vous le dire. Mais je ne consulte pas à cette heure-ci, je vais voir une patiente à l'hôpital.

L'étranger avait des yeux d'un bleu hors du commun qui rappelait une splendide journée d'hiver réfléchie sur la surface d'une mare prise dans les glaces. Ils étaient très beaux, intrigants, mais immédiatement, Markwell comprit que c'était le regard d'un homme dangereux.

Avant que Markwell eût le temps de passer la marche arrière et de se diriger vers la rue où il pourrait éventuellement trouver de l'aide, l'homme pointa son arme par la vitre ouverte.

— Ne faites pas l'imbécile.

Soudain, avec le canon du revolver appuyé contre sa gorge, le médecin comprit, à sa grande surprise, qu'il ne voulait pas mourir. Longtemps, il avait cru qu'il n'aspirait qu'à sa fin. A présent, au lieu de se réjouir de voir ses vœux enfin exaucés, il était envahi par un sentiment de culpabilité. Pourtant, s'accrocher

15

à la vie lui apparaissait comme une trahison envers son fils qu'il ne rejoindrait que dans la mort.

— Eteignez vos phares. Bien. Coupez le moteur.

Markwell retira la clé de contact.

— Qui êtes-vous ?

— Cela n'a aucune importance.

— Pour moi, si. Que me voulez-vous ? Qu'allez-vous me faire ?

— Faites ce que je vous dis, et il ne vous arrivera rien. Mais essayez de vous échapper, et je vous fais sauter la cervelle et je vide mon chargeur dans votre cadavre, simplement pour le plaisir.

Il avait une voix d'une douceur mal adaptée aux circonstances, mais pleine de détermination.

— Donnez-moi les clés.

Markwell les lui passa par la fenêtre ouverte.

— Sortez.

Se sentant légèrement moins ivre, Markwell sortit de la voiture. Le vent glacé lui mordait le visage. Il devait cligner des yeux pour se protéger de la neige.

— Avant de fermer la porte, remontez la vitre.

L'inconnu le bousculait, ne lui laissait aucune issue de secours.

— Bon, très bien, maintenant, venez avec moi au garage.

— C'est complètement idiot... Qu'est-ce que...

— *Avancez !*

L'inconnu lui tenait le bras. Si quelqu'un les observait d'une maison voisine, l'obscurité et la neige dissimuleraient le revolver.

Obéissant aux instructions de l'homme, Markwell referma la porte du garage. Les gonds froids et mal graissés grincèrent.

— Si c'est de l'argent...

— Taisez-vous et montez.

— Ecoutez, une de mes patientes est en plein travail à l'hôpital et...

— Si vous ne voulez pas la boucler, je vous casse toutes les dents avec mon revolver, comme ça vous serez bien obligé de vous taire.

Markwell le crut. Avec son mètre quatre-vingts, ses quatre-vingts kilos, l'étranger avait à peu près le même gabarit que lui, mais il l'intimidait. De la neige fondue se mêlait à ses cheveux blonds et, avec les gouttelettes qui roulaient sur ses sourcils et ses tempes, il semblait aussi dépourvu d'humanité qu'une statue de glace d'un carnaval d'hiver. Markwell ne doutait pas que, dans une confrontation, l'étranger en manteau de marin terrasserait facilement la plupart de ses adversaires, sans parler d'un médecin à moitié ivre et en mauvaise condition physique !

Bob Shane souffrait de claustrophobie dans la salle d'attente de la maternité réservée aux futurs papas. La pièce avait un plafond bas insonorisé, des murs d'un vert morose, une seule fenêtre aux vitres couvertes de givre. Il y faisait trop chaud. Les six chaises et les deux tables d'angle encombraient l'espace exigu. Il avait envie de pousser la double porte battante, de se précipiter dans le corridor, de courir vers le hall et de surgir dans la nuit froide, où ne flottait aucune odeur d'antiseptique ou de maladie.

Pourtant, il restait là pour être près de Janet si elle avait besoin de lui. Il se passait quelque chose d'anormal. Tout le monde sait que les contractions sont douloureuses, mais pas aussi atroces, brutales que les douleurs que Janet endurait depuis trop long-temps. Les médecins refusaient d'admettre qu'il y avait de sérieuses complications, mais leur inquiétude se lisait sur leur visage.

Bob comprenait parfaitement les raisons de sa claustrophobie. Il ne redoutait pas vraiment de voir les murs l'enserrer. Ce qui s'approchait, c'était la mort, la mort de sa femme, ou de son enfant à venir, ou des deux...

Les portes s'ouvrirent et le Dr Yamatta entra.

En se levant, Bob se heurta contre une table et renversa une pile de magazines.

— Comment va-t-elle ?

— Etat stationnaire, répondit le médecin, un petit homme chétif, avec un visage ouvert et de grands yeux tristes. Le Dr Markwell ne va plus tarder.

— Vous n'attendez tout de même pas qu'il arrive pour la soigner ?

— Non, bien sûr que non. On s'occupe d'elle. Je pensais que cela vous soulagerait de savoir que votre médecin de famille était en route.

— Euh... oui. Merci. Est-ce que je peux la voir ?

17

— Pas encore, répondit Yamatta.

— Quand, alors ?

— Quand elle ira... moins mal.

— Qu'est-ce que c'est que cette réponse ? Quand elle ira moins mal ? Quand va-t-elle être tirée d'affaire ?

Il regretta immédiatement son explosion de colère.

— Excusez-moi, docteur. Je... j'ai peur.

— Je sais. Je sais.

Une porte intérieure reliait le garage de Markwell à la maison. Ils traversèrent la cuisine et s'engagèrent dans le couloir du premier, allumant les lumières au passage. Des paquets de neige fondue tombaient de leurs bottes.

L'homme au revolver regarda à l'intérieur du salon, de la salle à manger, du bureau, du cabinet, de la salle d'attente et dit :

— En haut.

Dans la chambre, l'étranger alluma une des lampes. Il prit la chaise droite de la coiffeuse et l'installa au milieu de la pièce.

— Docteur, enlevez vos gants, votre manteau et votre écharpe.

Markwell obéit, laissa tomber les vêtements au sol en direction de l'homme et s'assit.

L'étranger posa son arme sur la commode et sortit un morceau de corde de sa poche. Il fouilla sous son manteau et sortit un petit canif à large lame qui devait être attaché à sa ceinture. Il coupa la corde en deux, très certainement pour lier Markwell à la chaise.

Le médecin observa l'arme et calcula ses chances d'y parvenir avant l'inconnu, mais il croisa le regard d'un bleu de glace et comprit que son plan était aussi transparent pour son adversaire qu'une astuce d'enfant pour un adulte.

L'homme aux cheveux blonds souriait comme pour dire : vas-y, prends-le.

Paul Markwell avait envie de rire. Il resta docile et coopératif tandis que l'inconnu lui liait les mains et les chevilles à la chaise.

L'étranger fit des nœuds serrés, mais sans lui faire mal, comme s'il avait une certaine considération pour son prisonnier.

— Je ne veux pas vous bâillonner. Vous êtes saoul et, avec un chiffon dans la bouche, vous pourriez vomir et vous étouffer.

18

Alors, il faut que je vous fasse confiance, mais si vous essayez de crier, je vous tue immédiatement, compris ?

— Oui.

Quand l'homme disait plus de quelques mots, il avait un vague accent, si léger que Markwell n'arrivait pas à le situer. Il coupait la fin des mots, et parfois sa prononciation avait une note gutturale, à peine audible.

Il s'assit sur le lit et posa la main sur le téléphone.

— Quel est le numéro de l'hôpital ?

— Pourquoi ?

— Nom d'un chien, je vous ai demandé un numéro, si vous ne voulez pas me le donner, je vous tabasserai jusqu'au bout plutôt que de regarder dans le bottin.

Markwell s'exécuta.

— Qui est de garde ce soir ?

— Le Dr Carlson. Herb Carlson.

— C'est un homme correct ?

— Que voulez-vous dire ?

— Il est meilleur médecin que vous ou c'est un pochard, lui aussi ?

— Je ne suis pas un pochard. J'ai...

— Vous êtes un irresponsable qui s'apitoie sur son sort, un ivrogne et vous le savez. Répondez à ma question. Est-ce qu'on peut faire confiance au Dr Carlson ?

— Oui, c'est un très bon, un très bon médecin.

— Qui est l'infirmière en chef ce soir ?

Markwell dut réfléchir un moment.

— Ella Hanlow, je crois. Je n'en suis pas sûr. Si ce n'est pas elle, c'est Virginia Keene.

L'étranger appela l'hôpital, de la part du Dr Paul Markwell. Il demanda Ella Hanlow.

Une rafale de vent fouetta la maison, siffla sous les combles, grinça dans une fenêtre mal jointe et Markwell se souvint de l'orage. Tandis qu'il observait la neige qui tombait dru à nouveau, il se sentit désorienté. La nuit était si pleine d'événements — l'orage, cet inconnu — que soudain plus rien ne lui paraissait réel. Il tira sur les cordes qui le retenaient prisonnier, certain que ce n'était que la conséquence des effluves de whisky et qu'elles allaient s'évaporer comme une brume d'été. Mais elles tenaient bon, et l'effort lui fit tourner la tête.

19

— Infirmière Hanlow ? Le Dr Markwell ne pourra pas se rendre à l'hôpital. Une de ses patientes est là, Janet Shane. Un accouchement difficile. Comment ? Oui, il veut que le Dr Carlson le remplace. Non, j'ai bien peur que ce ne soit impossible. Non, ce n'est pas la tempête. Il est ivre. C'est ça. Ce serait dangereux pour la malade. Non, inutile de vous le passer, il est ivre mort. Désolé. Il boit beaucoup ces derniers temps, il a essayé de le cacher, mais ce soir, c'est pire que d'habitude. Comment ? Un voisin. D'accord. Merci, infirmière Hanlow. Au revoir.

Markwell était à la fois furieux et soulagé de voir son secret révélé.

— Salaud, vous avez ruiné ma carrière.

— Non, docteur, c'est vous qui l'avez ruinée. C'est la haine de vous-même qui a détruit votre carrière, c'est ça aussi qui a fait partir votre femme. Bien sûr, votre couple n'allait pas fort, mais il aurait pu être sauvé si Lenny avait vécu, et il aurait peut-être été sauvé après sa mort, si vous ne vous étiez pas renfermé sur vous-même.

Markwell n'en revenait pas.

— Comment savez-vous ce qui se passait entre moi et Anna ? Comment êtes-vous au courant pour Lenny ? Je ne vous connais pas ? Comment pouvez-vous savoir tout ça ?

Sans répondre aux questions, l'étranger empila deux oreillers contre le bois du lit, s'allongea, en mettant ses pieds mouillés, boueux et bottés sur les couvertures.

— Peu importe ce que vous ressentez à propos de Lenny, ce n'était pas votre faute. Vous êtes médecin, pas faiseur de miracles. Mais vous avez perdu Anna par votre faute. Et ce que vous êtes devenu... un danger pour tous vos patients, ça, c'est votre faute.

Markwell tenta de protester, mais il soupira et laissa retomber sa tête, menton contre sa poitrine.

— Vous savez quel est votre problème, docteur ?

— Vous allez sans doute me le dire.

— Le problème, c'est que vous n'avez jamais eu à vous battre pour quoi que ce soit. Votre père était riche, vous avez eu tout ce que vous vouliez, vous êtes allé dans les meilleures écoles, et même si vous étiez un bon médecin, vous n'aviez pas besoin d'argent. Vous aviez un héritage. Alors quand Lenny a eu la polio, vous ne saviez pas comment lutter contre l'adversité, parce que vous n'aviez aucune expérience en ce domaine. Vous n'avez pas été immunisé, vous n'aviez aucune résistance, et vous avez sombré dans le désespoir.

Levant la tête, clignant des yeux pour mieux voir, Markwell répondit :

— Je ne comprends pas.

— Grâce à toute cette souffrance, vous avez enfin appris quelque chose, Markwell, et si vous restez sobre assez longtemps pour raisonner sainement, vous pourrez peut-être vous en tirer. Vous avez encore une chance de pouvoir vous racheter.

— Je n'ai peut-être pas envie de me racheter.

— J'ai bien peur que ce ne soit la vérité, je crois bien que vous avez peur de mourir, mais je ne sais pas si vous aurez le courage de continuer à vivre.

Le médecin avait une haleine âpre de vieilles pastilles de menthe et de relents de whisky. Il avait la bouche sèche, la langue pâteuse. Il aurait voulu un verre. Finalement, dégoûté par les accents d'autocomplaisance de sa voix, mais incapable de retrouver sa dignité, il demanda :

— Qu'est-ce que vous voulez de moi ?

— Je veux vous empêcher d'aller à l'hôpital ce soir. Je veux m'assurer que vous ne vous chargerez pas de l'accouchement du bébé de Janet Shane. Vous êtes un boucher, un assassin en puissance. Et cette fois, il fallait que je vous arrête.

Markwell passa la langue sur ses lèvres.

— Je ne sais pas qui vous êtes.

— Et vous ne le saurez jamais, docteur. Jamais.

Bob Shane n'avait jamais eu si peur. Il réprimait ses larmes, car il craignait que s'il révélait ses sentiments trop ouvertement, ce ne soit une invitation au destin et que cela ne mette en danger la vie de Janet et du bébé.

Il se pencha sur sa chaise, baissa la tête et pria silencieusement : « Mon Dieu, Janet aurait pu réussir beaucoup mieux que moi. Elle est si jolie, et je suis moche comme un pou. Je ne suis qu'un vulgaire épicier, et mon magasin ne rapporte rien, mais elle m'aime. Seigneur, elle est bonne, honnête, simple... elle ne mérite pas de mourir. Vous voulez peut-être la reprendre parce qu'elle

21

est prête pour le paradis mais, moi, je ne le suis pas. Et j'ai besoin d'elle pour devenir un homme meilleur. »

L'une des portes s'ouvrit.

Bob leva les yeux.

Les Drs Carlson et Yamatta entrèrent dans leur tenue verte de chirurgien.

Terrifié, Bob se leva lentement.

Yamatta avait un regard plus triste que jamais.

Le Dr Carlson était un homme grand, solide, qui parvenait à garder sa prestance malgré l'uniforme peu élégant.

— Monsieur Shane... Je suis désolé. Je suis désolé, mais votre femme est morte.

Pétrifié par cette nouvelle épouvantable, Bob entendit à peine ce que lui dit Carlson :

— ... obstruction utérine... elle n'aurait jamais dû avoir d'enfant. Je suis désolé..., vraiment désolé... Nous n'avons rien pu faire... hémorragie... mais l'enfant...

Ce dernier mot mit fin à la paralysie de Bob. Il fit un pas vers Carlson :

— Qu'est-ce que vous avez dit à propos de l'enfant ?

— C'est une fille. Une petite fille, en parfaite santé.

Bob avait cru que tout était perdu. A présent il regardait Carlson, espérant qu'une partie de Janet n'était pas morte, que, finalement, il ne se retrouverait pas seul au monde.

— Pour de vrai ? Une fille ?

— Oui, une très jolie petite fille. Elle a déjà de beaux cheveux noirs.

— Mon bébé est vivant ! dit Bob en regardant Yamatta.

— Oui, répondit Yamatta avec un bref sourire ému. Et il faut en remercier le Dr Carlson. Mme Shane n'avait pas la moindre chance, j'en ai bien peur, et dans des mains moins expérimentées, il n'est même pas sûr qu'on aurait pu sauver l'enfant.

Bob se tourna vers Carlson, n'osant toujours pas y croire.

— Le... le bébé est vivant, c'est toujours ça, non ?

Mal à l'aise, les médecins gardèrent le silence. Yamatta posa la main sur l'épaule de Bob, pressentant que le contact physique serait un réconfort.

Bien qu'il mesurât quinze centimètres de plus que le jeune médecin chétif, Bob s'appuya sur Yamatta. Ecrasé de douleur, il pleura, et Yamatta le soutint.

L'étranger passa encore une heure avec Markwell, mais il ne parla plus et refusa de répondre à ses questions. Il restait sur le lit, à regarder le plafond, si enfermé dans ses pensées qu'il ne bougeait pratiquement pas.

Tandis que l'ivresse du médecin se dissipait, un mal de tête épouvantable lui enserrait le crâne. Comme à l'accoutumée, sa gueule de bois déclenchait une crise d'autocomplaisance encore plus grande que celles qui le poussaient à boire.

Finalement, l'intrus regarda sa montre.

— Onze heures et demie. Je m'en vais.

Il se leva, s'approcha de la chaise et sortit son couteau.

Markwell se raidit.

— Je vais couper vos cordes à moitié. Si vous vous débattez, dans une demi-heure, vous parviendrez à vous libérer. Ça me laisse amplement le temps de partir.

Tandis que l'homme se tenait derrière lui, Markwell s'attendait à sentir la lame du couteau entre ses côtes.

Pourtant, moins d'une minute plus tard, l'étranger rangea son couteau et se dirigea vers la porte.

— Vous avez une chance de vous racheter, docteur. Je crois que vous n'aurez pas le courage de le faire, mais j'espère que je me trompe.

Il sortit.

Pendant une dizaine de minutes, alors qu'il luttait pour se libérer, Markwell entendit des bruits de temps à autre. De toute évidence, l'intrus cherchait des objets de valeur. Bien qu'il parût mystérieux, ce n'était peut-être qu'un vulgaire voleur aux drôles de méthodes.

Markwell se libéra à minuit vingt-cinq. Ses poignets gravement écorchés saignaient.

Bien qu'il n'ait pas entendu le moindre bruit depuis une demi-heure, il prit son revolver dans le tiroir de la table de nuit et descendit prudemment l'escalier. Il alla dans son cabinet où il s'attendait à voir des médicaments volés, mais aucun des grands placards blancs n'avait été touché.

Il se précipita dans son bureau, persuadé que le fragile coffre-fort mural avait été percé. Il était intact.

Abasourdi, se retournant déjà pour sortir, il vit des bouteilles de gin, de whisky, de tequila, de vodka empilées dans l'évier du bar. L'intrus ne s'était arrêté que pour vider toutes les bouteilles.

Il y avait un mot affiché sur le miroir, écrit en lettres capitales :

SI VOUS N'ARRÊTEZ PAS DE BOIRE, SI VOUS N'APPRENEZ PAS À ACCEPTER LA MORT DE LENNY, VOUS ALLEZ METTRE VOTRE REVOLVER DANS VOTRE BOUCHE ET VOUS FAIRE SAUTER LA CERVELLE AVANT UN AN. CE N'EST PAS UNE PRÉDICTION, C'EST UN FAIT.

Attrapant le mot et son arme, Markwell regarda tout autour de lui dans la pièce vide, comme si l'étranger y était encore, fantôme qui pouvait se rendre visible ou invisible.

— Qui êtes-vous ? Qui êtes-vous, nom d'un chien ?

Seul le vent lui répondit, et son triste gémissement n'avait aucune signification qu'il pût décrypter.

Le lendemain, à onze heures, après une brève rencontre avec l'entrepreneur des pompes funèbres, Bob Shane retourna à l'hôpital pour voir sa petite fille. Il enfila une blouse de coton, une toque, un masque chirurgical et après qu'il se fut consciencieusement lavé les mains sous la direction d'une infirmière, on l'autorisa à entrer dans la nursery où il prit Laura dans ses bras.

Neuf autres nouveau-nés partageaient la pièce. Ils étaient tous mignons, à leur manière, mais Bob ne croyait pas faire preuve de partialité en pensant que Laura était la plus belle de tous. Bien que dans l'imaginaire populaire, les anges aient des cheveux blonds et des yeux bleus, et bien que Laura eût des cheveux noirs, elle n'en était pas moins angélique. Pendant les dix minutes où il la tint dans ses bras, elle ne pleura pas une seule fois. Elle clignait des yeux, bâillait. Elle semblait pensive, comme si elle était consciente d'être orpheline et de se trouver seule avec son père dans un monde âpre et sans pitié.

Un panneau vitré permettait aux visiteurs de voir les enfants. Il y avait cinq personnes de l'autre côté. Quatre d'entre elles souriaient et faisaient des grimaces pour faire rire les bébés.

La cinquième était un grand blond en manteau de marin, les mains dans les poches. Il ne souriait pas, ne faisait pas de grimaces. Il regardait Laura.

Comme l'inconnu ne quittait toujours pas Laura des yeux, Bob finit par s'inquiéter. Beau, soigné, l'homme avait quelque chose de dur dans le visage, une certaine expression que Bob ne pouvait définir avec des mots, mais qui prouvait qu'il avait vu et fait des choses atroces.

Bob se souvint des histoires de kidnappeurs des journaux à sensation, de bébés vendus sur les marchés. Il se dit qu'il était paranoïaque, qu'il imaginait des dangers là où il n'y en avait pas car, après la perte de Janet, il avait peur de perdre sa fille. Mais plus l'homme observait Laura, plus Bob se sentait mal à l'aise.

Comme s'il avait pris conscience de ce malaise, l'homme leva les yeux. Ils se regardèrent. L'étranger avait des yeux bleus d'une intensité, d'une profondeur étranges. Les craintes de Bob s'accentuèrent. Il serra sa fille plus fort contre lui, comme si l'inconnu allait briser la vitre pour venir s'en emparer. Il songea à appeler une infirmière pour qu'elle aille lui parler et se renseigner.

L'étranger sourit. Un grand sourire chaleureux qui transforma son visage. Il avait perdu sa morosité, paraissait amical. Il fit un clin d'œil à Bob et dit d'une voix muette de l'autre côté de la vitre :

— Elle est belle.

Bob se détendit. Il sourit lui aussi, mais s'aperçut qu'on ne pouvait pas voir sa bouche derrière le masque, et fit merci d'un signe de tête.

L'étranger jeta encore un coup d'œil à Laura, fit un autre clin d'œil à Bob et s'éloigna de la vitre.

Plus tard, alors que Bob Shane était rentré chez lui, un homme grand, en vêtements sombres, s'approcha de la vitre de la crèche. Il s'appelait Kokoschka. Il observait les nourrissons ; soudain, son regard dériva et il aperçut son reflet incolore dans la vitre polie. Il avait un visage large et plat, des lèvres si fines qu'elles semblaient faites de corne. Une cicatrice de cinq centimètres lui déchirait la joue. Ses yeux noirs manquaient de profondeur, comme si ce n'étaient que des boules de céramique peintes, des yeux de requin qui parcourent les fonds de l'océan. Il s'amusait de voir à quel point ses traits contrastaient avec ceux des visages innocents des bébés dans leurs berceaux, de l'autre côté de la vitre. Il sourit, fait excessivement rare chez lui, un sourire sans chaleur qui le rendait encore plus menaçant.

De nouveau, il regarda au-delà de son reflet. Il n'eut aucune difficulté à reconnaître Laura Shane car les prénoms des enfants était inscrits sur une carte fixée au pied des berceaux.

Pourquoi s'intéresse-t-on tant à toi, Laura Shane ? Pourquoi ta vie est-elle si importante ? Pourquoi toute cette énergie dépensée pour s'assurer que tu viennes au monde saine et sauve ? Devrais-je te tuer maintenant et mettre fin aux projets du traître ?

Il aurait été capable de la tuer sans sourciller. Ce ne serait pas la première fois qu'il tuerait un enfant, même si les autres n'étaient pas si jeunes. Aucun crime n'était trop odieux s'il servait la cause à laquelle il avait consacré sa vie.

Le bébé dormait. De temps à autre, il ouvrait la bouche et son petit visage se plissait brièvement. Peut-être rêvait-elle avec regret du ventre de sa mère.

Finalement, il décida de ne pas la tuer. Pas encore.

— Je pourrai toujours t'éliminer plus tard, ma petite, murmura-t-il. Quand j'aurai compris quel rôle tu joues dans le plan du traître ; à ce moment-là, je te tuerai.

Kokoschka s'éloigna de la vitre. Il savait qu'il ne reverrait pas la fillette avant huit ans au moins.

· 2 ·

En Californie du Sud, il ne pleut que rarement au printemps, en été et en automne. En fait, la saison des pluies, si l'on peut s'exprimer ainsi, se situe entre décembre et mars. Pourtant, le 2 avril 1963, le ciel était couvert et le temps très humide. En ouvrant la porte de sa petite épicerie de banlieue à Santa Ana, Bob Shane songea que ce serait peut-être la dernière averse de la saison.

De l'autre côté de la rue, dans les jardins, les ficus et les palmiers étaient parfaitement immobiles et semblaient dépérir sous le poids de l'orage menaçant.

La radio près de la caisse était allumée en sourdine. Les Beach Boys chantaient « Surfin' USA », ce qui semblait aussi approprié que « Noël blanc » en plein cœur de juillet.

Bob regarda sa montre : trois heures et quart.

Il va pleuvoir avant trois heures et demie, pensa-t-il, et ce ne sera pas de la rigolade !

Les affaires avaient bien marché pendant la matinée, mais l'après-midi était calme. Il n'y avait personne dans le magasin.

L'épicerie familiale subissait la concurrence des grands supermarchés comme 7-Eleven. Bob songeait à transformer son échoppe en boutique de traiteur, avec des produits frais, mais il retardait sans cesse la mise à exécution, car cela demandait beaucoup plus de travail.

Si le temps se gâtait pour de bon, il n'aurait que peu de clients. Il pourrait fermer tôt et emmener Laura au cinéma.

— Tu ferais mieux d'aller chercher le bateau, ma poupée, dit-il en se retournant.

Absorbée dans son activité, Laura était agenouillée près d'une étagère. Bob avait sorti quatre cartons de soupe en boîte de la remise, et Laura avait pris la suite des opérations. Elle n'avait que huit ans, mais on pouvait lui faire confiance et elle aimait beaucoup donner un coup de main au magasin. Après avoir étiqueté les prix sur chaque boîte, elle les posait sur une étagère en prenant bien soin de mettre les nouvelles derrière les anciennes.

— Le bateau ? Quel bateau ?

— Celui qui est en haut, dans l'appartement. Tu sais, dans le placard. Si on en croit la couleur du ciel, on risque d'en avoir besoin tout à l'heure.

— C'est idiot, il n'y a pas de bateau en haut.

— Mais si, le bleu.

— Ah oui ? Dans le placard ? Quel placard ?

Bob rangea des paquets de biscuits Slim Jim dans le présentoir métallique, à côté des crackers apéritifs.

— Celui de la bibliothèque.

— On n'a pas de bibliothèque.

— Oh ? Ah oui, maintenant que tu me le rappelles, le bateau n'est pas dans la bibliothèque. Il est dans le placard de la chambre du Crapaud.

— Quel crapaud ? demanda-t-elle en ricanant.

— Comment ? Tu ne vas pas me faire croire que tu ne connais pas sire Crapaud ?

En souriant, elle hocha la tête.

— A partir d'aujourd'hui, nous louons une chambre à un

27

gentilhomme crapaud anglais. Un envoyé de la reine, venu ici pour affaires.

Des éclairs étincelèrent et le tonnerre résonna dans le ciel d'avril. A la radio, l'électricité statique faisait crachoter « Rhythm of the Rain » des Cascades.

Laura ne prêtait pas attention à l'orage. Elle n'avait jamais peur de ce qui effrayait habituellement les enfants. Elle avait une telle confiance en elle qu'on aurait pu la prendre pour une vieille dame déguisée en petite fille.

— Et pourquoi la reine chargerait-elle un crapaud de s'occuper de ses affaires ?

— Les crapauds sont d'excellents hommes d'affaires, dit-il en ouvrant un paquet de Slim Jim et en commençant à grignoter.

Depuis la mort de Janet, il avait grossi de plus de vingt kilos. Il n'avait jamais été très beau. A présent, à trente-huit ans, avec des rondeurs appréciables, il n'y avait que peu de chances qu'une femme se retourne sur lui. Professionnellement, il ne réussissait pas vraiment non plus. On ne s'enrichissait guère avec une épicerie de quartier. Il s'en moquait. Il avait Laura, il était bon père, il l'aimait de tout son cœur, et sa fille l'aimait. Peu lui importait ce que pensait le reste du monde.

— Oui, d'excellents hommes d'affaires. Et la famille de sire Crapaud est au service de la Couronne depuis des siècles. En fait, c'est même un chevalier, sire Thomas Crapaud.

Les éclairs se firent plus intenses. Le tonnerre aussi.

Les boîtes de soupe rangées, Laura se redressa et s'essuya les mains sur le tablier blanc qu'elle portait au-dessus de son jean et de son T-shirt. Elle était très jolie avec ses cheveux noirs et ses grands yeux bruns. Elle ressemblait beaucoup à sa mère.

— Et combien paie sire Thomas Crapaud ?

— Six sous par semaine.

— Il est dans la chambre à côté de la mienne ?

— Oui, la chambre avec le bateau bleu dans le placard.

— Eh bien, j'espère qu'il ne ronfle pas !

— Il a dit la même chose pour toi.

Une vieille Buick toute rouillée et toute déglinguée s'arrêta devant le magasin, et, tandis que le chauffeur ouvrait sa porte, un troisième éclair déchira le ciel noir. L'atmosphère s'imprégnait d'une lumière en fusion qui semblait couler le long des rues et sur les voitures, telle une lave. Le coup de tonnerre fit trembler le bâtiment du toit aux fondations, comme si les cieux se réfléchissaient sur le sol en un furieux tremblement de terre.

— Ouaouh! s'exclama Laura en s'approchant de la fenêtre.

Bien qu'il ne pleuve pas encore, une bourrasque se leva de l'est, emportant feuilles et détritus.

L'homme qui sortait de la Buick regarda le ciel, étonné.

L'un après l'autre, les éclairs perçaient les nuages, projetaient leurs reflets sur les vitres et les chromes des automobiles, accompagnés d'un coup de tonnerre impressionnant.

Bob ne se sentait pas rassuré.

— Écarte-toi de la fenêtre, ma chérie.

Laura se précipita derrière le comptoir et lui passa un bras autour de la taille, plus pour le réconforter que pour se rassurer.

L'homme à la Buick entra dans le magasin. Les yeux levés vers les cieux déchaînés, il dit :

— Vous avez vu ça?

Le tonnerre s'éloigna. Le silence revint.

La pluie tombait en grosses gouttes qui frappaient doucement les vitres mais elles se changèrent vite en torrents aveuglants qui obstruaient le monde extérieur.

— C'est quelque chose, non? dit le client en souriant.

Bob allait répondre, mais il se tut en regardant l'homme de plus près, pressentant les ennuis comme un cerf la présence d'un loup à l'affût. Il portait des bottes de caoutchouc, un jean crasseux, et un K-Way sale sur un T-shirt d'un blanc douteux. Il avait les cheveux gras, une barbe de trois jours assombrissait son menton. Ses yeux injectés de sang paraissaient fiévreux. Un camé. Il s'approcha du comptoir et sortit un revolver, ce qui n'était guère surprenant.

— Donne le fric, connard.

— Tout de suite.

— Plus vite.

— Du calme.

Le junkie passa la langue sur ses lèvres blanches et desséchées.

— Et n'essaie pas de finasser, trou du cul.

— Bon, bon. C'est comme si vous l'aviez, répondit Bob en essayant de pousser Laura derrière lui.

— Laisse la gamine que je la voie! Je veux la voir. Allez, fais-la sortir!

— OK. Ne vous énervez pas.

Le type était complètement défoncé, et tout son corps tremblait.

— Là ! Que je la voie ! Et puis, ne va pas te mettre à sortir autre chose que l'argent. Pas de revolver, sinon je t'éclate la cervelle.

— Je ne suis pas armé, l'assura Bob.

Il regarda la devanture lavée par la pluie, espérant que personne ne rentrerait pendant le hold-up. Ce camé semblait capable de tirer sur tous ceux qui franchiraient la porte.

Laura essaya de mieux se cacher derrière son père, mais le junkie cria :

— Et toi, ne bouge pas.

— Elle n'a que huit ans...

— C'est une salope. Jeunes ou vieilles, c'est toutes des salopes !

Il avait l'air encore plus terrifié que Bob, ce qui effrayait Bob plus que toute autre chose.

Bien qu'il porte toute son attention sur le camé et son arme, il entendait Skeeter Davis chanter « The End of the World », à la radio, la fin du monde ! Avec une crainte superstitieuse bien compréhensible dans ces circonstances, il souhaitait que la chanson se termine avant de précipiter sa fin et celle de Laura d'un coup de baguette magique.

— Tenez, voilà l'argent. Prenez tout.

Le junkie fourra l'argent dans la poche de son K-Way souillé et demanda :

— T'as une arrière-boutique ?

— Pourquoi ?

D'un coup de coude, le camé renversa le présentoir de friandises et de chewing-gums et brandit son revolver vers Bob.

— T'en as une, crétin, c'est forcé. On y va.

Soudain, Bob eut la bouche sèche.

— Ecoutez, vous avez eu ce que vous vouliez, alors, allez-vous-en. S'il vous plaît.

Souriant, plus confiant en lui à présent qu'il avait l'argent, enhardi par la peur manifeste de Bob, mais toujours tremblant, le camé répondit :

— Ne vous inquiétez pas, je ne vais tuer personne. Je suis un amoureux, pas un assassin. Tout ce que je veux, c'est ma part de cette petite salope, et après, je m'en vais.

Bob se maudit de n'être pas armé. Laura s'accrochait à lui, mais il ne pouvait rien pour elle. En allant dans l'arrière-boutique, il essaierait de se jeter sur le junkie, de lui prendre son revolver. Mais il était trop gros et en mauvaise condition physique. Il ne serait pas assez rapide, ce salaud le tuerait, le laisserait crever par terre les tripes à l'air et en profiterait pour violer Laura.

— Avance, dit-il impatiemment. Plus vite !

Il y eut un coup de feu, Laura cria, et Bob la serra contre lui, pour l'abriter, mais c'était le junkie qui était mort. La balle était entrée par la tempe gauche ; il tomba sur le présentoir métallique, mort sur le coup, si vite qu'il n'eut pas même le réflexe d'appuyer sur la détente.

Abasourdi, Bob regarda sur sa droite et vit un homme grand et blond, pistolet à la main. De toute évidence, il était entré par la porte arrière, s'était faufilé silencieusement à travers l'arrière-boutique et avait tiré dès qu'il était entré dans le magasin, sans crier gare. Il regarda le corps d'un air froid, sans émotion, comme s'il était un tueur expérimenté.

— Ouf, dit Bob, la police.

— Je ne suis pas de la police.

Il portait un pantalon gris, une chemise blanche et une veste grise sous laquelle on apercevait un étui à revolver.

Troublé, Bob se demanda si leur sauveur était un autre voleur venu reprendre le hold-up là où il avait été violemment interrompu.

L'étranger leva les yeux ; il avait un regard direct, d'un bleu profond.

Bob était sûr de l'avoir déjà vu, mais il ne se souvenait plus ni quand ni où.

L'étranger regarda Laura.

— Ça va, ma mignonne ?

— Oui, dit-elle, toujours accrochée à son père.

Une forte odeur d'urine émanait du cadavre, car l'homme avait perdu le contrôle de sa vessie au moment de sa mort.

L'étranger traversa la pièce, fit le tour du cadavre et ferma le verrou de la porte. Il tira le rideau. D'un air inquiet, il regarda la devanture de verre, toujours battue par la pluie qui déformait la scène d'orage à l'extérieur.

— Vous n'avez pas de rideaux sur les vitres ? Espérons que personne ne viendra regarder.

— Qu'allez-vous nous faire ? demanda Bob.

— Moi ? Rien. Je ne suis pas fou. Je ne veux rien de vous. J'ai fermé la porte pour qu'on puisse mettre au point l'histoire que vous allez raconter à la police. Il faut se mettre d'accord avant que quelqu'un voie le corps.

— Pourquoi aurais-je besoin d'inventer quoi que ce soit ?

L'étranger se pencha sur le corps, prit les clés de voiture et l'argent dans la poche tachée de sang et se releva.

— Bon, vous direz qu'ils étaient deux. Celui-ci voulait violer Laura, mais l'autre était malade à l'idée de s'attaquer à une petite fille et il voulait partir. Ils se sont disputés, ça a mal tourné ; le deuxième a tiré et s'est sauvé avec l'argent. Vous réussirez à leur faire avaler ça ?

Bob avait toujours du mal à croire qu'ils étaient sauvés. Il tenait toujours sa fille serrée contre lui.

— Je... Je ne comprends pas. Vous n'étiez pas avec lui. Vous n'aurez pas d'ennuis, il allait nous tuer. Alors pourquoi ne pas dire la vérité ?

L'homme revint vers le comptoir, rendit l'argent à Bob et dit :

— Et c'est quoi, la vérité ?

— Euh..., vous êtes arrivé par hasard, vous avez assisté au hold-up...

— Je ne suis pas arrivé *par hasard*, Bob. Je veille sur vous et sur Laura.

Il remit son arme dans son étui et regarda Laura.

Les yeux écarquillés, la fillette l'observait.

— Je suis votre ange gardien, murmura-t-il en souriant.

Bob, qui ne croyait pas aux anges gardiens, restait sceptique :

— Vous veillez sur nous ? Depuis quand, et pourquoi ?

D'une voix un peu inquiète, avec un léger accent mal défini que Bob remarquait pour la première fois, l'étranger répondit :

— Ça, je ne peux pas vous le dire. Pas plus que je ne peux me permettre d'être interrogé par la police. Alors, il faut mettre au point une histoire.

— Je vous ai déjà vu quelque part...

— Vous ne me connaissez pas.

— Je suis sûr que je vous ai déjà vu.

— Non. D'ailleurs, ça n'a pas d'importance. Pour l'amour de Dieu, cachez cet argent, et laissez la caisse vide. Ça paraîtrait bizarre que le deuxième homme soit parti sans ce qu'il voulait. Je prendrai sa Buick, je l'abandonnerai quelques pâtés de maisons plus loin, si bien que vous pourrez en donner la description. Vous pouvez aussi leur donner mon signalement. Cela n'a pas d'importance.

Dehors, le tonnerre grondait, mais au loin, rien de comparable avec les explosions du début.

L'air humide devenait de plus en plus lourd, chargé qu'il était des odeurs de sang et d'urine.

Nauséeux, s'appuyant sur le comptoir tout en tenant Laura, Bob demanda :

— Pourquoi ne pas leur dire que vous avez interrompu le hold-up et que vous êtes parti parce que vous ne vouliez pas de tapage autour de votre nom ?

Impatient, l'étranger éleva le ton :

— Un homme armé qui passe justement par là au moment du hold-up et s'amuse à jouer les héros ? Les flics ne croiront jamais à une histoire pareille.

— C'est pourtant la vérité...

— Ils ne voudront pas y croire. Ils vont se mettre à penser que c'est vous qui avez tiré sur le junkie. Comme vous n'avez pas d'arme, du moins pas selon les registres officiels, ils se demanderont si ce n'était pas une arme illégale que vous auriez jetée après avoir tué le type et monté tout un bateau sur un Zorro qui est venu vous sauver...

— Je suis un commerçant honnête, et j'ai bonne réputation.

Une certaine tristesse se lisait dans le regard de l'étranger.

— Bob, vous êtes un brave homme... mais parfois, vous êtes trop naïf.

— Qu'est-ce que... ?

L'inconnu leva la main pour le faire taire.

— Dans les moments de crise, une bonne réputation, cela ne compte plus guère. La plupart des gens sont pleins de bonne volonté et veulent bien accorder le bénéfice du doute, mais il y a toujours des langues de vipère pour rêver d'écraser les autres, de ruiner leur vie.

Il avait baissé le ton et murmurait presque mais, bien qu'il continue à regarder Bob, il semblait voir d'autres lieux, d'autres gens.

— La jalousie, Bob. La jalousie les ronge. Si vous aviez de l'argent, ils vous envieraient votre fortune. Comme vous n'en avez pas, ils seront envieux de voir que vous avez une petite fille si jolie et si intelligente. Ils vous envieront parce que vous êtes un homme heureux. Ils vous envieront parce que vous n'êtes pas jaloux. L'une des plus grandes tristesses de l'existence humaine, c'est que les gens ne se contentent pas de se réjouir de la vie, mais trouvent leur bonheur dans le malheur des autres.

Bob ne pouvait certainement pas réfuter l'accusation de naïveté, et il comprit que l'inconnu disait la vérité. Il trembla.

Après un instant de silence, le regard triste de l'homme reprit une expression inquiète.

— Et quand les flics auront décidé que vous mentez sur l'épisode « Zorro est arrivé », ils se demanderont si le junkie était vraiment un voleur, si vous ne le connaisssez pas avant, si en fait vous n'aviez pas prémédité cet assassinat et cherché à le couvrir par une histoire de hold-up. C'est ça qu'ils penseront. Même s'ils n'arrivent pas à avoir de preuves, ils essaieront et essaieront de vous accuser à vous en gâcher le reste de votre vie. Vous voulez infliger ça à Laura ?

— Non.

— Alors, faites-moi confiance.

Bob hocha la tête.

— Vous faire confiance... Mais qui êtes-vous ?

— Ça n'a pas d'importance et de toute façon, nous n'avons pas le temps.

Il passa derrière le comptoir et se pencha vers Laura pour avoir son visage au même niveau que le sien.

— Tu as compris ce que j'ai dit à ton papa ? Si la police demande ce qui s'est passé...

— Vous étiez avec l'autre monsieur, dit-elle en indiquant la direction du cadavre.

— C'est ça.

— Vous étiez son ami, mais vous vous êtes disputés à cause de moi, mais je sais pas très bien pourquoi, parce que moi, j'avais rien fait...

— Le pourquoi n'a pas d'importance, ma chérie.

— Après, vous l'avez tué et vous vous êtes sauvé avec tout notre argent et j'avais très peur.

— Huit ans, c'est ça ? dit l'homme en regardant Bob.

— Elle est très intelligente.

— Oui, mais ce serait aussi bien que la police ne l'interroge pas trop.

— Je ne les laisserai pas faire.

— S'ils m'embêtent, je pleurerai jusqu'à temps qu'ils arrêtent.

L'étranger sourit. Il regardait Laura avec tant d'amour que Bob en était mal à l'aise. Ce n'était pas le regard du pervers qui avait voulu entraîner la fillette dans l'arrière-boutique, mais un regard plein de tendresse, d'affection. Il lui toucha la joue. Etrangement, des larmes lui perlaient aux yeux. Il cligna les paupières et se redressa.

— Bob, rangez cet argent. N'oubliez pas, je suis parti avec.

Bob se rendit compte qu'il avait toujours la liasse en main. Il la fourra dans sa poche de pantalon et son tablier ample dissimula la bosse.

L'étranger ouvrit le verrou et leva le rideau.

— Bob, prenez bien soin d'elle. Ce n'est pas une enfant comme les autres, dit-il avant de se précipiter sous la pluie en laissant la porte ouverte derrière lui.

Il sauta dans la Buick et démarra en faisant crisser les pneus.

La radio était toujours allumée, mais Bob l'entendit pour la première fois depuis « The End of the World ». A présent, Shelley Fabares chantait « Johnny Angel », l'ange Johnny.

Soudain, il reprit conscience de la pluie, ce n'était plus un vague fond sonore, elle battait furieusement les vitres et les toits. Malgré les bourrasques qui s'engouffraient par la porte ouverte, l'odeur de sang et d'urine devint encore plus nauséabonde. Et, dans le même instant, comme s'il sortait d'une transe de terreur et recouvrait tous ses sens, il se rendit compte que Laura avait échappé de justesse à la mort. Il la prit dans ses bras, répétant et répétant son nom en lui caressant les cheveux. Il enfouit son visage dans le cou de la fillette, respira le parfum de sa peau fraîche, et, sentant le pouls battre dans l'artère, il remercia Dieu de la voir toujours en vie.

— Laura, Laura, comme je t'aime !

— Je t'aime aussi, papa. Je t'aime pour sire Thomas Crapaud et des milliers de raisons, mais il faut appeler la police maintenant.

— Oui, bien sûr, répondit Bob à contrecœur.

Il avait les yeux remplis de larmes. Il était si nerveux qu'il ne savait plus où se trouvait le téléphone.

35

Laura avait déjà décroché le combiné et le lui tendit.

— Je peux les appeler si tu veux, papa, le numéro est sur le téléphone. Tu veux que je les appelle ?

— Non, non, je vais le faire, mon lapin.

Clignant les yeux pour ravaler ses larmes, il prit le combiné et s'assit sur le tabouret de bois derrière le comptoir. Laura lui posa la main sur le bras, comme si elle savait qu'il avait besoin de ce contact.

Janet avait toujours été solide, mais la force de Laura et sa maîtrise d'elle-même étaient surprenantes pour une enfant de son âge. Bob ne savait pas d'où cela venait. C'était peut-être parce qu'elle n'avait jamais eu de mère qu'elle ne comptait que sur elle.

— Papa ? dit Laura en tapotant sur l'appareil avec le doigt. N'oublie pas la police.

— Oui, oui.

En essayant de ne pas faire attention à l'odeur de mort qui envahissait le magasin, il composa le numéro de police secours.

Kokoschka était assis au volant en face du magasin de Bob Shane, caressant pensivement la cicatrice de sa joue.

La pluie avait cessé. La police était partie. Les néons et les lampadaires étaient allumés, mais les rues réverbéraient une noire obscurité, en dépit de tout ce déploiement de lumière, comme si le macadam absorbait les rayons au lieu de les réfléchir.

Kokoschka était arrivé en même temps que Stefan, le traître aux cheveux blonds et aux yeux bleus. Il avait entendu le coup de feu, avait vu Stefan s'enfuir comme un fou dans la Buick, s'était mêlé à la foule des badauds attirés par la police et avait appris l'essentiel de ce qui s'était passé dans le magasin.

Bien sûr, il avait vu clair dans le récit de Bob Shane qui avait prétendu que Stefan n'était qu'un complice du junkie. Stefan n'était pas leur agresseur, mais leur ange gardien personnel, et il avait sans doute menti pour protéger sa véritable identité.

Une fois de plus, Laura avait été sauvée.

Pourquoi ?

Kokoschka essayait d'imaginer quel rôle pouvait jouer la fillette dans les plans du traître, mais il se trouvait dans une impasse. Il ne servirait à rien d'interroger la fillette, car elle était

36

trop jeune pour qu'on lui ait confié quoi que ce soit d'intéressant. Pour elle, les motivations de son ange gardien étaient aussi mystérieuses que pour Kokoschka.

Il était sûr que le père ne savait rien non plus. C'était visiblement la fille qui intéressait Stefan, pas le père, si bien que Bob Shane n'avait sans doute pas été mis dans la confidence quant aux intentions et à l'origine de Stefan.

Finalement Kokoschka se rendit dans un restaurant un peu plus loin et retourna à l'épicerie à la nuit tombée. Il se gara dans une rue adjacente à l'ombre de larges feuilles de palmier. La boutique était plongée dans l'obscurité, mais il y avait des lumières allumées dans l'appartement, au-dessus du magasin.

D'une poche profonde de son imperméable, il retira un revolver, un Colt Agent .38 à canon court, compact mais puissant. Kokoschka aimait les armes bien dessinées et bien conçues et il appréciait beaucoup le contact de ce revolver : c'était la Mort elle-même qui s'incarnait dans l'acier.

Kokoschka pourrait couper les fils du téléphone, s'introduire chez les Shane, tuer le père et la fille, et s'enfuir avant que la police ait eu le temps de réagir. Il avait un certain talent pour ce genre de travail qu'il aimait par-dessus tout.

Mais s'il les tuait sans savoir pourquoi, sans comprendre le rôle qu'ils jouaient dans les projets de Stefan, il risquait de s'apercevoir un jour que cela avait été une erreur. Il fallait qu'il sache où Stefan voulait en venir avant d'agir.

A contrecœur, il remit l'arme dans sa poche.

· 3 ·

Dans la nuit immobile, la pluie tombait sur la ville, comme si chaque gouttelette pesait une tonne. Elle tambourinait sur les toits et le pare-brise de la petite voiture noire.

A une heure du matin, en ce mardi de la fin mars, la pluie balayait les rues, inondait les carrefours désertés si l'on exceptait les véhicules militaires. Stefan choisit un chemin détourné pour éviter les postes de garde, mais il redoutait un barrage impromptu. Ses papiers étaient en règle, et sa carte des Services de sécurité le dispensait du couvre-feu. Néanmoins, il préférait ne pas attirer l'attention de la police militaire. Il ne pouvait pas se permettre de voir sa voiture fouillée, car la valise à l'arrière contenait des fils de cuivre, des détonateurs et des charges de plastic qu'il n'avait pas le droit de détenir.

Sa respiration obstruait le pare-brise aux essuie-glaces fatigués, la pluie obscurcissait étrangement la ville noire si bien qu'il faillit manquer la ruelle étroite et pavée qui conduisait à l'institut. Il freina et braqua rapidement. La berline s'engagea dans le virage avec une secousse et un crissement de pneus, dérapant légèrement sur le sol mouillé.

Il se gara près de l'entrée de derrière, sortit de sa voiture, prit la valise sur le siège arrière. L'institut était une vieille bâtisse de quatre étages aux fenêtres couvertes de lourds barreaux. L'endroit avait un air menaçant, pourtant, il ne semblait pas abriter les secrets qui changeraient radicalement le monde. La porte métallique aux gonds dissimulés était peinte en noir. Il pressa le bouton, entendit la sonnerie et attendit impatiemment une réponse.

Il portait des bottes de caoutchouc et un imperméable au col remonté, mais n'avait ni chapeau ni parapluie. La pluie glacée lui plaquait les cheveux sur le crâne et ruisselait sur sa nuque.

Tremblant, il regarda la minuscule fenêtre près de la porte. Elle mesurait vingt centimètres de large, trente centimètres de haut et était couverte d'un miroir sans tain.

Patiemment, il écoutait la pluie battre la carrosserie de la voiture et les gouttes s'écraser.

Une lumière s'alluma au-dessus de la porte. En forme de cône, le faisceau de lumière jaune tombait droit sur lui.

Stefan sourit au garde qu'il ne pouvait pas voir derrière le petit miroir d'observation.

La lumière s'éteignit, les verrous furent tirés, et la porte s'ouvrit vers l'intérieur. Il connaissait le garde, Viktor je ne sais quoi, un homme massif, la cinquantaine, avec des cheveux gris coupés court et des lunettes, qui avait en fait meilleur caractère que ne le laissait croire son apparence et n'était qu'une mère poule qui se faisait du souci pour la santé de ses amis.

— Monsieur ? Que faites-vous ici, à cette heure, et sous une pluie pareille ?

— Je n'arrivais pas à dormir.

— Quel sale temps ! Entrez donc, vous allez attraper un rhume.

— Je me faisais du souci pour un travail que je n'ai pas eu le temps de terminer, alors, j'ai pensé que je ferais aussi bien de venir m'en débarrasser.

— Ah ! là, là ! vous courez à la tombe ! C'est moi qui vous le dis !

Stefan regarda le gardien refermer la porte et chercha dans sa mémoire un élément sur la vie privée de Viktor.

— A vous voir, on dirait bien que votre femme prépare toujours ces merveilleux plats de pâtes dont vous m'avez parlé un jour.

Viktor se retourna et rit gentiment en se frottant le ventre.

— Je suis sûr qu'elle est employée par le diable pour m'inciter au péché de gourmandise. Qu'est-ce que c'est ? Une valise ? Vous emménagez ?

— Un travail de recherche, je l'avais emmené chez moi il y a quelques semaines pour pouvoir y travailler le soir, répondit Stefan en s'essuyant le visage d'une main.

— Vous n'avez pas de vie privée ?

— Si, je prends vingt minutes pour moi, le jeudi tous les quinze jours.

Viktor fit une moue réprobatrice. Il alla vers le bureau qui occupait un tiers de la petite pièce, décrocha le téléphone et appela l'autre gardien de nuit, qui se trouvait dans un vestibule identique à l'entrée principale. Quand il laissait entrer quelqu'un en dehors des heures de bureau, il prévenait toujours son collègue pour éviter des inquiétudes inutiles et surtout la mort d'un visiteur innocent.

Les gouttes de pluie coulant sur le sol, Stefan sortit un trousseau de clés de sa poche et se dirigea vers la porte intérieure. Comme le portail extérieur, elle était faite de métal noir, avec des charnières invisibles. On ne pouvait l'ouvrir qu'avec deux clés tournées simultanément, l'une appartenant à l'employé, l'autre au gardien de service. Le travail de l'institut était si confidentiel que l'on ne pouvait pas faire confiance au gardien et lui laisser accès aux dossiers et aux laboratoires.

Viktor raccrocha le téléphone.

— Combien de temps pensez-vous rester, monsieur ?

— Deux ou trois heures. Il y a quelqu'un d'autre qui travaille ce soir ?

— Non, vous êtes le seul martyr. Et personne n'aime les

martyrs, monsieur. Vous courez à la tombe, et pour quoi ? Pour quoi ?

— Eliot a dit : « Les saints et les martyrs dirigent le monde de la tombe. »

— Eliot, c'est un poète ?

— Oui, T. S. Eliot.

— « Les saints et les martyrs dirigent le monde de la tombe » ? Je ne le connais pas ce type. C'est sûrement pas un poète « autorisé ». Ça me paraît plutôt subversif.

Viktor rit chaleureusement. Pour lui, il était ridicule de soupçonner un acharné du travail comme Stefan d'être un traître.

Ensemble, ils ouvrirent la porte intérieure.

Stefan posa la valise d'explosifs dans le hall et alluma les lumières.

— Si vous prenez l'habitude de venir travailler en plein milieu de la nuit, je vous apporterai un des gâteaux de ma femme pour vous donner des forces.

— Merci, Viktor, mais j'espère que cela ne deviendra pas une habitude.

Le gardien referma la porte de fer. Le verrou s'enclencha automatiquement.

Seul dans le corridor, une fois de plus, Stefan remercia ses apparences : blond, les traits bien dessinés, les yeux bleus. Son physique expliquait pourquoi il pouvait se promener dans l'institut avec une valise pleine d'explosifs sans crainte d'être inquiété. Il n'y avait chez lui rien de sombre, de sournois, de suspect ; il avait un visage angélique quand il souriait, et son dévouement à la patrie ne serait jamais remis en question par des hommes comme Viktor dont l'obéissance stupide, le dévouement sentimental les empêchaient d'y voir clair dans bien des domaines. Oui, dans bien des domaines.

Il prit l'ascenseur jusqu'au troisième étage et alla directement à son bureau où il alluma une lampe en cuivre au pied courbe. Il enleva ses bottes et son imperméable, prit un classeur dans un placard et étala son contenu sur la table pour donner l'impression qu'un gros travail était en cours. Il était peu probable qu'un collègue fasse une apparition en plein milieu de la nuit, mais il fallait éviter les soupçons au maximum.

Avec sa valise et une lampe de poche qu'il avait sortie de son imperméable, il monta l'escalier qui conduisait au quatrième et se rendit au grenier. La lampe de poche éclaira les grosses poutres où quelques clous mal plantés scintillaient ici et là. Bien que le grenier ait un plancher assez grossier, personne ne s'en servait comme débarras, et il n'y avait rien d'autre qu'une pellicule de poussière et quelques toiles d'araignées. La hauteur au centre du bâtiment était suffisante pour qu'il se tienne debout, mais il devrait se mettre à quatre pattes pour travailler près des rampants.

Sous le toit, le martèlement de la pluie était aussi bruyant qu'une flotte de bombardiers volant en rase-mottes. Peut-être cette image lui vint-elle à l'esprit parce qu'il savait que c'était le destin inévitable que subirait cette ville.

Il ouvrit la valise. Avec la maîtrise et la vitesse d'un spécialiste du sabotage, il modela les pains de plastic de telle sorte que leur forme dirige l'explosion vers l'intérieur et vers le bas. Il ne fallait pas se contenter de faire sauter le toit, il devait pulvériser les étages inférieurs afin que le toit s'écroule et parachève le travail de démolition. Il déposa les charges parmi les poutres et dans les coins, il souleva même quelques lames de parquet pour en dissimuler quelques-unes.

Dehors, l'orage s'était calmé pour un bref instant, mais bientôt, de nouveaux coups de tonnerre roulèrent à travers la nuit. La pluie revint, plus drue qu'auparavant. Le vent, qui semblait avoir longtemps attendu son heure, se leva et gémit sous les combles : son étrange voix creuse semblait menacer la ville et pleurer sa mort.

Grelottant dans le grenier non chauffé, Stefan effectuait son travail avec des mains qui tremblaient de plus en plus. Malgré le froid, il se mit à transpirer.

Il inséra un détonateur dans toutes les charges et amena les fils dans le coin nord-ouest du grenier. Il les tressa en un seul fil de cuivre et le laissa tomber dans un tuyau de ventilation qui descendait jusqu'au sous-sol.

Les charges et les fils étaient aussi bien cachés que possible, et ils passeraient inaperçus d'une personne qui ouvrirait la porte pour jeter un coup d'œil au grenier, mais ils n'échapperaient pas à une inspection plus fouillée. Si quelqu'un avait besoin de ranger quelque chose, il verrait très certainement les pains de plastic moulés et les fils.

Il fallait que personne n'entre dans le grenier pendant vingt-quatre heures. Ce n'était pas trop demander, étant donné qu'il était le seul à y être allé depuis des mois.

Le lendemain soir, il reviendrait avec une seconde valise et placerait des charges au sous-sol. Deux explosions simultanées, par le haut et par le bas, c'était le seul moyen de tout réduire à un tas de graviers et d'éclats de bois. Après la déflagration et l'incendie qui s'ensuivrait, il ne resterait plus un seul dossier pour témoigner des dangereuses recherches conduites à l'institut.

Malgré le soin qu'il avait mis à modeler les pains, l'explosion détruirait toute la structure du bâtiment, et il redoutait de tuer des vies, innocentes pour certaines. C'était inévitable. Il n'osait pas mettre une charge plus faible, car si tous les dossiers, tous les doubles n'étaient pas entièrement détruits, le projet pourrait rapidement être relancé. Et c'était un projet que l'on devait arrêter immédiatement, l'avenir de l'humanité dépendait de sa destruction. S'il en coûtait quelques vies humaines, il faudrait qu'il vive avec ce poids sur la conscience.

En deux heures, un peu après trois heures, il termina son travail au grenier.

Il retourna à son bureau du troisième étage et resta un instant assis à sa table de travail. Il ne voulait pas partir avant que ses cheveux trempés de sueur aient séché et que ses frissons se soient calmés. Viktor pourrait le remarquer.

Il ferma les yeux. Il pensa à Laura. Il parvenait toujours à se calmer en pensant à elle. Sa seule existence lui apportait paix et courage.

· 4 ·

Les amis de Bob Shane ne voulaient pas que Laura assiste aux funérailles de son père. Ils estimaient qu'il valait mieux épargner une telle épreuve à une fillette de douze ans. Pourtant, Laura insista et, quand elle exprimait un désir aussi violent que celui de dire un dernier adieu à son père, personne ne pouvait l'arrêter.

Cette journée du mardi 24 juillet 1967 fut de loin la pire journée de sa vie, pire que le mardi précédent, le jour de la mort de son père. Le premier choc était passé et Laura était sortie de sa torpeur : ses émotions ressortaient à la surface et elle avait plus de mal à les maîtriser. Elle commençait à comprendre toute l'étendue de sa perte.

Elle avait choisi une robe bleu marine car elle n'en avait pas de noire. Elle portait des chaussures noires et des chaussettes bleues. Les chaussettes la troublaient un peu, cela lui donnait des airs de gamine frivole. Pourtant, elle n'avait encore jamais mis de bas, et cela ne lui semblait pas une bonne idée d'en mettre pour la première fois le jour de l'enterrement. Elle s'attendait à ce que son père la regarde du ciel pendant la cérémonie et elle voulait lui apparaître telle qu'elle était dans son souvenir. S'il l'avait vue avec des bas, premier pas maladroit vers l'âge adulte, il aurait pu en être gêné pour elle.

Elle assista au service au premier rang, entre Cora Lance, propriétaire d'une parfumerie à quelques pâtés de maisons de l'épicerie de Bob Shane, et Anita Passadopolis, qui se consacrait aux œuvres de charité de la paroisse aux côtés de Bob Shane. Elles approchaient la soixantaine et ressemblaient à de gentilles grand-mères. Elles touchaient Laura d'une manière réconfortante et la regardaient avec inquiétude.

Elles n'avaient pas besoin de se faire de souci. Laura ne pleurerait pas, ne ferait pas de crise de nerfs, ne s'arracherait pas les cheveux. Elle comprenait la mort. Tout le monde devait mourir un jour. Les gens meurent, les chiens meurent, les chats meurent, les oiseaux meurent, les fleurs meurent. Même les antiques séquoias meurent tôt ou tard, bien qu'ils vivent vingt ou trente fois plus longtemps qu'un homme, ce qui lui paraissait injuste. Pourtant, vivre pendant un millénaire dans la peau d'un arbre lui semblait beaucoup plus monotone que les quarante-deux ans de la vie d'un homme heureux. Son père avait quarante-deux ans quand il avait été frappé d'une crise cardiaque, une attaque fulgurante, *bang...* C'était beaucoup trop jeune. Mais c'était la vie, et il était inutile de pleurer. Laura s'enorgueillissait d'être aussi raisonnable.

Et puis, la mort, ce n'était pas la fin de tout. C'était le commencement d'une vie meilleure. Elle le savait car son père le lui avait dit et il ne mentait jamais. C'était la personne la plus digne de confiance, la plus gentille, la plus adorable qu'elle ait jamais connue.

Tandis que le pasteur s'approchait du pupitre à la gauche du cercueil, Cora Lane se pencha vers elle :

— Ça va, ma chérie ?

— Oui, ça va.

Laura ne leva pas les yeux, elle n'osait pas croiser un autre regard, si bien qu'elle observait les objets inanimés avec une grande attention.

C'était la première fois qu'elle se trouvait dans une maison funéraire, et les lieux ne lui plaisaient pas du tout. La moquette bordeaux était ridiculement épaisse. Les chaises en tapisserie, bordeaux elles aussi, n'étaient relevées que d'un mince filet doré ; les lampes avaient des lueurs bordeaux, si bien que la pièce semblait être le produit d'un décorateur obsessionnel qui avait adopté le bordeaux comme couleur fétiche. « Fétiche » était un nouveau mot pour elle, qu'elle utilisait à tort et à travers, comme chaque fois qu'elle apprenait un mot nouveau, mais là, c'était à bon escient.

Le mois précédent, quand elle avait entendu pour la première fois le mot « séquestré », qui signifie enfermé et isolé, elle n'avait pas manqué une occasion de l'utiliser, jusqu'à ce que son père finisse par la taquiner avec des variations loufoques : « Alors, comment va ma petite séquestreuse, ce matin ? » ou encore : « Les pommes de terre et les chips ont un haut taux de rotation, alors on va les mettre dans la première allée, parce que dans ce coin, elles sont un peu séquestrationnées. » Il aimait la faire rire, comme avec ses histoires de sire Thomas Crapaud, un amphibien britannique qu'il avait inventé quand elle avait huit ans et dont il embellissait la biographie colorée presque tous les jours. D'une certaine manière, son père était plus enfant qu'elle, et elle l'aimait pour ça.

Sa lèvre inférieure tremblait. Elle se mordit. Très fort. Si elle pleurait, cela voudrait dire qu'elle doutait de ce que son père lui avait dit sur la vie éternelle, la vie meilleure. Si elle pleurait, il serait vraiment mort, une fois pour toutes et pour toujours, *finito*.

Elle était impatiente de se séquestrer dans sa chambre, au-dessus de l'épicerie, dans son lit, les couvertures remontées sur la tête. Cette idée lui paraissait si séduisante qu'elle se demandait si elle n'était pas obsédée par la séquestration.

Ils se rendirent au cimetière.

Il n'y avait pas de véritables pierres tombales. Les tombes étaient simplement marquées par des plaques de bronze sur un socle de marbre, au niveau du sol. Avec sa pelouse vallonnée, ombragée par d'immenses lauriers indiens et des magnolias, on aurait pu le prendre pour un parc, où l'on pouvait courir, jouer et rire, s'il n'y avait pas eu la tombe ouverte de Bob Shane.

La nuit précédente, elle avait été réveillée deux fois par un orage lointain et, bien qu'à demi endormie, elle avait vu les éclairs scintiller à la fenêtre, mais si un orage hors saison avait perturbé la nuit, il n'en restait plus aucun signe à présent. Le ciel était bleu, sans nuages.

Laura se tenait entre Cora et Anita, qui la prenaient par l'épaule et lui murmuraient des mots rassurants, mais rien ne pouvait la réconforter. Ses frissons s'amplifiaient à chaque mot de la dernière prière du pasteur, jusqu'à ce qu'elle ait l'impression de se trouver nue dans un froid arctique et non à l'ombre d'un arbre, par une chaude journée d'été.

Le maître de cérémonie actionna le treuil à moteur grâce auquel le cercueil était suspendu. Le corps de Bob Shane plongeait dans la terre.

Incapable de regarder la lente descente du cercueil, respirant difficilement, Laura se retourna, s'échappa des bras de ses grand-mères honorifiques et fit quelques pas dans le cimetière. Son corps était froid comme le marbre ; elle voulait sortir de l'ombre. Elle s'arrêta dès qu'elle fut au soleil. Les rayons lui réchauffèrent la peau mais ne suffirent pas à calmer ses frissons.

Elle observa le pied de la petite colline pendant près d'une minute avant de remarquer l'homme qui se tenait dans l'ombre, près d'un bosquet de lauriers de l'autre côté du cimetière. Il portait un pantalon clair et une chemise blanche qui paraissait légèrement fluorescente dans la semi-obscurité, comme si c'était un fantôme qui avait oublié ses promenades nocturnes au profit du grand jour. Il l'observait, elle, ainsi que l'assemblée autour de la tombe de Bob Shane en haut de la colline. A cette distance, Laura ne voyait pas bien son visage, mais elle remarqua qu'il était grand et blond. Il lui paraissait étrangement familier.

Sans qu'elle sache pourquoi, l'homme l'intriguait. Comme ensorcelée, elle descendit la colline, marchant entre les tombes. Plus elle s'approchait de lui, plus il lui semblait le connaître. Au début, il parut ne pas réagir à son approche, mais il l'étudiait intensément et elle sentait le poids de son regard.

Cora et Anita l'appelèrent, mais elle n'y prêta pas garde. Saisie d'une agitation inexplicable, elle marcha plus vite et avança à une vingtaine de mètres de l'étranger.

L'homme s'abrita dans la fausse pénombre des buissons.

De peur qu'il ne s'échappe avant qu'elle ait eu le temps de le voir vraiment, sans savoir pourquoi cela semblait être un besoin aussi impératif, Laura se mit à courir. Les semelles de ses chaussures neuves étaient glissantes et, à plusieurs reprises, elle dérapa et faillit tomber. A la place de l'homme, le sol était piétiné, ce n'était donc pas un fantôme.

Laura perçut un mouvement dans les branches, l'image spectrale d'une chemise blanche. Elle se précipita derrière lui. Seules quelques touffes d'herbe rare poussaient sous les lauriers, à l'abri du soleil, mais des racines et des ombres trompeuses jaillissaient partout. Elle trébucha, se retint à une branche pour éviter une mauvaise chute, retrouva son équilibre, leva les yeux et vit que l'homme avait disparu.

Il y avait une centaine d'arbres aux branches entrelacées dans le bosquet ; les rayons de soleil descendaient en minces fils dorés, comme si le tissu du ciel s'effilochait dans les bois. Elle courut, en plissant les yeux dans l'obscurité. Plusieurs fois, elle crut le voir, mais ce n'étaient que des mouvements fantomatiques, un jeu de lumière ou une illusion de son propre esprit. La brise se leva, et elle fut certaine d'avoir entendu des pas furtifs dans le bruissement des feuilles. Elle poursuivait les bruits, mais leur source semblait s'évanouir devant elle.

Quelques minutes plus tard, elle parvint à une route qui desservait une autre zone du cimetière. Des voitures étincelaient sous les rayons du soleil, et à une centaine de mètres, une autre assemblée endeuillée se recueillait près d'une tombe.

Laura resta au bord de l'allée, le souffle court, à se demander où était passé l'homme à la chemise blanche et pourquoi elle avait une telle envie de le retrouver.

Le soleil éclatant, l'air de nouveau immobile et le silence total la mettaient mal à l'aise. Le soleil la transperçait, comme si elle était transparente, et elle se sentait exceptionnellement légère et un peu étourdie : elle se serait crue dans un rêve, flottant à quelques centimètres au-dessus du sol.

Je vais m'évanouir, pensa-t-elle.

Elle s'appuya sur le pare-chocs avant d'une voiture et grinça volontairement des dents, luttant pour ne pas perdre connaissance.

Bien qu'elle n'eût que douze ans, elle se conduisait rarement comme une enfant, n'avait jamais l'impression d'être une enfant, mais soudain, dans ce cimetière, elle se sentit très jeune, fragile, désespérée.

Une Ford marron avança lentement le long de l'allée et ralentit encore en s'approchant d'elle. L'homme à la chemise blanche était au volant.

Dès qu'elle le vit, elle comprit pourquoi il lui semblait si familier. Quatre ans plus tôt. Le hold-up. Son ange gardien. Bien qu'elle n'eût que huit ans à l'époque, elle n'oublierait jamais ce visage.

Il s'arrêta presque à son niveau et roula au pas, tout en l'observant intensément. Ils étaient à moins de deux mètres l'un de l'autre.

A travers la vitre ouverte, elle vit les traits du visage élégant aussi clairement que lors de cette abominable journée où elle l'avait rencontré au magasin. Ses yeux étaient aussi brillants et aussi fascinants que dans son souvenir. Quand leurs regards se croisèrent, elle trembla.

Il ne dit rien, ne sourit pas, mais il l'observait comme s'il voulait fixer tous les détails de sa personne dans son esprit. On aurait dit un homme devant un verre d'eau fraîche après une traversée du désert. Son silence et son regard fixe effrayaient Laura mais lui communiquaient en même temps un sentiment de sécurité incompréhensible.

La voiture la dépassait.

— Attendez !

Elle s'écarta de la voiture contre laquelle elle s'appuyait et se précipita derrière la Ford. L'étranger accéléra et sortit du cimetière, la laissant seule sous le soleil. Un instant plus tard, un homme parla derrière elle :

— Laura ?

Elle se retourna mais ne le vit pas tout de suite. Il l'appela encore doucement et elle l'aperçut à une dizaine de mètres, en bordure des arbres, dans l'ombre violacée d'un laurier indien. Il

47

portait un pantalon noir, une chemise noire et semblait totalement déplacé dans cette journée d'été.

Curieuse, intriguée, se demandant si le deuxième homme avait une relation avec son ange gardien, Laura s'approcha de lui. Elle n'était plus qu'à deux pas quand elle comprit que le manque d'harmonie entre lui et le grand soleil ne venait pas seulement des vêtements sombres : cette noirceur hivernale faisait partie de l'homme lui-même ; une froideur émanait de tout son être comme s'il était destiné aux régions polaires ou aux cavernes glacées des montagnes.

Elle s'arrêta.

Il ne dit plus rien mais l'observa attentivement, avec un regard qui exprimait surtout la perplexité.

Il avait une cicatrice sur la joue gauche.

— Pourquoi toi ? demanda l'homme de l'hiver en faisant un pas en avant.

Laura recula, trop terrifiée pour oser crier.

Du cœur du bosquet, Cora Lane l'appela :

— Laura ? Laura ? tu vas bien ?

L'étranger réagit devant la proximité de la voix. Il se détourna et s'enfonça dans les lauriers ; rapidement, ses vêtements noirs se faufilèrent dans l'ombre comme si ce n'avait pas été un homme, mais un morceau d'obscurité momentanément amené à la vie.

Cinq jours après l'enterrement, le mardi 29 juillet, pour la première fois en une semaine, Laura se retrouva dans sa chambre au-dessus de l'épicerie. Elle faisait ses valises et disait adieu à ce qui serait toujours son chez-elle.

Elle se reposa un instant et s'assit sur le bord du lit défait, essayant de se souvenir à quel point elle avait été heureuse ici, il y avait à peine quelques jours. Une centaine de livres de poche, surtout des histoires de chiens et de chevaux, se trouvaient dans la bibliothèque d'angle. Une cinquantaine de chiens, chats miniatures, en verre, porcelaine, cuivre, étain ornaient la tête de lit.

Elle n'avait pas d'animal, car les consignes d'hygiène interdisaient les animaux dans les appartements communiquant avec un magasin d'alimentation. Elle espérait avoir un chien un jour, peut-être même un cheval. Mais surtout, elle serait vétérinaire quand elle serait grande, elle soignerait les animaux blessés et malades.

Son père lui avait dit qu'elle pourrait faire tout ce qu'elle voudrait, vétérinaire, avocate, vedette de cinéma, n'importe quoi.

— Tu pourrais dresser des troupeaux d'élans, ou devenir danseuse sur échasses. Rien ne pourra jamais t'arrêter.

Laura sourit en revoyant son père imiter une ballerine sur des échasses. Elle se souvint aussi qu'il était parti, et un immense vide l'envahit.

Elle vida les placards, plia soigneusement ses vêtements et remplit deux grandes valises. Elle avait également une malle dans laquelle elle mit ses livres favoris, quelques jeux, un ours en peluche.

Cora et Tom Lance faisaient l'inventaire du reste de l'appartement et de l'épicerie. Laura allait rester avec eux, mais elle ne savait pas si cet arrangement était définitif ou temporaire.

Nerveuse à la pensée de l'avenir incertain qui l'attendait, elle retourna à ses bagages. Elle ouvrit le tiroir de la plus proche des tables de nuit et resta figée sur place en voyant les petites bottes de lutin, le minuscule parapluie et l'écharpe miniature que son père s'était procurés pour lui prouver l'existence de sire Thomas Crapaud.

Il avait persuadé un de ses amis, un habile cordonnier, de lui faire des chaussures assez larges pour convenir aux pieds palmés. Il avait trouvé le parapluie dans un magasin de babioles, et avait tricoté lui-même l'écharpe verte, travaillant laborieusement pour faire les franges. Le jour de son neuvième anniversaire, quand elle était rentrée de l'école, elle avait vu les bottes et le parapluie contre le mur, tout près de la porte d'entrée ; l'écharpe était soigneusement suspendue au portemanteau.

— Chut, lui avait murmuré son père d'un ton théâtral. Sire Tommy vient juste de revenir d'une mission en Equateur pour le compte de la reine — elle a une ferme à diamants là-bas, tu sais, et il est épuisé. Je suis sûr qu'il va dormir pendant des jours et des jours. Enfin, il m'a quand même dit de te souhaiter un joyeux anniversaire de sa part et il a laissé un cadeau pour toi dans la cour.

Le cadeau, c'était une superbe bicyclette Schwinn.

En regardant les trois objets dans le tiroir, Laura comprit que son père n'était pas mort seul. Il avait emporté sire Thomas Crapaud avec lui, tous les personnages qu'il avait inventés et toutes les histoires idiotes qu'il lui racontait pour l'amuser. Les bottes palmées, le minuscule parapluie et l'écharpe l'attendrissaient : elle arrivait presque à croire que sire Tommy avait existé pour de vrai, et que lui aussi était parti pour un monde meilleur. Un gémissement de tristesse lui échappa. Elle s'écroula sur le lit, enfonça sa tête dans les oreillers et, pour la première fois depuis la mort de son père, elle se laissa finalement aller à son chagrin et à ses larmes.

Elle ne voulait pas vivre sans lui, pourtant elle ne devait pas se contenter de vivre, mais faire de son mieux, car chaque jour serait une sorte de testament. Malgré sa jeunesse, elle comprenait que si elle s'efforçait de faire le bien, son père continuerait à vivre à travers elle.

Pourtant, il lui était difficile d'envisager l'avenir sous un jour optimiste. Elle savait que la vie était terriblement exposée aux intempéries et aux tragédies, chaude et brillante à un instant, froide et orageuse un moment plus tard. On ne pouvait jamais prévoir le moment où l'éclair frapperait. Rien ne durait toujours. La vie n'est qu'une chandelle dans le vent. La leçon était sévère pour une enfant de son âge, et elle se sentait vieille, très vieille.

Quand ses sanglots se calmèrent, elle ne mit pas longtemps à se reprendre, car elle ne voulait pas que les Lance voient qu'elle avait pleuré. Si le monde était aussi rude, aussi cruel, aussi imprévisible qu'elle se l'imaginait, il ne lui paraissait pas judicieux de manifester la moindre faiblesse.

Elle emballa les bottes, le parapluie et la petite écharpe dans du papier de soie, et les rangea dans la malle.

Quand elle se fut occupée du contenu des deux tables de nuit, elle alla ranger son bureau, et, sous le sous-main, elle trouva une feuille pliée avec un message écrit en lettres élégantes qui paraissaient presque tapées à la machine.

« Ma chère Laura,

« Certaines choses font partie du destin, et personne ne peut s'y opposer. Pas même ton ange gardien. Réjouis-toi de savoir que ton père t'aimait de tout son cœur et que peu de gens ont la chance d'être aimés ainsi. Tu crois sûrement que tu ne trouveras jamais plus le bonheur, mais tu te trompes. A son heure, le bonheur viendra à ta rencontre. Ce n'est pas une vaine promesse, c'est un fait. »

Le billet n'était pas signé, mais elle savait qui l'avait écrit : l'homme du cimetière, celui qui l'avait observée de sa voiture, celui qui les avait sauvés, elle et son père, quatre ans auparavant. Personne d'autre ne se serait donné le nom d'ange gardien. Un frisson la parcourut : elle n'avait pas peur, mais le mystère qui entourait cet ange gardien la remplissait de curiosité et d'émerveillement.

Elle se précipita vers la fenêtre et souleva les rideaux, certaine de le voir dans la rue devant le magasin... mais il n'y avait personne.

L'homme en noir n'était pas là lui non plus, mais elle ne s'attendait pas à sa présence. Elle s'était persuadée qu'il n'avait aucune relation avec son ange gardien, qu'il se trouvait dans le cimetière pour d'autres raisons. Pourtant, il connaissait son nom... Peut-être avait-il entendu Cora l'appeler du haut de la colline, un instant plus tôt ? Elle était parfaitement capable de l'écarter de son esprit, car elle ne voulait pas qu'il fasse partie de sa vie, alors qu'elle avait désespérément envie d'un ange gardien.

Elle relut le message.

Bien qu'elle ne comprenne pas qui était le jeune homme blond ni pourquoi il s'intéressait à elle, Laura se sentait rassurée par le mot qu'il avait laissé. Ce n'était pas toujours nécessaire de comprendre, tant qu'on avait la foi.

· 5 ·

La nuit suivante, après avoir installé les explosifs dans le grenier de l'institut, Stefan y retourna avec la même valise, prétendant toujours souffrir d'insomnies. Prévoyant sa visite nocturne, Viktor avait apporté un des gâteaux de sa femme.

Stefan grignotait le gâteau tout en modelant et en plaçant les charges. Le gigantesque sous-sol était divisé en deux grandes pièces, et, contrairement au grenier, il était utilisé quotidiennement. Stefan devrait prendre soin de dissimuler les explosifs.

La première salle contenait des dossiers et deux grandes tables de chêne. Les placards de près de deux mètres de haut étaient installés en rangs serrés le long de deux des murs. Il pouvait donc mettre des charges au sommet, bien au fond, si bien que même les plus grands des membres du personnel ne pourraient pas les voir.

Il fit passer les fils derrière les placards mais fut obligé de percer un trou dans la paroi qui séparait les deux parties du sous-sol. Il s'arrangea pour opérer dans un endroit peu visible, et l'on ne voyait les fils que pendant quelques centimètres de chaque côté du mur.

La seconde pièce servait de remise pour le matériel de bureau et de laboratoire. Il y avait aussi des animaux en cage — quelques hamsters, quelques rats blancs, deux chiens, un petit singe agité dans une grande cage avec trois trapèzes — qui avaient participé à des expériences au début de la création de l'institut et en avaient réchappé. Ils ne servaient plus à grand-chose, mais on les gardait pour savoir s'ils n'allaient pas à long terme développer des troubles dus à leur singulière aventure.

Stefan modela des charges de plastic puissantes, qu'il plaça dans des espaces creux derrière les cartons de matériel, et amena tous les fils vers le tuyau de ventilation où il avait glissé les fils du grenier la nuit précédente. Tandis qu'il travaillait, les animaux le regardaient avec une étrange intensité, comme s'ils comprenaient qu'il ne leur restait plus que vingt-quatre heures à vivre. Stefan rougit de honte et de culpabilité, sentiments qu'il n'avait pas éprouvés la veille en envisageant la mort d'êtres humains, peut-être parce que les animaux étaient vraiment innocents et que ce n'était pas le cas des hommes.

Vers quatre heures du matin, Stefan avait terminé son travail au sous-sol ainsi que celui qu'il devait faire dans son bureau, au troisième étage. Avant de quitter l'institut, il alla au laboratoire principal au rez-de-chaussée et observa le portail pendant une longue minute.

Le portail.

Les multiples cadrans, graphiques et instruments de mesure du mécanisme scintillaient doucement de lueurs orange, jaunes et vertes, car tout était branché en permanence. C'était un objet cylindrique de trois mètres cinquante de haut et de deux mètres cinquante de diamètre qu'on apercevait à peine dans l'obscurité ;

l'acier inoxydable du carénage externe réfléchissait faiblement les voyants lumineux du mécanisme qui tapissaient trois des murs.

Il avait utilisé ce portail une bonne vingtaine de fois mais il était toujours terrifié devant lui, non pas tant parce qu'il était abasourdi par les progrès scientifiques qu'il représentait que par ses potentialités destructrices qui semblaient illimitées. Ce n'était pas la porte de l'enfer, mais dans des mains malintentionnées, cela pouvait revenir au même. Et il se trouvait effectivement dans des mains malintentionnées.

Après avoir remercié Viktor pour le gâteau en lui disant qu'il avait tout mangé, bien qu'il en ait donné la plus grande partie aux animaux, Stefan retourna chez lui.

Pour la deuxième nuit consécutive, le tonnerre faisait rage. La pluie cinglait. L'eau cascadait le long des caniveaux dans des torrents d'écume, ruisselait des toits, inondait les rues, débordait des gouttières, et, comme la ville était plongée dans le noir, les flaques et les ruisselets ressemblaient plus à de l'huile qu'à de l'eau. Seuls quelques militaires étaient dehors, et ils portaient tous des imperméables noirs qui les faisaient ressembler à des personnages d'un vieux roman noir de Bram Stoker.

Stefan prit directement le chemin de son appartement sans éviter les postes de police. Ses papiers étaient en règle, il était dispensé du couvre-feu et ne transportait plus d'explosifs illégaux.

Arrivé chez lui, il régla la sonnerie du réveil et s'endormit presque immédiatement. Il avait vraiment besoin de repos car, le lendemain après-midi, il y aurait deux expéditions rudes et pas mal de tuerie. S'il n'était pas en forme, il pourrait se retrouver du mauvais côté d'une balle.

Il rêva de Laura, ce qu'il interpréta comme de bon augure.

DEUX

La flamme meurtrière

· 1 ·

De douze à dix-sept ans, Laura Shane fut emportée par la vie, telle une herbe folle dans le désert de Californie, à l'abri pendant quelque temps dans un lit calme, balayée par la tornade dès que le vent se levait.

Elle n'avait pas de famille et les meilleurs amis de son père, les Lance, ne pouvaient pas la garder. Tom avait soixante-deux ans et Cora cinquante-sept. Ils n'avaient jamais eu d'enfant et la perspective d'élever une fillette les effrayait.

Laura avait parfaitement compris et elle ne leur en voulait pas. Au mois d'août, lorsqu'elle dut les quitter pour aller rejoindre le home d'enfants du comté d'Orange, elle embrassa Cora et Tom et leur assura que tout irait bien. Dans la voiture de son accompagnatrice, elle leur avait fait de joyeux au revoir pour qu'ils sentent bien qu'elle leur avait accordé l'absolution.

L'absolution. Ça aussi, c'était un mot nouveau pour elle. « Absolution » : être libéré des conséquences de ses actes, de ses devoirs, obligations et responsabilités. Elle aurait aimé se libérer de l'obligation d'avancer dans la vie sans l'aide d'un père aimant, elle aurait été aimé être dégagée de la responsabilité de vivre et de se montrer digne de lui.

On la conduisit au home McIlroy, une bâtisse victorienne d'une structure complexe, construite par un magnat de la terre aux beaux jours de l'agriculture dans le comté d'Orange. Plus tard, elle avait été convertie en orphelinat où les enfants passaient un moment avant d'être dirigés vers leurs familles adoptives.

Pour Laura, cette institution ne ressemblait pas du tout à l'image que lui avaient donnée les livres. D'abord, il n'y avait pas de gentilles religieuses en habit noir.

Et puis, il y avait Willy Sheener.

Laura le remarqua peu après son arrivée au foyer, tandis que la directrice, Mme Bowmaine, lui montrait la chambre qu'elle allait partager avec les jumelles Ackerson et une fillette du nom de Tammy. Sheener balayait le sol carrelé du couloir.

Grand, sec, le visage pâle couvert de taches de rousseur, les cheveux couleur de cuivre et les yeux verts, il souriait et sifflotait doucement en travaillant.

— Comment allez-vous, madame Bowmaine ?

— Je me porte comme un charme, Willy. Je vous présente Laura Shane, une nouvelle venue. Laura, voici M. Sheener.

Visiblement, Mme Bowmaine l'aimait bien. Il regarda Laura avec une intensité sournoise et dit d'un ton pâteux :

— Euh... Bienvenue à McIlroy.

En suivant la directrice, Laura se retourna sur lui. Au moment où seule Laura pouvait le voir, Sheener porta la main sur son pantalon et se caressa légèrement.

Laura ne se retourna plus.

Plus tard, tandis qu'elle défaisait ses maigres valises et essayait de rendre son petit morceau de chambre du troisième étage plus accueillant, elle vit Sheener par l'encadrement de la porte. Elle était seule, car les autres enfants jouaient dans la cour ou la salle de jeux. Il avait un sourire froid de prédateur, fort différent de celui qu'il avait adressé à Mme Bowmaine. La lumière oblique des deux petites fenêtres tombait sur lui et donnait à son regard la lueur argentée des yeux de poisson mort.

Laura essaya de parler mais en fut incapable. Elle recula jusqu'à ce qu'elle heurte le mur derrière son lit.

Il se tenait les bras ballants, les poings fermés.

A McIlroy, il n'y avait pas de climatisation, et il régnait une chaleur tropicale malgré les fenêtres ouvertes. Pourtant, Laura n'avait pas transpiré avant d'avoir vu Sheener. A présent, son T-shirt était trempé.

Dehors, les fillettes couraient et riaient. Elles étaient tout près, mais leurs voix semblaient lointaines.

La respiration rugueuse et saccadée de Sheener se faisait de plus en plus forte et couvrait les bruits.

Pendant un long moment, tous deux gardèrent le silence. Puis, soudain, Sheener se retourna et s'éloigna.

Les genoux tremblants, Laura alla s'asseoir sur le bord du lit. Le matelas mou s'enfonça et les ressorts grincèrent.

Tandis que son cœur battant se calmait un peu, elle observait les murs gris et la misère des lieux. Dans chaque coin, se trouvait un lit à barreaux métalliques, avec des dessus-de-lit bigarrés en velours chenille et des oreillers cabossés. Près de chaque lit, il y avait une petite table de nuit délabrée en formica et une lampe de chevet. Deux des tiroirs de la commode lui étaient réservés. Il y avait deux placards, et on lui en avait attribué la moitié d'un. Les vieux rideaux passés et tachés étaient mollement suspendus à une tringle poussiéreuse. Toute la maison paraissait hantée, liquéfiée ; l'air diffusait une légère odeur nauséabonde ; et Willy Sheener errait dans les pièces et les couloirs, tel un esprit malveillant guettant la pleine lune et son cortège de sang et d'horreur.

Ce soir-là, après dîner, les jumelles Ackerson fermèrent la porte de la chambre et invitèrent Laura à venir s'installer avec elles sur le tapis marron, afin de partager leurs petits secrets.

Tammy, la quatrième camarade de chambre, une fillette étrangement pâle, frêle et calme, ne semblait pas intéressée par la conversation. Appuyée sur ses oreillers, elle lisait tout en se rongeant les ongles, dans une attitude de souris effarouchée.

Immédiatement, Laura se prit d'amitié pour Thelma et Ruth Ackerson. Elles venaient d'avoir douze ans, quelques mois de moins que Laura, et manifestaient une grande sagesse pour leur âge. Elles avaient perdu leurs parents à neuf ans et avaient passé trois ans à l'orphelinat car il est difficile de trouver des familles adoptives pour des enfants aussi âgées, surtout lorsqu'il s'agit de jumelles qui n'ont pas l'intention de se séparer.

Avec leurs cheveux bruns sans éclat, leurs yeux de myopes, leur visage carré, leur bouche trop large, elles n'étaient pas très jolies et se ressemblaient étrangement. Pourtant, très intelligentes, elles ne manquaient ni d'énergie ni de bonne humeur.

Coiffée en queue de cheval, Ruth portait un pyjama bleu à liséré vert aux poignets et au col et des pantoufles bleues. Les cheveux sur les épaules, Thelma avait un pyjama rouge cerise et des chaussons de fourrure jaune, avec deux boutons en forme d'yeux.

Avec la tombée de la nuit, la chaleur torride de la journée avait disparu. L'orphelinat se trouvait à moins de quinze kilomètres du Pacifique, si bien que la brise marine permettait un sommeil paisible. Des bouffées d'air frais pénétraient par la fenêtre ouverte.

— L'été ici, c'est la mort, dit Ruth à Laura tandis qu'elles étaient assises en rond sur le tapis. On n'a pas le droit de sortir du parc, et c'est minuscule. Et puis toutes les bonnes âmes sont en vacances, et pendant ce temps-là, on nous oublie.

— A Noël, c'est pas mal, répondit Thelma.

— Oui, en novembre et en décembre, c'est fantastique. Toutes les bonnes âmes se sentent coupables d'avoir tant de choses pendant que les pauvres orphelines comme nous, on est obligées de porter des manteaux de papier mâché, des chaussures en carton et de manger le pudding de l'année dernière. Alors ils nous envoient des colis de friandises, ils nous emmènent dans les magasins et au cinéma, même s'ils choisissent toujours des mauvais films.

— Des fois, c'est pas mal, dit Ruth.

— C'est toujours des films où personne ne se fait assassiner. Et puis, il y a jamais de sentiments. On ne voit jamais un garçon mettre la main aux fesses à une fille. Des films « tout public ». Qu'est-ce que c'est chiant !

— Faut pardonner à ma sœur, expliqua Ruth à Laura. Elle se croit déjà en pleine puberté.

— Je *suis* en pleine puberté. J'ai même les seins qui poussent, s'exclama Thelma en levant les bras au ciel.

— Le manque d'autorité parentale lui a fait perdre la tête. Elle n'arrive pas à s'adapter à la situation d'orpheline.

— Il faut pardonner à ma sœur, répliqua Thelma, elle a décidé de passer directement de l'enfance à la sénilité.

— Et Willy Sheener ? s'informa Laura.

Les jumelles Ackerson se lancèrent un regard complice et

parlèrent à l'unisson, sans décaler leur discours d'une seule fraction de seconde.

— Il est un peu dérangé, dit Ruth.

— C'est un cinglé, dit Thelma.

— Il faudrait qu'il se fasse soigner.

— Non, ce qu'il lui faut, c'est un bon coup de batte de base-ball sur le crâne, ou plutôt une douzaine, et qu'on l'enferme pour le restant de ses jours.

Laura leur parla de sa rencontre avec Sheener dans le couloir.

— Il n'a rien dit ? demanda Ruth. C'est bizarre. D'habitude, il dit : « Tu es une belle petite fille », ou quelque chose comme ça.

— Et il te propose des bonbons ! dit Thelma en faisant la grimace. Non mais, tu t'imagines. Des bonbons ! On dirait qu'il a appris par cœur le livre que la police distribue aux enfants pour qu'ils se méfient des pervers !

— Non, pas de bonbons, dit Laura en tremblant au souvenir de la respiration haletante de Sheener et de ses yeux de poisson.

Thelma se pencha en avant, et parla dans un murmure.

— On dirait que l'Anguille Blanche en avait le bec cloué. Trop excité pour pouvoir prononcer un mot. Laura, il a peut-être le béguin pour toi.

— L'Anguille Blanche ?

— Oui, c'est comme ça qu'on appelle Sheener. Ça lui va plutôt bien. Je parierais que t'as le ticket avec lui. T'es sacrément jolie !

— Non, pas moi.

— Tu plaisantes, dit Ruth. Ces cheveux noirs et ces grands yeux !

Laura rougit et commença à protester, mais Thelma l'arrêta.

— Ecoute-moi, Shane, nous, le Célèbre Duo Ackerson, on ne supporte pas plus la fausse modestie que la vantardise. On va droit au but. On connaît nos forces et on en est fières. Dieu sait qu'on n'a aucune chance de remporter le prix Miss Amérique, mais on est super-intelligentes, et on n'a pas honte de l'admettre. Et toi, tu es superbe, alors, arrête de jouer les mijaurées.

— Ma sœur est parfois un peu trop franche et un peu trop colorée dans sa manière de s'exprimer.

— Et ma sœur à moi, elle essaie de jouer le rôle de cette niaise de Melanie dans *Autant en emporte le vent*.

Volontairement, elle prit un fort accent du Sud.

— Oh, Scarlett ne voulait pas dire de méchancetés. Elle est

gentille en fait. Rhett est un amour, et les nordistes aussi sont gentils, même ceux qui ont massacré Tara, brûlé nos récoltes et fait des bottes avec la peau de nos bébés !

Laura se mit à rire devant le numéro de Thelma.

— Alors, laisse tomber tes airs de sainte nitouche, tu es splendide.

— Bon, bon d'accord. Je suis... jolie.

— La môme, quand l'Anguille t'a vue, il a dû avoir une fusée qui lui a explosé dans la cervelle.

— Oui, il en est resté bouche bée. Il n'a même pas pensé à fouiller dans sa poche pour te tendre un bonbon !

— Des bonbons, des Treets, des Milky Way...

— Fais gaffe, Laura, c'est un vrai malade.

— C'est un maboul. Une face de rat ! dit Thelma.

Du coin de la pièce, Tammy remarqua doucement :

— Il n'est pas aussi méchant que vous le croyez.

La fillette blonde était si maigre, si pâle, si incolore, si fondue dans son environnement que Laura l'avait complètement oubliée. Elle remarqua que Tammy avait posé son livre et s'était redressée. Elle tenait ses genoux pliés entre ses bras. Elle avait dix ans, deux ans de moins que ses camarades de chambre, et était petite pour son âge. En chemise de nuit blanche et chaussettes, elle ressemblait plus à une apparition qu'à une personne réelle.

— Il ne ferait pas de mal à une mouche, dit Tammy d'une voix hésitante, comme si donner son opinion sur Sheener, ou n'importe qui, était aussi dangereux que de marcher sur une corde raide sans filet.

— Oh que si, s'il pouvait s'en tirer sans ennuis !

— Non, il... il se sent seul, c'est tout, dit Tammy.

— Oh non, ma petite, il n'est pas seul. Il est trop amoureux de sa petite personne pour se sentir seul.

Tammy détourna le regard. Elle se leva, enfila des chaussons mous et murmura :

— Il est l'heure de se coucher.

Elle prit sa trousse de toilette et se dirigea vers la salle de bains, au fond du couloir.

— Elle, elle les prend, les bonbons, expliqua Ruth.

Une vague de répulsion submergea Laura.

— Oh non !

— Si, dit Thelma. Oh, pas pour les manger... Elle est...

59

perturbée. Elle a besoin de se sentir aimée par des gens comme l'Anguille.

— Pourquoi ? demanda Laura.

Ruth et Thelma échangèrent un autre regard complice, et semblèrent se concerter pendant une seconde ou deux, sans dire un mot.

— Euh, tu vois, Tammy a besoin de se sentir aimée par ce genre de type... parce que son père lui a appris à avoir besoin d'eux.

— Son *père* ?

— A McIlroy, il n'y a pas que des orphelines, dit Thelma. Il y a des filles qui sont ici parce que leurs parents sont en prison. Il y en a d'autres qui sont là parce qu'elles ont été maltraitées par leurs parents, physiquement... ou sexuellement.

La température de la brise n'avait guère baissé que de un ou deux degrés depuis qu'elles s'étaient installées par terre, mais Laura avait l'impression de frissonner dans une bise d'automne qui se serait mystérieusement levée en plein milieu du mois d'août.

— Mais Tammy n'aime quand même pas ça ?

— Non, je ne crois pas, dit Ruth, elle...

— Elle est ensorcelée, dit Thelma. Elle ne peut pas s'en empêcher.

Elles gardèrent le silence et pensèrent à l'impensable pendant un instant.

— C'est bizarre, finit par dire Laura, et c'est triste. On ne peut rien y faire ? On ne pourrait pas prévenir Mme Bowmaine ou une des assistantes sociales ?

— Cela ne servirait à rien. L'Anguille nierait tout, Tammy aussi, et on a aucune preuve.

— Mais Tammy n'est peut-être pas la seule, il y en a peut-être d'autres...

— La plupart sont dans des familles adoptives, ou elles sont retournées chez elle. Il en reste deux ou trois, mais ou elles sont comme Tammy, ou elles ont trop peur de l'Anguille pour oser le moucharder.

— D'ailleurs, les adultes ne veulent rien savoir. Ils ne savent pas comment s'y prendre. Cela ferait une mauvaise publicité pour le foyer, et ils auraient l'air stupides de ne pas s'en être aperçus plus tôt. Et puis, qui ferait confiance à la parole d'un enfant ?

60

Thelma se mit à prendre la voix de Mme Bowmaine en imitant si parfaitement ses accents hypocrites que Laura la reconnut immédiatement.

— Oh, ma chère, ce sont toutes d'horribles petites pestes. Bruyantes, méchantes... Elles seraient capables de détruire la réputation de M. Sheener rien que pour s'amuser. Ah, si seulement on pouvait les endormir, les suspendre à un mur et les nourrir par intraveineuse, ce système serait tellement plus efficace pour nous comme pour elles.

— L'Anguille serait innocenté, il retournerait à son travail et il nous ferait payer cher de l'avoir dénoncé. Ça s'est passé exactement comme ça quand ce pervers de Ferret Fogel travaillait ici. Pauvre Denny Jenkins...

— Denny l'a dénoncé ; il a dit à Bowmaine que Ferret les battait, lui et deux autres gosses. Fogel a été suspendu, mais les deux autres garçons n'ont jamais voulu confirmer ce qu'avait dit Denny. Ils avaient peur... mais ils avaient aussi besoin de se sentir aimés par Fogel. Quand Bowmaine et son équipe ont interrogé Denny...

— Ils l'ont assailli de questions, ils ont essayé de le piéger. Denny s'est emmêlé les pinceaux, il s'est contredit, alors on en a déduit qu'il avait tout inventé.

— Et Fogel est revenu, dit Thelma.

— Il a attendu son heure, et il a trouvé des moyens de rendre la vie impossible à Denny, jusqu'au jour où... Denny s'est mis à hurler sans pouvoir s'arrêter. Le médecin lui a fait une piqûre et on l'a emmené. Troubles émotionnels, ils ont dit. On ne l'a jamais revu, dit Ruth, au bord des larmes.

Thelma mit le bras autour de l'épaule de sa sœur.

— Elle aimait bien Denny, c'était un gentil garçon. Timide, petit... il n'avait aucune chance. C'est pour ça, il faut que tu sois ferme avec l'Anguille. Ne lui montre jamais que tu as peur. S'il tente quoi que ce soit, crie, et donne-lui un coup de pied où je pense.

Tammy revint de la salle de bains. Sans les regarder, elle enleva ses chaussons et se glissa sous les couvertures.

Bien que l'idée que Tammy se soumette aux caprices de l'Anguille lui répugne, Laura regardait la fragile fillette avec moins de répulsion que de compassion. Rien n'était plus pitoyable que ce petit être frêle et solitaire étendu sur son lit étroit.

Cette nuit-là, Laura rêva de Sheener. Sa tête surmontait un corps d'anguille blanche, et, où qu'elle aille, Sheener la poursuivait, se tortillant sous les portes et les obstacles qui entravaient son chemin.

· 2 ·

Ecœuré par ce qu'il venait de voir, Stefan quitta le laboratoire pour retourner à son bureau du troisième étage, tremblant de terreur et de colère.

Cet affreux rouquin de Willy Sheener allait violer Laura à plusieurs reprises, la battre sauvagement à tel point qu'elle ne se relèverait jamais d'un tel traumatisme. Ce n'était pas seulement une possibilité, cela se produirait à coup sûr si Stefan ne parvenait pas à l'en empêcher. Il avait été témoin des conséquences : le visage mutilé, la mâchoire brisée de Laura, ses yeux surtout, des yeux sans éclat, à demi morts, les yeux d'un enfant qui a perdu la faculté d'espérer et d'aimer.

La pluie glacée battait les vitres, et le son creux semblait se répercuter en lui, comme si ce qu'il avait vu n'avait laissé qu'une coquille vide, brûlée de l'intérieur.

Il avait sauvé Laura et son père des griffes du junkie, mais voilà qu'un autre pédophile se trouvait sur son chemin. Il avait au moins appris quelque chose à l'institut : il n'était pas toujours facile de modifier la face du destin. Le destin luttait toujours pour rétablir ce qu'il avait prévu. Etre battue, profondément blessée sur un plan affectif faisait peut-être tellement partie de la destinée de Laura qu'un jour ou l'autre Stefan n'arriverait plus à s'interposer. Peut-être ne parviendrait-il pas à maîtriser Willy Sheener, ou alors un autre violeur traverserait la route de la jeune fille. Mais il devait au moins essayer.

Ces pauvres yeux sans joie, à demi morts...

Il y avait soixante-seize enfants au home McIlroy, âgés de douze ans ou moins. A treize ans, ils étaient transférés à l'orphelinat de Caswell Hall à Anaheim. Comme la salle à manger lambrissée de chêne n'était conçue que pour quarante personnes, il y avait deux services pour les repas. Laura faisait partie du deuxième, tout comme les jumelles Ackerson.

Dans la queue, lors de sa première matinée à l'orphelinat, entre Thelma et Ruth, Laura s'aperçut que Willy Sheener était l'un des quatre serveurs derrière le comptoir. Il distribuait le lait et les gâteaux.

Tandis que Laura s'avançait, il passait plus de temps à la regarder qu'à servir les autres fillettes.

— Ne te laisse pas intimider, murmura Thelma.

Laura tenta d'affronter le regard de Sheener et de le défier hardiment. Mais c'était toujours elle qui baissait les yeux la première.

Quand elle arriva à son niveau, il lui dit :

— Bonjour Laura, et il plaça sur son plateau une pâtisserie particulièrement appétissante qu'il avait mise de côté pour elle.

Elle était deux fois plus grosse que les autres parts, et il y avait plus de cerises et de glaçage.

Le jeudi, trois jours après son arrivée, Laura eut un entretien avec Mme Bowmaine sur la manière dont elle s'adaptait à son nouveau foyer. Etta Bowmaine était une femme de haute stature, ficelée comme l'as de pique, le plus souvent dans des robes à fleurs. Elle s'exprimait par clichés et lieux communs. Avec l'hypocrisie que Thelma avait imitée si parfaitement quelques jours plus tôt, elle lui posa toute une série de questions pour lesquelles elle ne voulait surtout pas de réponse sincère. Laura mentit et dit qu'elle se sentait fort heureuse à McIlroy, ce qui sembla satisfaire énormément Mme Bowmaine.

De retour dans sa chambre du troisième étage, Laura rencontra l'Anguille. Elle tourna sur le palier de l'escalier nord, et le vit au-dessus d'elle, en train de lustrer la balustrade de chêne. Il avait posé une bouteille de produit non débouchée sur l'escalier.

Laura se figea sur place et son cœur se mit à tambouriner, car elle comprit qu'il l'attendait. Il avait dû être au courant de son entretien avec Mme Bowmaine et savait qu'elle emprunterait cet escalier pour retourner dans sa chambre.

Ils étaient seuls. Un autre pensionnaire pouvait arriver d'un moment à l'autre, mais pour l'instant, ils étaient seuls.

Sa première impulsion la poussait à rebrousser chemin et à se diriger vers l'escalier sud, mais elle se souvint que Thelma lui avait conseillé de faire face à l'Anguille car il profitait des proies trop fragiles. La meilleure solution consistait sans doute à passer son chemin sans dire un mot, mais il lui semblait que ses pieds étaient rivés au sol. Elle était incapable de faire un pas.

L'Anguille baissa les yeux vers elle en souriant... un sourire affreux. Il avait des lèvres incolores, mais ses dents étaient aussi jaunes et aussi tachées qu'une peau de banane trop mûre. Sous sa chevelure rousse hirsute, ses traits ressemblaient à ceux d'un clown..., pas un clown de cirque, mais plutôt un monstre de carnaval, un père fouettard.

— Tu es très jolie, Laura.

Elle aurait voulu lui dire d'aller au diable. Elle resta muette.

— Je voudrais être ton ami.

Elle trouva la force de monter l'escalier et de s'approcher de lui.

Son sourire s'élargit. Sans doute pensait-il qu'elle répondait à sa proposition. Il fouilla dans la poche de son pantalon kaki et sortit un Mars.

Laura se souvint du commentaire de Thelma sur le manque d'imagination de l'Anguille et soudain il ne lui fit plus aussi peur qu'auparavant. En lui offrant des friandises, en la regardant ainsi, Sheener n'était plus qu'un personnage grotesque, une caricature du diable, et Laura aurait éclaté de rire si elle n'avait pas su ce qu'il faisait à Tammy et à d'autres fillettes. Pourtant, le ridicule de l'Anguille lui donna le courage de le contourner rapidement.

Quand il comprit qu'elle n'acceptait pas les sucreries, il lui mit la main sur l'épaule pour l'arrêter.

Brusquement, Laura retira la main et s'écria :

— Ne me touchez pas, espèce de cinglé !

Elle se pressa, luttant toutefois contre son envie de courir. Si elle courait, il saurait qu'elle avait toujours peur. Il ne devait déceler aucune faiblesse dans son attitude, car cela ne ferait que l'encourager.

A deux pas du palier supérieur, elle nourrit l'espoir d'avoir gagné, de l'avoir impressionné par sa fermeté. Soudain, elle entendit le bruit d'une fermeture à glissière qui s'ouvrait. Le souffle court, il murmura derrière elle :

— Laura, regarde, Laura. Regarde ce que j'ai pour toi.

Il y avait une nuance de folie et de haine dans sa voix.

— Regarde ce que j'ai dans la main.

Elle ne se retourna pas.

Elle arriva sur le palier et se préparait à monter à l'étage suivant en pensant : « Il n'y a aucune raison de courir, non, ne cours pas, ne cours pas... »

— Laura, regarde le gros bonbon que j'ai pour toi, tu n'en as jamais vu d'aussi gros.

Au troisième étage, Laura se précipita dans la salle de bains pour se laver les mains. Elle se sentait sale d'avoir touché la main de Sheener pour l'écarter de son épaule.

Plus tard, tandis que les Ackerson étaient assises en rond sur le tapis pour leurs bavardages nocturnes, Thelma éclata de rire en entendant Laura raconter que l'Anguille voulait lui montrer son gros bonbon.

— Un gros bonbon ! C'est fantastique ! Il a appris par cœur le *Guide du parfait pervers,* ou quoi ?

— Le problème, dit Ruth d'un air soucieux, c'est qu'il n'a pas fait demi-tour quand il a vu que Laura ne se laissait pas prendre. J'ai l'impression qu'il ne va pas renoncer aussi facilement qu'avec les autres filles.

Cette nuit-là, Laura eut du mal à s'endormir. Elle songea à son ange gardien, et se demanda s'il apparaîtrait de manière aussi miraculeuse que la dernière fois et s'il réussirait à vaincre Willy Sheener. Sans savoir pourquoi, il lui semblait qu'elle ne pourrait pas compter sur lui cette fois-ci.

Pendant les dix jours suivants, tandis qu'août tirait à sa fin, l'Anguille assombrit la vie de Laura aussi sûrement que la lune projette son ombre dans le ciel. Quand elle allait jouer aux cartes ou au Monopoly avec les jumelles, Sheener arrivait dans les dix minutes et se mettait au travail, lavant ostensiblement les fenêtres, astiquant les meubles, ou réparant les rideaux alors qu'en fait toute son attention était concentrée sur Laura. Si les fillettes cherchaient refuge dans le parc derrière la bâtisse, Sheener venait soudain pulvériser de l'insecticide ou de l'engrais sur un buisson ou un autre. Et, bien que le troisième étage soit exclusivement réservé aux filles, les membres du personnel masculin avaient le droit d'y aller entre dix heures du matin et quatre heures de l'après-midi afin d'effectuer les travaux d'entretien, si bien que Laura ne pouvait pas se rendre dans sa chambre dans la journée sans courir de risques.

Plus encore que la diligence de l'Anguille, c'était sa sombre passion pour elle qui l'effrayait, une passion qui se traduisait dans son regard fixe et intense, dans la sueur qui ruisselait sur son visage dès qu'il était dans la même pièce qu'elle pendant plus de quelques instants.

Laura, Ruth et Thelma s'efforçaient de se convaincre que la menace de l'Anguille se faisait de moins en moins pressante au fur et à mesure que les jours s'écoulaient sans incident. Ses hésitations prouvaient simplement qu'il avait compris que Laura n'était pas une proie pour lui. Pourtant, tout en sachant qu'elles tentaient de tuer le dragon avec des vœux pieux, elles étaient incapables d'affronter le danger dans toute son ampleur jusqu'au jour où, en rentrant dans leur chambre, elles trouvèrent Tammy en train de déchirer les livres de Laura dans un accès de jalousie.

Laura avait placé sa bibliothèque personnelle, ses cinquante livres de poche préférés, sous son lit. Tammy les avait mis au milieu de la pièce et, dans une crise de fureur vengeresse, en avait déjà détruit les deux tiers.

Laura était trop abasourdie pour réagir, mais Ruth et Thelma écartèrent la fillette pour l'empêcher de continuer.

C'étaient les livres que son père lui avait achetés, le seul lien qui l'unissait encore à lui, et, comme elle ne possédait guère que cela, Laura était très peinée par cette destruction. Ils n'avaient aucune valeur autre que sentimentale, mais soudain elle comprit qu'ils formaient un rempart contre les cruautés de la vie.

A présent que le véritable objet de sa haine se trouvait devant ses yeux, Tammy avait perdu tout intérêt pour les livres.

— Je te déteste, je te déteste !

Pour la première fois depuis que Laura l'avait rencontrée, son visage pâle et tendu paraissait vivant. Ses joues rosissaient sous l'effet de la rage et de l'émotion. Les grands cernes sous ses yeux n'avaient pas disparu, mais ils ne la faisaient plus paraître faible et inexistante. Elle avait un air féroce de bête sauvage.

— Je te déteste, Laura, je te déteste !

— Tammy, ma chérie, dit Thelma, luttant pour retenir la fillette. Laura ne t'a rien fait.

La respiration haletante, sans essayer davantage de se libérer de l'étreinte de Ruth et Thelma, Tammy continua à crier :

— Il en a plus que pour toi. Il ne s'intéresse plus à moi. Il parle toujours de toi. Laura, Laura, toujours Laura.

Personne ne demanda qui était ce « il ». L'Anguille.

— Il ne veut plus de moi. Plus personne ne veut de moi. La seule chose qui l'intéresse, c'est que je t'attire dans un endroit où il pourra te voir seul à seule, où il ne risquera rien. Mais je le ferai pas, je le ferai pas ! Jamais. Qu'est-ce qu'il me restera une fois qu'il t'aura eue ? Rien ! Rien du tout !

Elle avait le visage enflammé. Sa déception était encore plus féroce que sa rage.

Laura se précipita hors de la chambre et courut à la salle de bains. Malade de dégoût et de peur, elle tomba à genoux devant une cuvette et vomit. Une fois l'estomac vide, elle s'approcha d'un lavabo et se rinça la bouche à plusieurs reprises puis s'aspergea le visage d'eau froide. Quand elle leva les yeux et se vit dans le miroir, les larmes perlèrent enfin au coin des yeux.

Ce n'était ni sa propre solitude ni sa frayeur qui la faisaient pleurer. Le monde était d'une cruauté invraisemblable si une fillette de dix ans était méprisée au point que les seuls mots d'approbation qu'elle eût jamais entendus venaient d'un être dément qui abusait d'elle et si la seule chose dont elle pouvait s'enorgueillir était la sexualité sous-jacente à son corps d'enfant prépubère.

Laura comprit que la situation de Tammy était encore plus dramatique que la sienne. Même sans ses livres, Laura avait de bons souvenirs d'un père aimant et gentil. Pas Tammy. Si on lui arrachait le peu qu'elle possédait, Laura garderait malgré tout tous ses esprits, mais Tammy était perturbée, peut-être définitivement.

Sheener habitait un bungalow dans une rue tranquille de Santa Ana, une de ces banlieues construites après la Seconde Guerre mondiale : des petites maisons proprettes avec des détails archi-tecturaux intéressants. En cet été de 1967, les différentes variétés de ficus avaient atteint leur maturité et étendaient leurs branches protectrices sur les maisons ; le jardin de Sheener était envahi de buissons, d'azalées, d'hibiscus rouges...

Vers minuit, avec un objet de plastique, Stefan ouvrit le verrou de la porte arrière et s'introduisit à l'intérieur de la maison. Pour inspecter le bungalow, il alluma audacieusement les lumières sans prendre la peine de tirer les rideaux.

La cuisine était immaculée. Le comptoir de formica bleu étincelait. Les poignées de chrome, les robinets et les cadres métalliques des chaises brillaient, pas même ternis par la moindre trace de doigt.

Il ouvrit le réfrigérateur, sans savoir ce qu'il s'attendait à y trouver. Peut-être un indice sur le psychisme perturbé de Willy Sheener ? Une précédente victime découpée en morceaux et congelée pour préserver le souvenir d'une passion malsaine ? Il n'y avait rien de tel. Pourtant l'obsession de la propreté était visible : toute la nourriture était conservée dans des Tupperware de tailles diverses.

A part cela, la seule chose étrange dans le contenu du réfrigérateur et des placards était l'abondance de sucreries : crèmes glacées, biscuits, gâteaux, bonbons, tartes, beignets et même des biscuits pour chiens. Il y avait beaucoup de nouveau-tés, comme des spaghettis en boîte et de la soupe dans laquelle les pâtes avaient la forme de personnages de dessins animés. On aurait dit que le garde-manger de Sheener avait été approvisionné par un enfant muni d'une liste mais privé des conseils d'un adulte. Stefan avança plus loin dans la maison.

· 5 ·

La dispute autour des livres déchirés suffit à épuiser le peu de vitalité de Tammy. Elle ne parla plus de Sheener et sembla ne plus en vouloir à Laura. De jour en jour, elle se renfermait de plus en plus sur elle-même, évitait de croiser le regard des autres et baissait constamment la tête. Elle parlait de plus en plus doucement.

Laura ne savait pas ce qui était le pire : sentir peser une menace permanente sur elle ou voir la personne déjà éthérée de Tammy se transformer peu à peu en un être quasi catatonique. Le 30 août, elle fut soudain libérée de ces deux fardeaux car elle apprit qu'elle allait être transférée dans une famille nourricière le lendemain matin, vendredi.

Elle quitterait les Ackerson à regret. Elle ne les connaissait que depuis quelques semaines, mais leur amitié s'était construite plus rapidement et plus solidement qu'elle ne l'aurait fait en temps normal.

Ce soir-là, tandis qu'elles étaient toutes trois installées sur le tapis, Thelma annonça :

— Shane, si tu tombes dans une bonne famille, installe-toi bien au chaud et sois heureuse. Si tu tombes dans une bonne famille, oublie-nous, fais-toi de nouvelles amies, et mène ta vie. Mais les légendaires sœurs Ackerson, Ruth et moi, on en a vu des familles nourricières, trois déjà, toutes atroces. Alors, si tu te retrouves dans un endroit pourri, tu n'es pas obligée de rester.

— Tu n'as qu'à pleurer à longueur de journée, et tout le monde comprendra que tu es malheureuse. Si tu n'arrives pas à pleurer, fais semblant.

— Pouh, dit Thelma. Sois maladroite. Casse une assiette chaque fois que tu devras faire la vaisselle. Rends-toi insupportable.

Laura en resta sidérée :

— Vous avez fait tout cela pour revenir à McIlroy ?

— Et pire encore.

— Mais vous n'aviez pas honte de tout casser ?

— C'était plus difficile pour Ruth que pour moi. Moi, j'ai le diable dans la peau, et Ruth, c'est la réincarnation d'une obscure religieuse du XIVe siècle dont on ne connaît même pas le nom.

Un jour suffit à Laura pour savoir qu'elle n'avait pas envie de rester avec la famille Teagel, mais au début, elle essaya de s'en accommoder car elle trouvait sa situation préférable à un retour à McIlroy.

La vie n'était guère qu'une vague toile de fond pour Flora Teagel qui ne s'intéressait qu'aux mots croisés. A longueur de journée, elle se tenait à la table de sa cuisine toute jaune, enveloppée dans un cardigan quel que soit le temps, et dévorait les magazines de jeux les uns après les autres avec une concentration aussi surprenante que stupide.

En général, elle ne s'adressait à Laura que pour lui donner la liste des corvées à effectuer ou solliciter son aide pour les mots difficiles. Alors que Laura lavait la vaisselle, Flora demandait par exemple :

— Un mot de sept lettres pour « chat » ?

La réponse de Laura était toujours la même :

— Je ne sais pas.

— Je ne sais pas, je ne sais pas, je ne sais pas, ironisait Mme Teagel. On dirait que tu ne sais pas grand-chose, ma fille. Tu n'écoutes rien à l'école ? Les mots, le langage, cela ne t'intéresse pas ?

Laura était fascinée par les mots. Pour elle, c'étaient des objets d'art, un peu de poudre magique qu'on pouvait combiner avec d'autres mots pour créer des images puissantes. Mais pour Flora Teagel, les mots n'étaient que des jetons destinés à remplir les blancs d'une grille, des amas de lettres ennuyeux qui frustraient Laura.

Le mari de Flora, Mike, était un robuste chauffeur de camion au visage poupin. Il passait les soirées dans son fauteuil plongé dans la lecture du *National Enquirer* et de ses frères jumeaux et se délectait de récits douteux ayant trait aux rapports qu'entretenaient les vedettes de cinéma avec l'au-delà. Son attirance pour ce qu'il appelait les « nouvelles exotiques » aurait été sans danger s'il avait été aussi absorbé dans sa lecture que sa femme dans ses grilles, mais il allait souvent déranger Laura pendant ses corvées ou durant les rares moments qu'elle consacrait à ses devoirs de classe pour lui lire à voix haute les passages les plus bizarres.

Laura trouvait ses histoires idiotes, illogiques, sans intérêt, mais elle ne pouvait pas le lui dire. Il n'aurait pas été vexé si elle avait prétendu que ses journaux n'étaient que des torchons, au contraire, il lui aurait adressé un regard compatissant, puis, avec une patience exaspérante et ce ton de monsieur-je-sais-tout propre aux ignares bien élevés, il se serait lancé dans une grande explication du monde. En long et en large !

— Laura, il faut que tu comprennes bien. Les grands manitous de la Maison Blanche, eux, ils savent tout, sur les extraterrestres et les secrets de l'Atlantide...

Aussi différents qu'ils fussent, Mike et Flora partageaient un point commun. Pour eux, abriter un enfant, c'était un moyen d'avoir une bonne gratuitement. Laura devait faire le ménage, la lessive, le repassage et la cuisine.

Leur propre fille, Hazel, de deux ans l'aînée de Laura, était absolument pourrie. Elle ne faisait ni ménage ni lessive ni repassage ni cuisine. Bien qu'elle n'eût que quatorze ans, elle avait des ongles de mains et de pieds parfaitement manucurés et vernis. Si l'on avait calculé son âge en additionnant les heures passées devant un miroir, elle n'aurait eu que cinq ans !

— Le jour de repassage, expliqua-t-elle un jour à Laura, tu dois t'occuper d'abord de mes vêtements. Et puis range-les dans ma garde-robe par couleur.

Tiens, tiens, j'ai déjà lu ça quelque part, pensa Laura. Chouette, j'ai le premier rôle de *Cendrillon !*

— Moi, je serai actrice de cinéma ou mannequin, dit un jour Hazel. Alors, mon visage, mes mains et mon corps, c'est mon avenir. Il faut que je les protège.

Quand Mme Ince, l'assistante sociale maigre comme un clou chargée du dossier, vint rendre visite aux Teagel le samedi 16 septembre, Laura avait l'intention de demander sa réintégration à McIlroy. La menace représentée par Willy Sheener paraissait plus supportable que la vie quotidienne avec les Teagel.

Mme Ince arriva au moment où Flora faisait sa première vaisselle en quinze jours. Laura était assise à la table, s'amusant apparemment à faire des mots croisés qu'on lui avait fourrés de force dans les mains, quand la sonnette avait retenti.

Au cours de l'entretien que Laura eut avec Mme Ince dans sa chambre, celle-ci refusa de croire ce que Laura lui disait sur les corvées ménagères.

— Ma chérie, M. et Mme Teagel sont des parents nourriciers exemplaires. Tu ne m'as pas l'air surmenée, tu as même pris un ou deux kilos.

— Je n'ai jamais dit que j'étais affamée, dit Laura. Mais je n'ai pas le temps de faire mes devoirs. Quand je vais me coucher, je suis épuisée...

— Et puis, l'interrompit Mme Ince, les parents nourriciers ne doivent pas se contenter d'abriter des enfants. Ils doivent les élever aussi. Cela signifie leur inculquer des bonnes manières, leur donner le sens des valeurs et du travail.

La situation était désespérée.

Laura s'en remit au plan Ackerson pour se libérer d'une famille indésirable. Elle commença à faire le ménage n'importe comment. Quand elle avait terminé la vaisselle, il restait des traces et des taches. Elle faisait exprès des faux plis dans les vêtements de Hazel.

La destruction de la plupart de ses livres lui avait appris le respect de la propriété d'autrui et elle n'osait rien casser, mais, à la place, elle utilisa le mépris et l'insolence. Un jour que Flora lui demanda un synonyme de « bœufs » en six lettres, Laura répondit « Teagel ». Un soir que Mike lui raconta une histoire de soucoupe volante qu'il avait lue dans l'*Enquirer,* Laura l'interrompit pour lui annoncer que des taupes mutantes hantaient le sous-sol du supermarché. Elle suggéra à Hazel que si elle voulait réussir dans le show-business, elle devrait s'engager comme doublure d'Ernest Borgnine [1].

— Vous vous ressemblez comme deux gouttes d'eau, il sera obligé de t'embaucher !

Cette attitude lui attira vite des coups. Avec ses grosses mains calleuses, Mike n'avait pas besoin de martinet. Il lui administra une bonne fessée, mais Laura se mordit les lèvres pour ne pas lui donner la satisfaction de voir ses larmes. Flora, qui l'observait de la cuisine, s'écria :

— Mike, ça suffit. Ne lui fais pas de marques.

Il n'arrêta — à contrecœur — que lorsque sa femme entra dans la pièce et lui retint le bras.

Cette nuit-là, Laura eut du mal à s'endormir. Pour la première fois de sa vie, elle avait employé le pouvoir des mots pour obtenir l'effet recherché, et la réaction des Teagel lui prouvait qu'elle avait réussi. Elle était encore plus excitée à la pensée, à peine formulée, qu'elle pouvait non seulement se défendre avec les mots mais aussi faire son chemin dans le monde grâce à eux, peut-

1. Acteur américain longtemps confiné dans des rôles de brute et de pervers.

être même à la façon des auteurs dont elle aimait tant les livres. Avec son père, elle avait parlé de devenir danseuse, médecin, vétérinaire, mais ce n'étaient que des paroles. Aucun de ses rêves ne lui avait apporté autant d'enthousiasme que la perspective de devenir écrivain.

Le lendemain matin, quand elle alla rejoindre les trois Teagel à la table de la cuisine, elle annonça :

— Hé, Mike, j'ai découvert un calamar martien surdoué qui vit dans la cuvette des W.C.

— Qu'est-ce que c'est que cette histoire ? demanda Mike.

— Une « nouvelle exotique » !

Deux jours plus tard, Laura retourna à McIlroy.

· 6 ·

La salle à manger et le salon de Willy Sheener étaient meublés comme ceux d'un homme ordinaire. Stefan ne savait pas vraiment à quoi il s'attendait. A des preuves de démence sans doute, mais pas à cet univers bien ordonné et propret.

L'une des chambres était vide, mais la deuxième paraissait pour le moins étrange. Le lit consistait en un simple matelas posé au sol. Les taies d'oreillers et les draps présentaient des motifs de lapins de bandes dessinées, comme pour un enfant. La table de nuit et la commode bleu pâle, à la taille d'un enfant, étaient décorées de lapins, de girafes et d'écureuils en décalcomanie. Sheener possédait toute une collection de Petits Livres d'Or, d'ours en peluche et de jouets pour des filles et garçons de six à sept ans.

Au début, Stefan s'imagina que cette pièce était destinée à séduire les enfants du voisinage, que Sheener était assez inconscient pour attirer ses victimes chez lui, même s'il multipliait ainsi les risques. Mais il n'y avait aucun autre lit dans la maison et les tiroirs et placards étaient remplis de vêtements d'homme. Les murs étaient ornés d'une douzaine de photographies d'un garçon à cheveux roux, de la première enfance à l'âge de huit ans, qui ressemblait à Sheener en plus jeune. Peu à peu, Stefan comprit que cette chambre était conçue pour le seul plaisir de Willy Sheener. Il y dormait. La nuit, il se réfugiait dans un univers enfantin et devait trouver une paix désespérément attendue dans cette régression.

Au milieu de cette pièce étrange, Stefan éprouvait à la fois tristesse et répulsion. Il semblait que Sheener abusât des enfants non seulement pour en tirer des satisfactions sexuelles, mais aussi pour absorber leur jeunesse, pour retrouver sa propre enfance. Sa perversion lui permettait non pas de descendre dans la déchéance morale mais de parvenir à une innocence perdue. Il était aussi pitoyable que méprisable, incapable d'affronter les difficultés de la vie adulte, mais néanmoins dangereux.

Stefan se mit à trembler.

· 7 ·

Son lit dans la chambre des Ackerson était désormais occupé par une autre fillette. On attribua à Laura une chambre pour deux dans l'aile nord-est, près de l'escalier. Eloise Fisher, sa camarade de chambre à queue de cheval et taches de rousseur, avait un air trop sérieux pour une enfant.

— Je serai comptable quand je serai grande, dit-elle à Laura. J'aime bien les chiffres. On peut additionner des colonnes de chiffres et toujours tomber sur le même résultat. Il n'y a aucune surprise avec les nombres, ils ne sont pas comme les gens.

Les parents d'Eloise étaient en prison pour trafic de drogue et le tribunal l'avait placée à McIlroy en attendant de décider quel membre de la famille la prendrait en charge.

Dès que Laura eut défait ses valises, elle se précipita dans la chambre des Ackerson.

— Je suis libre, je suis libre ! cria-t-elle.

Tammy et la nouvelle venue lui adressèrent un regard vide, mais Ruth et Thelma se jetèrent dans ses bras et l'embrassèrent. C'était un peu comme retrouver sa véritable famille.

— Alors, ta famille nourricière ne t'aimait pas ? demanda Ruth.

— Ah, ah ! Tu t'es servie du plan Ackerson !

— Non, je les ai tués pendant leur sommeil.

— Ça marche aussi, confirma Thelma.

La nouvelle, Rebecca Bogner, avait onze ans. Visiblement, elle ne s'entendait guère avec les Ackerson. En écoutant Laura et les jumelles, elle ne cessait de grommeler : « Ah, vous êtes bizarres, vraiment bizarres. Mais vous êtes cinglées ! » sur un ton supérieur si méprisant qu'elle empoisonnait l'atmosphère presque aussi efficacement qu'une boule puante.

Laura et les jumelles allèrent dans la cour pour partager cinq semaines de petits secrets à l'abri des commentaires de Rebecca. C'était le début d'octobre, et les journées étaient encore chaudes malgré la brise fraîche. Elles portaient des vestes et s'assirent sur les cheval-arçons désertés car les plus jeunes étaient montées se laver avant le premier service du dîner.

Elles n'étaient pas dans la cour depuis cinq minutes que Willy Sheener arriva muni d'une cisaille électrique. Il se mit au travail sur une haie à une vingtaine de mètres, mais toute son attention se concentrait sur Laura.

Au dîner, l'Anguille était de service et distribuait le lait et les gâteaux. Il avait gardé la plus grosse part de tarte aux cerises pour Laura.

Le lundi, Laura arriva dans une nouvelle école où les autres avaient déjà eu quatre semaines pour se faire des amies. Ruth et Thelma partageaient quelques cours avec elle, ce qui lui permit de s'adapter plus facilement, mais elle n'oubliait pas que la première condition d'une orpheline, c'était l'instabilité.

Le mardi après-midi, quand Laura rentra de l'école, Mme Bowmaine l'appela dans l'escalier.

— Laura, est-ce que vous pourriez venir me voir dans mon bureau ?

La directrice portait une robe à fleurs violettes qui détonnait sur les motifs de fleurs rose et pêche des rideaux et du papier peint. Laura s'installa sur une chaise tapissée de fleurs roses. Mme Bowmaine se tenait à son bureau, visiblement impatiente d'en finir avec Laura et de se livrer à ses autres tâches.

— Eloise Fisher nous a quittés aujourd'hui.

— Qui a eu la garde ? demanda Laura. Elle aimait beaucoup sa grand-mère.

— Elle est chez sa grand-mère, confirma Mme Bowmaine.

Tant mieux pour Eloise. Laura espérait que la fillette à queue de cheval et taches de rousseur pourrait enfin faire confiance à autre chose qu'aux chiffres.

— Donc, vous n'avez plus de camarade de chambre, dit Mme Bowmaine sèchement. Et je n'ai aucun autre lit de libre, aussi, vous pourriez vous installer avec...

— Est-ce que je peux faire une suggestion ?

Mme Bowmaine fronça les sourcils en un geste d'impatience et consulta sa montre.

— Ruth et Thelma sont mes meilleures amies et elles ne s'entendent pas avec Tammy Hinsen et Rebecca Bogner, alors...

— Il faut que vous appreniez à vivre avec des gens qui ne vous ressemblent pas forcément. Etre avec des filles avec lesquelles vous vous entendez déjà ne vous aidera pas à vous former le caractère. De toute façon, je ne peux pas faire de nouveaux arrangements avant demain. Je suis trop occupée aujourd'hui. Je veux savoir si je peux vous faire confiance et vous laisser passer la nuit toute seule dans votre chambre actuelle.

— Me faire confiance ? demanda Laura troublée.

— Dites-moi la vérité, jeune fille : est-ce que je peux vous faire confiance ?

Laura n'arrivait pas à imaginer quel genre d'ennuis prévoyait la directrice. Peut-être s'attendait-elle à ce qu'elle se barricade si efficacement que la police devrait faire sauter la porte, lancer des bombes lacrymogènes et la faire sortir enchaînée.

Laura se sentait aussi vexée que perplexe.

— Oui, bien sûr, tout ira bien.

— Bon... parfait. Vous dormirez seule ce soir, et nous verrons pour la suite demain.

Après avoir quitté le bureau bariolé de Mme Bowmaine, Laura songea soudain à l'Anguille Blanche ! Sheener apprendrait sûrement qu'elle devait passer la nuit seule. Il savait tout ce qui se passait à McIlroy, il avait les clés, il pouvait donc très bien revenir la nuit. Sa chambre était près de l'escalier, si bien qu'il pourrait pénétrer dans la pièce et la maîtriser en quelques secondes. Il l'assommerait ou la droguerait, il la mettrait dans un sac, l'enfermerait dans une cave, et personne ne saurait comment elle aurait disparu.

Elle tourna au deuxième étage, descendit les marches deux à deux et se précipita vers le bureau de Mme Bowmaine. Quand elle parvint au hall d'entrée, elle faillit entrer en collision avec l'Anguille. Il avait un balai-brosse et un seau posé sur des roulettes qui sentait le désinfectant au pin.

Il lui sourit. Peut-être n'était-ce qu'un effet de son imagination, mais il lui semblait qu'il était déjà au courant.

Elle aurait dû passer devant lui, aller revoir la directrice, la supplier de revenir sur sa décision. Elle ne pouvait pas accuser Sheener, sinon, elle finirait comme Denny Jenkins, mais elle pouvait toujours inventer une excuse plausible.

Elle songea également à se ruer sur lui, à le faire tomber dans son seau, à lui prouver qu'elle était la plus forte et qu'il n'avait pas intérêt à se frotter à elle. Mais il n'était pas comme les Teagel. Mike, Flora et Hazel n'étaient que des gens obstinés à l'esprit étroit, mais par comparaison avec l'Anguille, ils étaient malgré tout sains d'esprit. Sheener était fou, et il n'y avait aucun moyen de savoir comment il réagirait si on le clouait au sol.

Tandis qu'elle hésitait, le sourire de l'Anguille s'élargissait.

Une rougeur envahit ses joues pâles, et Laura comprit qu'il s'agissait peut-être d'un accès de désir. Cela lui donna la nausée.

Elle fit demi-tour, sans oser courir avant d'être hors de vue. Elle se précipita dans la chambre des Ackerson.

— Tu dormiras avec nous cette nuit.

— Excellente idée, dit Thelma. Tu resteras dans ta chambre jusqu'à l'appel, et après tu reviendras ici.

Assise sur son lit à faire ses devoirs de math, Rebecca Bogner commenta :

— Il n'y a que quatre lits.

— Je dormirai par terre.

— C'est contraire au règlement.

Thelma brandit un poing serré dans sa direction.

— Bon, bon, dit Rebecca. Je n'ai jamais dit que je ne voulais pas qu'elle reste, je voulais simplement signaler que c'était interdit.

Laura s'attendait à ce que Tammy émette des objections, mais la fillette était allongée sur les couvertures, les yeux rivés au plafond, perdue dans ses propres pensées.

Dans la salle à manger lambrissée de chêne, devant un plat de porc immangeable et de la purée collante, sous le regard de l'Anguille, Thelma déclara :

— Tu sais pourquoi Bowmaine t'a demandé si on pouvait te faire confiance ? Elle a peur que tu te suicides.

Laura restait sceptique.

— C'est déjà arrivé ici, dit Ruth tristement. C'est pour ça qu'ils nous mettent au moins deux par deux dans des chambres minuscules. Etre trop souvent tout seul... c'est une des choses qui semblent déclencher le processus.

— Ils ne veulent pas que Ruth et moi soyons seules dans la même chambre, car comme on est jumelles, ils nous prennent pour une seule personne. Ils s'imaginent que dès qu'ils auront le dos tourné, on se passera la corde au cou.

— C'est ridicule, dit Laura.

— Bien sûr que c'est ridicule, confirma Thelma. Se pendre, c'est trop discret. Les légendaires Ackerson, Ruth et moi, on a le sens du tragique. On se ferait hara-kiri avec des couteaux de cuisine, ou à la tronçonneuse...

Les conversations se tenaient à voix basse car les adultes surveillaient la salle. La responsable du troisième étage, Mlle Keist, passa derrière la table où se trouvaient Laura et les jumelles et Thelma murmura :

— La Gestapo.

— Mme Bowmaine n'avait pas de mauvaises intentions, dit Ruth après le départ de Mlle Keist, elle ne sait pas comment s'y prendre, c'est tout. Si elle apprenait à te connaître, elle n'irait pas penser à un suicide. Tu as trop le sens de la survie.

— Un jour, on a trouvé Tammy Hinsen dans la salle de bains avec un paquet de lames de rasoir, en train d'essayer de se taillader les poignets.

Laura se sentit soudain impressionnée par le mélange d'humour, de tragique, d'absurdité et de réalisme cru qui tissait leur vie à McIlroy. Elles s'amusaient et plaisantaient ensemble et, la minute suivante, elles parlaient des tendances suicidaires de leurs camarades. Laura comprit que cette réflexion dépassait largement ce que l'on pouvait attendre d'une fillette de son âge et décida de la noter sur le journal qu'elle venait de commencer.

Ruth avait réussi à liquider son assiette.

— Un mois après le coup du rasoir, ils ont organisé une fouille surprise dans nos chambres pour confisquer les objets dangereux. Ils se sont aperçus que Tammy avait un bidon d'essence et des allumettes. Elle avait l'intention de s'enfermer dans la douche, de s'arroser d'essence et de se faire brûler vive.

— Oh, mon Dieu !

Laura songea à la fillette maigrichonne au teint gris et aux yeux cernés et il lui sembla que pour elle, s'immoler n'était qu'un moyen d'activer le feu qui la rongeait de l'intérieur depuis si longtemps.

— Ils l'ont envoyée suivre une thérapie intensive pendant deux mois, dit Ruth.

— Quand elle est revenue, ajouta Thelma, les adultes se félicitaient de la voir aller mieux, mais Ruth et moi, on trouvait qu'il n'y avait rien de changé.

Dix minutes après l'appel organisé par Mlle Keist, Laura se leva. Le couloir désert du troisième n'était éclairé que par trois veilleuses. En pyjama, avec son oreiller et sa couverture, elle se précipita pieds nus vers la chambre des Ackerson.

Seule la lampe de chevet de Ruth était allumée.

— Laura, dors dans mon lit, je me suis fait un lit par terre, dit Ruth.

— Eh bien, défais-le et couche-toi.

Elle replia plusieurs fois sa couverture pour se faire un matelas et se coucha au pied du lit de Ruth.

— On va avoir des ennuis à cause de vous, dit Rebecca Bogner.

— De quoi t'as peur ? demanda Thelma. Qu'ils nous attachent dans la cour, qu'ils nous recouvrent de miel et qu'ils nous jettent en pâture aux fourmis ?

Tammy dormait ou faisait semblant de dormir.

Ruth éteignit sa lumière.

La porte s'ouvrit brusquement et le plafonnier s'alluma. En robe de chambre rouge, les sourcils froncés, Mlle Keist entra dans la chambre.

— Laura ? Qu'est-ce que vous faites ici ?

— Je vous l'avais dit qu'on aurait des ennuis, dit Rebecca Bogner.

— Mademoiselle, retournez immédiatement dans votre chambre.

La rapidité avec laquelle Mlle Keist était apparue semblait suspecte et Laura regarda Tammy Hinsen. La petite blonde ne feignait plus de dormir. Elle était appuyée sur un coude et souriait faiblement. De toute évidence, elle s'était faite complice de l'Anguille, sans doute dans l'espoir de reconquérir ses faveurs.

Mlle Keist escorta Laura jusqu'à sa chambre. Laura se recoucha et Mlle Keist l'observa pendant un moment.

— Il fait chaud. Je vais ouvrir la fenêtre. Vous avez envie de me dire quelque chose ? Ça ne va pas ?

Laura songea à lui parler de l'Anguille. Mais si Mlle Keist restait dans sa chambre pour le démasquer et qu'il ne vienne pas ? Laura ne pourrait plus jamais l'accuser, car si elle l'avait déjà fait une fois à tort, plus personne ne la prendrait au sérieux. Même si Sheener la violait, il s'en tirerait sans encombre.

— Non, tout va bien.

— Thelma est beaucoup trop sûre d'elle pour une fillette de son âge. Si vous êtes assez stupide pour enfreindre le règlement et faire la folle toute la nuit, choisissez des amies qui vaillent la peine de prendre ce genre de risque pour elles.

— Oui, mademoiselle, dit Laura pour se débarrasser d'elle, regrettant déjà d'avoir envisagé de faire confiance à cette femme.

Après le départ de Mlle Keist, Laura ne chercha plus à s'enfuir. Il y aurait sûrement une autre ronde dans une demi-heure et l'Anguille ne viendrait sûrement pas avant minuit. Il n'était que dix heures. Entre la prochaine visite de Mlle Keist et l'arrivée de l'Anguille, elle avait largement le temps de se cacher.

Au loin, dans la nuit, le tonnerre grondait. Elle se redressa sur son lit. Son ange gardien ! Elle rejeta les couvertures et se précipita à la fenêtre. Elle ne vit pas d'éclair. L'écho lointain s'évanouit. Après tout, ce n'était peut-être pas un coup de tonnerre. Elle attendit encore une dizaine de minutes, mais il ne se passa rien. Déçue, elle se recoucha.

Un peu après dix heures et demie, la porte grinça. Laura ferma les yeux, ouvrit la bouche et fit semblant de dormir.

Quelqu'un avança lentement dans la pièce et se tint au pied du lit.

Laura respirait lentement, régulièrement, mais son cœur tambourinait.

C'était Sheener. Elle le savait. Oh, mon Dieu, elle avait oublié qu'il était fou et qu'on ne pouvait pas prévoir ses réactions! Il était là bien plus tôt que prévu et il préparait déjà une piqûre. Il la mettrait dans un sac et l'emporterait sur son épaule, tel un Père Noël dément qui enlèverait les enfants au lieu de leur apporter des cadeaux.

On entendait le tic-tac du réveil. Une brise légère fit frémir les rideaux.

Enfin, la silhouette se retira. La porte se referma. C'était Mlle Keist.

Tremblante, Laura sortit de son lit et enfila sa robe de chambre. Elle replia la couverture sur son bras et quitta sa chambre pieds nus pour faire moins de bruit. Elle ne pouvait pas retourner dans la chambre des Ackerson. Elle se dirigea vers l'escalier nord, ouvrit précautionneusement la porte et avança sur le palier. Elle épia les bruits de pas. Méfiante, s'attendant à rencontrer l'Anguille, elle descendit et atteignit le rez-de-chaussée saine et sauve.

Frissonnant au contact du sol froid sous ses pieds nus, elle se réfugia dans la salle de jeux. Elle n'alluma pas les lumières et se contenta de la lueur fantomatique de la rue qui auréolait les meubles d'un éclat argenté. Elle se glissa derrière les chaises et les tables et s'étendit sur sa couverture pliée, derrière le sofa.

Elle sommeilla par à-coups et fut souvent réveillée par des cauchemars. La vieille demeure résonnait de milliers de bruits, craquements de plancher, gargouillis des tuyauteries...

· 8 ·

Stefan éteignit toutes les lumières et attendit dans la fausse chambre d'enfant. A trois heures et demie du matin, il entendit Sheener revenir. Stefan se cacha silencieusement derrière la porte. Quelques instants plus tard Willy Sheener entra, alluma la lumière et se dirigea vers le matelas. Il émit un son étrange en traversant la pièce, mi-soupir, mi-gémissement, comme un animal aux abois qui se réfugie dans sa tanière.

Stefan ferma la porte. Sheener se retourna, stupéfait de voir son nid envahi.

— Qui... qui êtes-vous? Qu'est-ce que vous faites ici?

Dans sa Chevrolet garée de l'autre côté de la rue, Kokoschka regarda Stefan quitter la maison de Willy Sheener. Il attendit dix minutes, sortit de sa voiture, fit le tour du bungalow, trouva la porte ouverte et entra prudemment.

Il vit Sheener dans une chambre d'enfant, gisant immobile sur le sol, ensanglanté. L'air empestait l'urine car l'homme avait perdu le contrôle de sa vessie.

Un jour, pensa Kokoschka avec une détermination cynique et un frisson de sadisme, je mettrai Stefan en bien plus mauvais état. Lui et cette foutue gamine ! Dès que j'aurai compris quel rôle elle joue dans son plan et pourquoi il saute à travers les ans pour lui sauver la vie, je leur ferai endurer des souffrances que personne n'imagine de ce côté de l'enfer !

Kokoschka quitta la maison de Sheener. Dans la cour, il regarda le ciel étoilé et retourna à l'institut.

· 9 ·

Peu après l'aube, avant que les premières pensionnaires se réveillent, Laura se sentit hors de danger. Elle quitta la salle de jeux et retourna au troisième étage. Elle retrouva sa chambre dans l'état où elle l'avait laissée. Rien ne signalait que quelqu'un s'y était introduit pendant la nuit.

Exténuée, les yeux rouges, elle se demanda si elle n'avait pas surestimé l'audace de l'Anguille. Elle se sentait un peu ridicule.

Elle fit son lit, corvée à laquelle tous les enfants de McIlroy devaient se plier, et, quand elle souleva l'oreiller, elle resta abasourdie devant ce qu'elle vit. Une barre de Nuts.

Ce jour-là, l'Anguille ne se rendit pas à son travail. Il était resté éveillé toute la nuit à préparer l'enlèvement de Laura et devait avoir besoin de sommeil.

— Les types comme ça, ça dort ? demanda Ruth, alors que

Laura et les jumelles se retrouvaient dans la cour après la classe, sa conscience devrait l'empêcher de fermer l'œil.

— Ruthie, dit Thelma, il n'a pas de conscience.

— Tout le monde en a une, même les plus méchants. C'est Dieu qui nous a faits ainsi.

— Shane, dit Thelma, prépare-toi à me voir exécuter un exorcisme. Notre pauvre Ruth est possédée par les esprits malins.

Dans un geste de compassion qui ne lui ressemblait guère, Mme Bowmaine attribua une autre chambre à Tammy et Rebecca, et laissa Laura retourner avec Ruth et Thelma. Pour le moment, le quatrième lit resterait libre.

— Ce sera le lit de Paul McCartney, dit Thelma tandis qu'elle et sa sœur aidaient Laura à s'installer. Quand les Beatles viendront dans la région, Paul pourra venir dormir ici. Et moi, je dormirai avec lui.

— Ah, parfois, tu deviens gênante, dit Ruth.

— Je ne fais qu'exprimer un désir sexuel parfaitement normal.

— Thelma, tu n'as que douze ans ! s'exclama Ruth, exaspérée.

— Bientôt treize. Je vais avoir mes premières règles du jour au lendemain. Et il y aura tellement de sang que la chambre ressemblera à un champ de bataille.

— *Thelma !*

Sheener ne vint pas travailler le jeudi non plus. Cette semaine-là, il était de congé le vendredi et le samedi, et, le samedi soir, Laura et les jumelles spéculaient joyeusement sur un accident de voiture ou une maladie comme le béribéri qui les en aurait débarrassées pour toujours.

Hélas, le dimanche matin au petit déjeuner, Sheener était à son service. Il avait deux yeux au beurre noir, un bandage sur une oreille, la lèvre supérieure gonflée, une longue déchirure sur la joue gauche et il lui manquait deux dents de devant.

— Alors, c'était peut-être un camion, murmura Ruth en avançant dans la queue de la cafétéria.

Les autres fillettes commentaient également les blessures de Sheener, et certaines ricanaient. Mais toutes le craignaient ou le méprisaient, si bien que personne ne prit la peine de lui demander ce qu'il lui était arrivé.

Laura, Ruth et Thelma gardèrent le silence dans la queue. Plus elles s'approchaient, plus il paraissait amoché. Ses yeux au beurre noir dataient de plusieurs jours, pourtant la chair était encore horriblement tuméfiée. Au début, il ne devait pas même arriver à ouvrir les yeux. Sa lèvre paraissait à vif. Là où son visage n'était pas écorché, la peau laiteuse avait une teinte grisâtre. Avec sa tignasse de cheveux roux crépus, on aurait dit un clown de cirque qui était tombé dans l'escalier et n'avait pas su amortir la chute.

Il fixait obstinément le lait et les pâtisseries et ne leva pas les yeux en servant les fillettes. Il parut tendu quand Laura approcha, mais garda les yeux baissés.

A la table, Laura et les jumelles disposèrent leurs chaises de façon à pouvoir observer l'Anguille, attitude à laquelle elles n'auraient pas osé songer une heure plus tôt. A présent, il les terrifiait moins qu'il ne les intriguait. Au lieu de l'éviter, elles passèrent la journée à le suivre dans ses corvées, l'air de rien, comme si elles passaient par hasard, et l'observèrent subrepticement. Peu à peu, elles comprirent qu'il était conscient de la présence de Laura mais qu'il évitait de croiser son regard. Il regardait les autres enfants, il s'arrêta même dans la salle de jeux pour échanger quelques mots avec Tammy Hinsen, mais semblait autant répugner à regarder Laura qu'à mettre ses doigts dans une prise de courant.

— Laura, il a peur de toi, dit Ruth à la fin de la matinée.

— Ça se comprend ! s'exclama Thelma. C'est toi qui l'as battu, Shane. Tu nous avais caché que tu étais championne de karaté !

— C'est bizarre, non ? Pourquoi il aurait peur de moi ?

Elle connaissait la réponse. Son ange gardien. Elle avait pensé qu'elle devrait elle-même s'occuper de Sheener, mais son gardien était venu lui ordonner de ne plus l'importuner.

Elle ne savait pas pourquoi elle hésitait tant à partager son secret avec les Ackerson. C'étaient ses meilleures amies. Elle leur faisait confiance. Pourtant, intuitivement, elle pressentait que son ange gardien devait rester secret, que le peu qu'elle connaissait sur lui était sacré, que ce serait commettre un sacrilège de transformer cette histoire en simple commérage.

Au cours des deux semaines suivantes, les bleus de l'Anguille commencèrent à s'estomper. Le bandage de l'oreille parti, on voyait des cicatrices rouges là où le lobe avait failli être arraché. Il continuait à garder ses distances vis-à-vis de Laura. Quand il la servait, il ne lui réservait plus la plus grosse part de dessert et s'arrangeait toujours pour ne pas croiser son regard.

De temps à autre pourtant, elle le surprit à la regarder de loin. Chaque fois, il détournait les yeux, mais dans la lueur verte des iris, il y avait à présent quelque chose de plus grave que son ancienne lubricité. De toute évidence il tenait Laura pour responsable de ses blessures.

Le vendredi 27 octobre, Mme Bowmaine lui apprit qu'elle allait être transférée dans une autre famille nourricière, un couple, M. et Mme Dockweiler, qui habitait Newport Beach. C'était la première fois qu'ils prenaient la responsabilité d'un enfant, et ils étaient impatients de la voir arriver.

— Je suis sûre que cette fois, cela vous conviendra, dit Mme Bowmaine, plantée devant son bureau, en robe à fleurs d'un jaune criard qui la faisait ressembler à une balancelle de jardin. J'aimerais beaucoup que les problèmes que vous avez causés à la famille Teagel ne se renouvellent pas.

Cette nuit-là, dans leur chambre, Laura et les jumelles tentèrent de faire bonne figure, et de discuter de la proximité de la séparation avec la bonne humeur qu'elles avaient manifestée la fois précédente, mais elles étaient plus proches l'une de l'autre que jamais, si proches en fait que Ruth et Thelma considéraient Laura comme leur sœur. Thelma avait même dit un jour : « Les fantastiques sœurs Ackerson, Ruth, Laura et moi... » et, pour la première fois depuis la mort de son père, Laura se sentait aimée, entourée, vivante.

— Je vous aime bien, les mecs, dit Laura.

— Oh, Laura, s'exclama Ruth avant d'éclater en sanglots.

Thelma joua les braves.

— T'en fais pas, tu seras de retour en un rien de temps. Ces Dockweiler seront sûrement horribles. Ils te feront dormir à la cave.

— J'espère bien.

— Ils te battront avec le tuyau d'arrosage.

— Ce serait génial !

Cette fois, l'éclair qui bouleversa sa vie était un éclair de bon augure, du moins, c'est ce qu'il sembla au début.

Les Dockweiler habitaient une immense demeure dans la banlieue huppée de Newport Beach. Laura avait une chambre avec vue sur l'océan. Elle était décorée dans des tons de marron et de beige.

Quand Carl Dockweiler la conduisit dans la chambre pour la première fois, il lui dit :

— Nous ne savions pas quelles étaient tes couleurs préférées, alors on l'a laissée comme elle était, mais si cela ne te plaît pas, nous la referons quand tu voudras.

Agé d'une quarantaine d'années, il avait des épaules carrées et un visage large et rugueux qui l'aurait fait ressembler à John Wayne si John Wayne avait eu une pointe d'humour.

— Peut-être qu'une enfant de ton âge préfère le rose.

— Oh non ! c'est très bien comme ça, répondit Laura.

Toujours abasourdie par l'opulence de la famille qui l'accueillait, elle s'approcha de la fenêtre et admira la vue sur le port, où les yachts se balançaient sur les vaguelettes ensoleillées.

Nina Dockweiler rejoignit Laura et lui passa le bras autour des épaules. Elle était charmante avec ses cheveux roux et ses yeux mauves de poupée de porcelaine.

— Laura, l'orphelinat nous a dit que tu aimais les livres, mais nous ne savions pas quel genre de livres, alors, nous allons aller dans une librairie pour que tu les choisisses toi-même.

Chez Waldenbooks, Laura sélectionna cinq livres de poche. Les Dockweiler insistèrent pour qu'elle en prenne plus, mais Laura éprouvait des scrupules à leur faire ainsi dépenser leur argent. Carl et Nina parcouraient les étagères et lui sortaient des volumes, lui lisaient le texte de jaquette et l'ajoutaient à la pile si elle manifestait le moindre intérêt. A quatre pattes devant le rayon de littérature pour adolescents, Carl s'exclamait :

— Regarde, c'est l'histoire d'un chien. Tu aimes les animaux ? Oh, un récit d'espionnage...

Le spectacle était si comique que Laura se mit à rire. Quand ils quittèrent le magasin, ils avaient acheté des sacs et des sacs de livres, des centaines de livres.

Le premier soir, ils dînèrent dans une pizzeria et Nina manifesta un talent particulier pour l'illusionnisme en faisant sortir une rondelle de poivron de l'oreille de Laura pour la faire disparaître à nouveau.

— C'est amusant, dit Laura. Où avez-vous appris cela ?

— Je tenais un magasin de décoration, mais j'ai dû abandonner il y a huit ans. J'avais des problèmes de santé. C'était trop fatigant. Comme je n'avais pas l'habitude de rester inactive, j'ai fait tout ce que je rêvais de faire quand j'étais femme d'affaires sans une minute à moi. Comme les tours de magie.

— Des problèmes de santé ? demanda Laura.

Pour elle, la sécurité était un tapis qu'on n'arrêtait pas de lui retirer de sous les pieds, et à présent quelqu'un se préparait à recommencer.

Ses craintes devaient être évidentes car Carl Dockweiler réagit immédiatement :

— Ne t'inquiète pas. C'est un défaut de naissance. Un problème de cœur. Mais elle vivra aussi longtemps que toi et moi si elle évite le stress.

— On ne peut pas l'opérer ? demanda Laura en reposant la bouchée de pizza qu'elle allait porter à sa bouche.

Soudain son appétit avait disparu.

— La chirurgie cardio-vasculaire fait des progrès rapides, répondit Nina. Dans quelques années, peut-être. Mais, ma chérie, il n'y a pas de quoi s'inquiéter, surtout que maintenant j'ai une fille à gâter.

— On voulait des enfants plus que tout au monde, mais on ne pouvait pas en avoir. Quand on a décidé d'en adopter un, nous nous sommes aperçus des problèmes de Nina, alors les agences ont refusé de nous en confier un.

— Mais on nous a acceptés comme parents nourriciers. Tu pourras rester aussi longtemps que tu voudras, comme si tu étais notre propre fille.

Cette nuit-là, dans sa grande chambre avec vue sur la mer — gigantesque espace obscur, presque effrayant à cette heure —, Laura se dit qu'elle devrait faire attention à ne pas trop s'attacher aux Dockweiler car l'état de santé de Nina interdisait tout sentiment de sécurité.

Le lendemain, dimanche, ils emmenèrent Laura acheter des vêtements et auraient dépensé des fortunes si elle ne les avait suppliés d'arrêter. Dans la Mercedes pleine de nouveaux habits, ils allèrent au cinéma puis dînèrent dans un restaurant où les hamburgers fondaient sous la dent.

En mettant de la moutarde sur ses frites, Laura s'exclama :

— Vous savez que vous avez de la chance d'être tombés sur moi ?

— Ah bon ? dit Carl en levant les sourcils.

— Oui, vous êtes vraiment trop gentils et beaucoup plus fragiles que vous ne le croyez. Il y a des tas de gosses qui auraient profité de la situation. Impitoyablement. Mais vous pouvez être tranquilles avec moi. Je ne profiterai jamais de vous et je ne vous ferai jamais regretter votre décision.

Ils l'observèrent d'un air surpris.

Enfin, Carl regarda Nina.

— Ils nous ont eus ! Elle n'a pas douze ans. Ils nous ont refilé un nain ! s'exclama Carl.

Dans son lit, en cherchant le sommeil Laura se répéta encore et encore sa litanie d'autoprotection :

— Ne t'attache pas trop à eux. Ne t'attache pas à eux...

Mais déjà, elle les aimait beaucoup.

Les Dockweiler l'envoyèrent dans une école privée où les professeurs étaient plus exigeants que dans les écoles publiques, mais Laura appréciait la difficulté et releva le défi. Lentement, elle se fit de nouvelles amies, mais Ruth et Thelma lui manquaient. Elle se consolait en se disant qu'elles seraient heureuses d'apprendre qu'elle avait trouvé le bonheur.

Laura commençait à croire qu'elle pouvait faire confiance à l'avenir et enfin se laisser aller à son bien-être. Après tout, elle avait un ange gardien, pas vrai ? Sans aucun doute, une fillette avec un ange gardien était destinée à l'amour, au bonheur et à la sécurité.

Mais est-ce qu'un ange gardien tuerait vraiment un homme ? Est-ce qu'un ange gardien en battait un autre comme plâtre ? Peu importe ! Elle avait un gardien personnel, ange ou pas, et une famille nourricière qui l'aimait. Elle ne pouvait plus refuser le bonheur qui l'inondait.

Le mardi 5 décembre, Nina se rendit à son rendez-vous mensuel avec son cardiologue, et il n'y avait personne à la maison quand Laura rentra de l'école. Elle ouvrit avec sa clé et posa ses manuels sur la table Louis XIV dans le vestibule au pied de l'escalier.

L'immense salon était décoré dans des tons d'ivoire, de pêche et de vert pâle qui le rendaient chaleureux malgré sa taille imposante. Elle s'arrêta près de la fenêtre pour admirer la vue. Ah, si seulement Ruth et Thelma étaient avec elle pour voir ça.. Soudain, il lui parut naturel qu'elles viennent, elles aussi.

Pourquoi pas ? Carl et Nina adoraient les enfants, ils avaient assez d'amour à donner pour toute une maisonnée d'enfants, pour un millier d'enfants...

— Shane, murmura-t-elle, t'es un vrai génie !

Elle alla à la cuisine et prépara un goûter pour l'emporter dans sa chambre. Elle se servit un verre de lait, fit chauffer un pain au chocolat au four et sortit une pomme du réfrigérateur, tout en réfléchissant à la manière dont elle allait présenter le cas des jumelles aux Dockweiler. La chose lui semblait si naturelle qu'au moment où elle franchit la porte battante qui séparait la cuisine de la salle à manger, elle avait été incapable d'envisager une seule tactique susceptible d'échouer.

L'Anguille l'attendait au salon. Il la saisit et la jeta contre le mur si violemment qu'elle en eut le souffle coupé. La pomme et le pain au chocolat volèrent dans la pièce, le plateau lui glissa des mains et elle renversa le verre de lait qui alla se briser bruyamment contre la table. Il l'arracha du mur pour l'y rejeter aussitôt. Son dos lui cuisait, elle voyait trouble, mais s'efforçait de ne pas perdre connaissance, de s'acharner, malgré sa douleur et ses bleus.

Où était son gardien ? Où ?

Sheener approcha son visage du sien, et la terreur sembla aiguiser tous les sens de Laura car elle était consciente de tous les détails : les points de suture encore rouges de son oreille, les points noirs du nez, les cicatrices d'acné sur le visage. Ses yeux verts étaient trop étranges pour paraître humains, ils ressemblaient davantage à ceux d'un chat.

Son gardien viendrait la libérer de l'Anguille d'une seconde à l'autre et il le tuerait.

— Ah, tu es à moi, dit-il d'une voix pointue, démente. Et tu vas me dire qui était ce petit salopard, que je lui fasse sauter la cervelle.

Il la tenait par le bras et ses doigts s'enfonçaient dans la chair. Il la souleva du sol pour la hisser au niveau de ses yeux et la coinça contre le mur. Ses pieds se balançaient dans le vide.

— Qui c'est, ce saligaud ?

Il était fort pour sa corpulence. Il l'éloigna du mur pour la lancer encore contre la cloison.

— Allez, dis-le-moi, sinon, je t'arrache les oreilles.

D'une seconde à l'autre. D'une seconde à l'autre.

La douleur lui labourait le dos, mais elle parvenait à reprendre son souffle, bien qu'elle fût obligée d'inspirer l'haleine nauséabonde de son agresseur.

— Réponds, ma chérie.

Elle pourrait mourir en attendant que son ange gardien arrive enfin.

Elle lui donna un coup de pied dans les testicules. Bien visé. Il avait les jambes écartées et il avait si peu l'habitude de voir les filles se défendre qu'il ne s'y était pas attendu. Ses yeux s'agrandirent. Un instant, ils parurent presque humains. Il émit un son étrange et étouffé. Il lâcha Laura. Elle tomba par terre. Sheener chancela, perdit l'équilibre et s'affala contre la table, couché sur le côté sur le tapis de Chine.

Paralysée par la douleur et la terreur, Laura ne parvenait pas à se remettre sur ses pieds. Elle avait les jambes en coton. Ramper. Elle pouvait ramper. Comme une folle. Vers la cuisine. Et espérer qu'elle serait bientôt capable de se lever. Sheener lui attrapa la jambe gauche. Elle se débattit. Inutile. Des jambes en coton. Il la tenait bien. De ses mains glacées. Des mains de cadavre. Il poussa un petit couinement. Bizarre. Très bizarre. Elle passa la main sur le tapis trempé de lait. Vit le verre brisé. Le haut s'était cassé en mille morceaux, mais la base était encore en un seul tenant, bordée de dents pointues. Avec encore quelques gouttes de lait. Toujours courbé en deux, à demi paralysé de douleur, l'Anguille lui saisit l'autre cheville. Il se traîna vers elle. En couinant. Comme un oiseau. Il allait s'allonger sur elle. Elle s'empara du verre brisé. Se coupa le pouce. Sans rien sentir. Il lui lâcha les chevilles pour lui attraper les cuisses. Elle se tortilla et se retrouva sur le dos. Comme une *anguille*. Elle lança le verre brisé dans sa direction pour l'effrayer. Mais il se penchait sur elle, tombait sur elle, et les dents pointues s'enfoncèrent dans la gorge de Sheener. Il essaya de les retirer. Fit tourner le verre. Les pointes se brisèrent dans sa chair. Etouffant, haletant, il la plaqua contre le sol avec le poids de son corps. Il saignait du nez. Elle se tortilla encore. Il lui serra la gorge de ses griffes. Il la mordit. La mordilla

90

plutôt. Il serait plus violent la prochaine fois si elle le laissait faire. Elle le frappa. Une respiration rauque et sifflante sortait de sa gorge ouverte. Elle lui donna des coups de pied. Ses jambes fonctionnaient mieux à présent. Elle visait juste. Elle rampa vers le salon. Attrapa le muret de séparation. Se redressa sur ses jambes. Se retourna. L'Anguille s'était redressé. Il était sur ses talons, brandissant une chaise comme un club de golf. Il la balança comme un levier. Elle esquiva le coup. La chaise vint heurter le mur dans un vacarme épouvantable. Elle chancela dans le salon, se dirigea vers le vestibule, la porte, prit la fuite. Il lança la chaise. Laura fut touchée à l'épaule. Elle tomba, roula. Leva les yeux. Il la dominait. Il lui prit le bras gauche. Laura sentait ses forces s'épuiser. L'obscurité lui brouillait la vue sur les côtés. Il lui attrapa l'autre bras. Elle était morte. Elle l'aurait été si le verre planté dans la gorge n'avait fini par déchirer une nouvelle artère. Le sang se mit à couler à flots. Il tomba sur elle, un poids terrible... mort.

Elle ne pouvait pas bouger. Elle parvenait à peine à respirer et devait lutter pour ne pas perdre connaissance. Par-dessus le son étrange de ses sanglots, elle entendit une porte s'ouvrir. Des pas.

— Laura ? C'est moi.

C'était la voix de Nina. Légère et joyeuse au début, puis pétrifiée d'horreur.

— Laura ! Oh, mon Dieu ! Laura !

Laura luttait pour se dégager du cadavre, mais elle ne put se dégager qu'à demi, juste assez pour voir Nina dans le vestibule.

Pendant un instant, Nina resta paralysée. Elle fixait son décor pêche et ivoire maculé de taches écarlates. Ses yeux violets se tournèrent de nouveau vers Laura. Elle sortit de sa transe.

— Laura ! Mon Dieu, mon Dieu, Laura.

Elle fit trois pas en avant, s'arrêta brusquement, et se courba en deux, se tenant à bras-le-corps comme si on l'avait frappée à l'estomac. Elle émit un son étrange : « Ueuh, ueuh, ueuh... », tenta de se redresser. Son visage se tordit. Elle n'arrivait plus à se tenir debout. Silencieusement, elle s'écroula sur le sol.

Non, non, c'était impossible. C'était trop injuste.

La panique et son amour pour Nina redonnèrent des forces à Laura. Elle se libéra du poids de Sheener et rampa vers sa mère nourricière.

Nina était toute molle. Ses yeux mauves étaient grands ouverts, sans vie.

Laura posa sa main ensanglantée sur le cou de Nina, pour trouver son pouls. Elle crut le trouver, irrégulier, faible, mais quand même là.

Elle prit un coussin sur une chaise et le glissa sous la tête de Nina puis se précipita à la cuisine pour appeler les pompiers. Tremblante, elle leur annonça l'accident et leur donna leur adresse.

Elle raccrocha, sûre que tout irait bien, car elle avait déjà perdu son père d'une crise cardiaque, et cela serait trop absurde de perdre Nina de la même façon. Dans la vie, il y avait des moments absurdes, mais la vie n'était pas une absurdité. Elle était étrange, difficile, miraculeuse, précieuse, fragile, mystérieuse, mais pas tout bêtement absurde. Nina vivrait car la mort de Nina n'avait aucun sens.

Toujours terrifiée, mais se sentant un peu mieux malgré tout, Laura retourna au salon et s'agenouilla près de sa mère adoptive, la tint dans ses bras.

Newport Beach avait des services d'urgence d'une efficacité exceptionnelle. L'ambulance n'arriva que deux ou trois minutes après le coup de téléphone de Laura. Les médecins étaient compétents et bien équipés. Mais en quelques minutes, ils constatèrent que Nina était morte, sans doute depuis l'instant de sa chute.

· 10 ·

Une semaine après le retour de Laura à McIlroy et huit semaines avant Noël, Mme Bowmaine redonna à Tammy Hinsen le quatrième lit de la chambre des Ackerson. Au cours d'une réunion tout à fait confidentielle avec Laura, Ruth et Thelma, la directrice leur avait expliqué les raisons de sa décision.

— Je sais que vous dites que Tammy n'est pas heureuse avec vous, mais apparemment, elle se plaît mieux là qu'ailleurs. On l'a placée dans plusieurs chambres, les autres filles n'arrivent pas à la supporter. Je ne sais pas pourquoi tout le monde lui en veut, mais ses autres camarades de chambre finissent toujours par la transformer en punching-ball.

De retour dans leur chambre, avant l'arrivée de Tammy, Thelma se mit en position de yoga élémentaire, les jambes pliées, les talons contre les hanches. Elle s'était intéressée au yoga quand les Beatles avaient adopté la méditation orientale, et avait déclaré que lorsqu'elle rencontrerait enfin Paul McCartney (cela faisait incontestablement partie de son destin) ce serait agréable d'avoir quelque chose en commun... « ce qui ne manquera pas d'arriver si je peux lui parler avec un peu d'autorité de ces conneries de yoga ! ».

Au lieu de méditer, elle dit :

— Qu'est-ce qui se serait passé si j'avais dit à Mme Bowmaine que les filles n'aiment pas Tammy parce qu'elle se laissait tripoter par l'Anguille et qu'elle l'aidait à coincer les autres filles, alors que pour elles, Tammy, c'est l'ennemi numéro un ? Qu'est-ce qu'elle aurait dit, cette grosse vache de Bowmaine, si je lui avais sorti ça ?

— Elle t'aurait traitée de sale menteuse, répondit Laura en se jetant sur son lit.

— C'est sûr. Et après, elle m'aurait avalée toute crue au petit déjeuner. Non, mais vous avez vu comment elle est ? Elle grossit de semaine en semaine. Tous les gros dans son genre sont dangereux — des carnivores capables de manger des enfants tout crus, aussi facilement qu'ils avalent un beignet aux pommes.

Ruth, qui observait la cour par la fenêtre, répondit :

— Ce n'est pas juste la façon dont les autres traitent Tammy.

— La vie n'est pas juste, dit Laura.

— Ce n'est pas une tarte à la crème non plus, dit Thelma. Hé, Shane, arrête de te lancer dans la philosophie si c'est pour sortir des lieux communs. Et tu sais bien que les lieux communs, c'est ce qu'on aime le moins après les chansons ringardes de Bobbie Gentry.

Quand Tammy arriva, une heure plus tard, Laura se sentait tendue. Après tout, elle avait tué Sheener, et il comptait par-dessus tout pour Tammy. Elle s'attendait à la voir furieuse ; en fait, la fillette la salua d'un sourire timide et triste, mais sincère.

Deux jours plus tard, il était clair que si elle regrettait la perte de l'affection de l'Anguille, elle semblait soulagée en même temps. Le tempérament rageur qu'elle avait manifesté en déchirant les livres de Laura avait disparu. A nouveau, c'était la fillette maigrichonne, fade, inexistante, fantomatique, à deux doigts de se changer en fumée et de s'évanouir au premier courant d'air que Laura avait rencontrée lors de son premier jour à McIlroy.

Après la mort de l'Anguille et de Nina Dockweiler, Laura vit le Dr Boone, un psychiatre, une demi-heure deux fois par semaine, lors de ses visites à McIlroy le mardi et le samedi. Boone n'arrivait pas à admettre que Laura pût accepter les violences de Willy Sheener et la mort tragique de Nina sans subir de traumatisme psychologique. Il était intrigué par la clarté avec laquelle elle exprimait ses sentiments et le vocabulaire d'adulte qu'elle employait pour décrire les incidents de Newport Beach. Après avoir perdu sa mère dès sa naissance, et son père récemment, mais surtout après avoir bénéficié d'un amour sans partage de la part de ce dernier, elle fonctionnait un peu comme une éponge et absorbait tous les événements que la vie lui présentait. Pourtant, bien qu'elle parlât de Sheener sans passion et de Nina avec autant d'affection que de tristesse, le psychiatre pensait que son attitude était plus feinte que réelle.

— Alors, tu rêves de Willy Sheener ? lui demanda-t-il un jour, assis à côté d'elle sur le divan du petit bureau qui lui était réservé à McIlroy.

— Je n'ai rêvé de lui que deux fois. C'étaient des cauchemars, bien sûr, mais tous les enfants font des cauchemars.

— Et quand tu rêves de Nina, ce sont aussi des cauchemars ?

— Oh non, là, ce sont des rêves agréables.

Il parut surpris.

— Quand tu penses à Nina, tu te sens triste ?

— Oui, mais... je me souviens comme on s'était amusées en achetant toutes ces robes et ces sweaters. Je me souviens de son sourire, de son rire.

— Tu te sens coupable ? Coupable de ce qui est arrivé à Nina ?

— Non. Peut-être que Nina aurait vécu si je n'étais pas allée chez eux en emmenant Sheener avec moi, mais je ne peux pas me sentir coupable. J'ai essayé de bien me conduire, et ils étaient heureux avec moi. Ce qui s'est passé, c'est que la vie nous a jeté une énorme tarte à la crème, mais ce n'est pas ma faute. Les tartes à la crème, on ne les voit jamais venir. Cela ne serait pas du bon spectacle sinon.

— Une tarte à la crème ? demanda-t-il perplexe. Pour toi, la vie, n'est une immense farce ? Comme un film des Marx Brothers ?

— Un peu.

— La vie n'est qu'une vaste plaisanterie, alors ?

— Non, la vie, c'est sérieux, mais c'est une plaisanterie en même temps.

— Comment est-ce possible ?

— Si vous ne le savez pas, c'est peut-être moi qui devrais poser les questions.

Elle remplit des pages et des pages de son journal de réflexions sur le Dr Will Boone. Pourtant, sur son ange gardien, elle n'écrivit jamais rien. Elle essayait de ne pas penser à lui. Il l'avait trahie. Laura s'était habituée à compter sur lui. Les prouesses qu'il avait accomplies pour elle lui avaient donné le sentiment de ne pas être comme les autres. Il l'avait aidée à supporter la mort de son père. A présent, elle se sentait idiote d'avoir compté sur quelqu'un d'autre que sur elle-même. Elle avait toujours le mot qu'il avait laissé sur son bureau après l'enterrement de son père, mais elle ne le relisait plus. Jour après jour, les efforts de son ange gardien ressemblaient de plus en plus à des rêves de Père Noël auxquels on devait renoncer.

Le jour de Noël, elles retournèrent dans leur chambre avec les cadeaux envoyés par les organismes de charité et les bonnes âmes. Elles finirent par chanter des chants de Noël, et les jumelles et Laura furent fort surprises d'entendre Tammy se joindre à elle. Elle chantait d'une voix basse, envoûtante.

Pendant les semaines qui suivirent, Tammy cessa presque complètement de se ronger les ongles. Elle était à peine plus ouverte qu'à l'accoutumée, mais elle semblait plus calme, plus satisfaite d'elle-même qu'elle ne l'avait jamais été.

— S'il n'y a plus de pervers pour l'embêter, peut-être qu'elle recommencera à se sentir propre peu à peu, dit Thelma.

Laura eut treize ans le vendredi 12 janvier. Elle ne le fêta pas. Cet événement ne lui causait aucune joie.

Le lundi suivant, on la transféra de McIlroy à Caswell Hall, un foyer pour les enfants plus âgés d'Anaheim, à huit kilomètres de McIlroy.

Ruth et Thelma l'aidèrent à porter ses bagages dans le hall. Laura ne s'était jamais imaginé qu'elle regretterait McIlroy à ce point.

— Nous te rejoindrons en mai, l'assura Thelma. Nous aurons nos treize ans le 2 mai, et on nous sortira d'ici. On sera de nouveau ensemble.

Quand l'assistante sociale vint la chercher, Laura partit à contrecœur, mais elle la suivit néanmoins.

Caswell Hall était une ancienne école reconvertie en dortoirs, salles de jeux et bureaux pour les travailleurs sociaux, si bien que l'atmosphère était plus conventionnelle qu'à McIlroy.

C'était également une institution plus dangereuse, car les enfants y étaient plus âgés et frisaient les frontières de la délinquance. On y trouvait de la marijuana et des amphétamines, et, chez les garçons, parfois même chez les filles, les bagarres n'étaient pas rares. Il se formait des clans, comme à McIlroy, mais à Caswell, ils avaient un fonctionnement dangereusement proche de celui d'un gang.

En quelques semaines, Laura comprit qu'il y avait à Caswell Hall deux types d'individus qui survivaient dans toutes les circonstances : ceux qui, comme elle, puisaient leur force dans l'amour qu'ils avaient autrefois reçu, et ceux qui, n'ayant jamais été aimés, apprenaient à gagner grâce à la haine, au soupçon et aux maigres récompenses de la vengeance. Tout en affichant un mépris pour les sentiments humains, ils jalousaient ceux qui étaient capables d'en éprouver.

Laura se montrait très prudente à Caswell mais ne se laissait jamais paralyser par la peur. Les voyous étaient terrifiants, mais aussi pitoyables, et même parfois drôles avec tout leur cinéma. Comme il n'y avait plus les Ackerson pour partager son humour noir, elle remplissait des pages et des pages de son journal. Dans ces monologues soigneusement écrits, elle se livrait à l'introspection en attendant que les jumelles atteignent leurs treize ans. Cela lui apportait tout à la fois une compréhension plus profonde de soi et de la tragi-comédie burlesque du monde dans lequel elle était née.

Le samedi 30 mars, elle lisait dans sa chambre quand elle entendit dans le hall une de ses camarades, Fran Wickert, une gamine plaintive, parler d'enfants victimes d'un incendie. Laura n'y prêta guère attention jusqu'à ce qu'elle perçoive le nom de McIlroy.

Un frisson la parcourut, lui figea le cœur et lui glaça les mains. Elle laissa son livre et se précipita dans le corridor, effrayant ses amies.

— Quand ? Ça a brûlé quand ?

— Hier, répondit Fran.

— Il y a combien de morts ?

— Oh, pas beaucoup, un ou deux, mais il paraît que ça sentait le cochon grillé. Ça, c'est le pire...

— Qui était-ce ? demanda Laura en s'approchant de Fran.

— Oh, laisse-moi tranquille...

— Dis-moi leur nom !

— Mais j'en sais rien, qu'est-ce qui te prend ?

Laura ne se souvint plus comment elle avait quitté Fran ni comment elle sortit du parc, mais soudain elle se retrouva sur Katella Avenue, à plusieurs pâtés de maisons de Caswell Hall. Katella était une avenue commerçante, mais par endroits, il n'y avait pas de trottoir, si bien que Laura courut le long de la rue, avec la circulation qui lui sifflait aux oreilles. Caswell et McIlroy étaient éloignés de huit kilomètres, et Laura ne connaissait pas vraiment le chemin, mais, se fiant à son instinct, elle courait jusqu'à l'épuisement, puis marchait pour reprendre son souffle et pouvoir courir de nouveau.

Il aurait été plus rationnel d'aller trouver l'un des éducateurs de Caswell et de lui demander le nom des victimes de McIlroy, pourtant Laura avait l'impression que le sort des jumelles reposait entièrement sur ce long parcours à pied et que si elle se contentait de demander des nouvelles par téléphone, on lui annoncerait qu'elles étaient mortes. Seul le châtiment physique de cette longue course pouvait les sauver. Ce n'était que superstition, bien sûr, mais elle y succomba malgré tout.

Le crépuscule tombait. Le ciel de mars s'emplissait de rouges boueux et de mauves, et, lorsque McIlroy fut enfin en vue, les nuages semblèrent s'enflammer. Laura vit avec soulagement que la façade de la vieille demeure ne présentait aucune trace d'incendie.

Trempée de sueur, tremblante de fatigue, harassée par la migraine, elle ne ralentit pas, bien au contraire, et poursuivit son effort jusqu'à la porte. Elle croisa six fillettes dans le corridor du rez-de-chaussée et trois autres sur le palier. Certaines l'appelèrent par son nom, mais elle ne prit pas la peine de les interroger. Il fallait qu'elle voie par elle-même.

Au dernier étage, elle sentit l'odeur âcre d'objets carbonisés et des relents de fumée. En passant la porte, elle s'aperçut que les fenêtres étaient ouvertes aux deux extrémités du couloir et qu'on avait installé un ventilateur électrique pour chasser l'air vicié.

La chambre des Ackerson avait une nouvelle porte de bois brut, et le mur était maculé de traces noirâtres. On avait fixé une pancarte DANGER sur la porte. Comme à McIlroy aucune porte n'était verrouillée, elle ne tint pas compte de l'avertissement et entra pour voir ce qu'elle redoutait de voir : le carnage.

La lumière du corridor et la lueur pourpre du couchant ne suffisaient pas à éclairer la pièce, mais elle remarqua qu'on avait enlevé les meubles : il ne restait plus dans la pièce que le fantôme nauséabond de l'incendie. Le plancher était carbonisé et couvert de suie, bien qu'il paraisse encore solide. Les murs étaient couverts de traces de fumée. La porte du placard tombait en cendres, seuls quelques éclats de bois s'accrochaient encore aux charnières à demi fondues. Les deux fenêtres étaient soufflées ou s'étaient brisées pendant la conflagration ; on les avait provisoirement bouchées avec des bâches de plastique transparent accrochées au mur. Par chance pour les autres résidents de McIlroy, les flammes avaient monté et avaient dévoré le plafond au lieu de s'enfoncer dans le bâtiment. Laura leva les yeux et aperçut dans la pénombre les massives poutres noircies du grenier. Apparemment l'incendie avait été maîtrisé avant d'atteindre le toit, car elle ne voyait pas le ciel.

Elle respirait difficilement, avec un souffle rauque, non seulement parce qu'elle était essoufflée par sa longue marche, mais aussi parce qu'un élan de panique lui enserrait la poitrine. A chaque inspiration, l'odeur écœurante du carbone pénétrait dans ses poumons.

Dès qu'elle avait entendu parler de l'incendie de McIlroy, elle en avait instinctivement su la cause, même si elle refusait de l'admettre. Un jour, on avait trouvé du combustible et des allumettes dans les affaires de Tammy Hinsen avec lesquels elle avait l'intention de s'immoler. Immédiatement, Laura avait compris que c'était sérieux ; en effet, pour elle, les flammes semblaient la meilleure forme de suicide : une manière d'extérioriser le feu qui se consumait en elle depuis des années.

Je vous en supplie, faites qu'elle ait été seule dans la chambre, mon Dieu, faites qu'elle ait été seule...

Suffoquant dans la puanteur et les relents de cataclysme, Laura fit demi-tour et retourna dans le couloir.

— Laura ?

C'était Rebecca Bogner.

Malgré sa respiration haletante, Laura réussit à demander :

— Ruth... Thelma ?

A en juger à l'expression blanche de Rebecca, les jumelles n'avaient aucune chance d'en être sorties saines et sauves, mais Laura répéta les noms chéris d'une voix rauque, avec des accents tragiques et suppliants.

— En bas..., dit Rebecca en montrant le côté nord. L'avant-dernière chambre sur la gauche.

Avec un regain d'espoir, Laura se précipita dans la direction indiquée. Trois des lits étaient vides mais, à la lumière d'une lampe de chevet, elle aperçut une fille allongée sur le côté, face au mur.

— Ruth ? Thelma ?

La fille se redressa lentement... une des Ackerson, saine et sauve. Elle portait une robe grise toute froissée, avait les cheveux en bataille et les yeux gonflés, mouillés de larmes. Elle fit un pas vers Laura puis s'arrêta, comme incapable de faire l'effort de marcher.

Laura se jeta dans ses bras.

La tête sur l'épaule de Laura, le visage enfoncé dans son cou, elle finit par parler d'une voix angoissée.

— Oh, Shane, j'aurais préféré que ce soit moi. Pourquoi ce n'est pas tombé sur moi ?

Avant qu'elle ait parlé, Laura avait cru que c'était Ruth

Refusant d'accepter l'horreur, Laura s'exclama :

— Ruthie, où est Ruthie ?

— Partie ! Ruthie est partie. Je croyais que tu le savais. Ma Ruthie est morte.

Laura sentit quelque chose se déchirer à l'intérieur d'elle-même. Son chagrin était si profond qu'il interdisait les larmes. Elle resta abasourdie, muette.

Pendant très longtemps, elles se blottirent dans les bras l'une de l'autre. Le crépuscule s'obscurcissait. Elles allèrent s'asseoir sur le lit.

Quelques filles apparurent dans l'encadrement de la porte. Elles devaient partager la chambre de Thelma, mais Thelma leur fit signe de partir et commença à parler, les yeux rivés au sol :

— Je me suis réveillée quand elle a hurlé. Un hurlement épouvantable... et toute cette lumière..., ça me faisait mal aux yeux. C'est seulement après que j'ai compris que la chambre était en feu. Tammy était en feu. Elle brûlait comme une torche. Elle se tortillait sur son lit en hurlant...

Laura lui passa le bras autour des épaules et attendit :

— Les flammes ont sauté sur le mur, le lit a pris feu, et ça se répandait sur le sol, le tapis s'est enflammé...

Laura se souvint de Tammy qui avait chanté le jour de Noël et qui, ensuite, était devenue de plus en plus calme, comme si elle avait enfin trouvé la paix intérieure. Elle n'avait en fait trouvé la sérénité qu'en décidant de mettre fin à ses tourments.

— Le lit de Tammy était le plus près de l'entrée, la porte avait pris feu, alors j'ai cassé la fenêtre au-dessus de mon lit, et j'ai appelé Ruth... Elle m'a dit qu'elle venait... Il y avait trop de fumée... Je ne voyais rien. Là, Heater Dorning, qui avait pris ton lit, est venue près de la fenêtre, alors, je l'ai aidée à sortir. Toute la fumée passait par la fenêtre, on voyait un peu mieux dans la pièce, c'est comme ça que j'ai vu que Ruth essayait de jeter ses couvertures sur Tammy pour éteindre le feu. Mais la couverture était en feu aussi, et après j'ai vu Ruth... j'ai vu Ruth prendre feu...

Dehors les dernières lueurs pourpres se fondirent dans le noir.

Dans la pièce, les ombres se firent plus profondes.

L'odeur de brûlé semblait s'accentuer.

— ... Je serais allée la chercher... Je serais allée la chercher, mais là, tout s'est mis à exploser. Le feu était partout dans la pièce. Je ne voyais plus Ruth, je ne voyais plus rien. J'ai entendu des sirènes, tout près, alors je me suis dit qu'ils arriveraient à temps pour sauver Ruth. Bien sûr, ce n'était pas vrai, je voulais y croire, c'est tout... Je l'ai laissée, Shane. Oh, mon Dieu, je suis sortie par la fenêtre et j'ai laissé brûler Ruthie !

— Tu ne pouvais rien faire d'autre, la rassura Laura.

— J'ai laissé brûler Ruthie...

— Tu serais morte, toi aussi, ça ne servait à rien de rester.

— J'ai laissé brûler Ruthie.

En mai, après son treizième anniversaire, Thelma fut transférée à Caswell Hall où elle occupa la même chambre que Laura. Les éducateurs suggérèrent cet arrangement car Thelma sombrait dans la dépression et ne semblait pas réceptive à la psychothérapie. Peut-être trouverait-elle un soutien dans son amitié avec Laura.

Pendant des mois, Laura désespéra de réussir à aider Thelma à se rétablir. La nuit, son amie était hantée par les cauchemars et le jour, par son sentiment de culpabilité. Finalement, le temps finit par guérir ses blessures, même s'il ne les cicatrisa jamais entièrement. Son sens de l'humour revint peu à peu, son esprit retrouva sa vivacité, mais Thelma restait mélancolique.

Elles partagèrent la même chambre pendant cinq ans à Caswell Hall, jusqu'à ce qu'elles ne soient plus à la charge de l'Etat et ne dépendent plus que d'elles-mêmes. Elles rirent souvent pendant toutes ces années. La vie était agréable, mais rien ne serait jamais plus comme avant l'incendie.

· 11 ·

L'élément principal du laboratoire central de l'institut était constitué par l'immense portail qui permettait de voyager à travers les âges. C'était une sorte de gigantesque tonneau, de trois mètres de haut et deux mètres cinquante de diamètre, en acier poli à l'extérieur et en cuivre à l'intérieur. Il reposait sur des blocs de cuivre qui le surélevaient du sol de cinquante centimètres. Il en sortait d'énormes câbles électriques, et, à l'intérieur du tonneau, d'étranges vibrations faisaient scintiller l'air, un peu comme la surface de l'eau.

Kokoschka revint par la porte et se matérialisa dans l'énorme cylindre. Il avait fait plusieurs voyages ce même jour pour suivre Stefan dans des époques et des régions éloignées, et avait enfin compris pourquoi le traître avait envie de remettre de l'ordre dans la vie de Laura Shane. Il se précipita vers la bouche du portail et descendit sur le sol du laboratoire où deux chercheurs et trois de ses hommes l'attendaient.

— La fille n'a rien à voir dans le complot de ce traître. Rien à voir avec son intention de mettre fin aux voyages dans le temps, dit Kokoschka. C'est une histoire complètement différente, disons une croisade personnelle.

— Alors nous savons exactement tout ce qu'il a fait et pourquoi, dit l'un des chercheurs. Vous pouvez donc l'éliminer.

— Oui, répondit Kokoschka en se dirigeant vers la console principale. A présent que nous avons démasqué ses projets, nous pouvons le tuer.

En s'installant devant le tableau de programmation, dans l'intention de régler le portail sur une autre époque où il pourrait surprendre le traître, Kokoschka décida de tuer Laura, elle aussi. Ce serait un travail facile qu'il pourrait exécuter lui-même, car il aurait la surprise de son côté. Chaque fois que c'était possible, il préférait opérer seul ; il avait horreur de partager les plaisirs. Laura Shane ne représentait aucun danger pour le gouvernement, elle ne pourrait les empêcher de refaire l'avenir, mais il la tuerait la première, et sous les yeux de Stefan pour le plaisir de briser le cœur du traître avant d'y enfoncer une balle. D'ailleurs, Kokoschka adorait tuer.

TROIS

Une lueur dans la nuit

· 1 ·

Le 12 janvier, jour de son vingt-deuxième anniversaire, Laura reçut un crapaud par la poste. On le lui avait envoyé dans une boîte sans adresse de l'expéditeur, et il n'y avait aucun mot d'accompagnement. Laura l'ouvrit à son bureau près de la fenêtre du salon. Les doux rayons du soleil d'hiver resplendirent sur la charmante figurine. C'était un crapaud de céramique de cinq centimètres de haut, posé sur un pétale de lis, avec un chapeau haut de forme et une canne.

Deux semaines auparavant, le journal littéraire du campus avait publié *Epopée amphibienne,* une nouvelle sur une fillette à qui son père racontait les aventures fantastiques d'un crapaud imaginaire, sire Thomas Crapaud d'Angleterre. Bien que ce récit soit aussi autobiographique qu'inventé, quelqu'un avait apparemment compris l'importance que revêtait ce récit aux yeux de l'auteur, car le crapaud au chapeau haut de forme avait été emballé avec un soin tout particulier. Il était délicatement enrobé de coton hydrophile, attaché par un ruban rouge, puis entouré de papier de soie, et niché dans une boîte blanche parmi un lit de boules de coton, elle-même placée dans une boîte plus grande. Personne ne se serait donné tant de mal pour protéger une babiole de cinq dollars à moins d'avoir compris la profondeur de l'attachement de Laura envers l'*Epopée amphibienne.*

Par souci d'économie, Laura partageait son appartement à Irvine avec deux autres filles, Meg Falcone et Julie Ishimina, et, au début, elle pensa que c'était l'une des deux qui lui avait fait ce présent. Pourtant, ce n'était guère vraisemblable car en fait Laura n'était pas vraiment proche d'elles. Toutes trois se plongeaient dans leurs études et avaient leurs propres vies, et ne partageaient l'appartement que depuis le mois de septembre précédent. Les camarades de Laura affirmèrent ne rien savoir sur ce crapaud et parurent sincères.

Laura se demanda si cela ne venait pas du Dr Matlin, le directeur littéraire de la revue de la faculté. Depuis sa première année d'université, elle était inscrite à son atelier d'écriture et il l'avait encouragée à cultiver ses talents. Il avait adoré l'*Epopée amphibienne* et peut-être lui avait-il fait ce cadeau pour la féliciter. Mais pourquoi ni carte ni adresse d'expéditeur ? Pourquoi un tel mystère ? Non, cela ne ressemblait guère à Harry Matlin.

Elle avait quelques camarades à l'université, mais elle n'était liée avec aucun, n'ayant que peu de temps à consacrer à l'amitié. Entre ses études, son travail et ses œuvres littéraires, elle avait besoin de chaque minute qu'elle ne consacrait ni à dormir ni à manger. Elle ne voyait personne qui aurait pu acheter le crapaud, l'emballer avec autant de soin et le poster anonymement.

Mystère.

Le lendemain, elle avait son premier cours à huit heures et son dernier à deux heures. Elle retourna à sa vieille Chevrolet garée sur le parking de la faculté à quatre heures moins le quart, ouvrit la porte, s'installa au volant... pour voir un autre crapaud sur le tableau de bord.

De cinq centimètres de haut et dix de long, le crapaud de céramique vert émeraude se reposait, la tête appuyée sur une patte. Il avait un sourire rêveur.

Elle était certaine d'avoir fermé sa voiture à clé et en fait l'avait trouvée fermée en sortant du cours. Le généreux admirateur s'était donné beaucoup de mal pour pénétrer dans la voiture sans clé, avec un cintre ou quelque autre outil, dans le seul but de laisser son crapaud en évidence.

Laura installa le crapaud allongé sur sa table de chevet, à côté de son compagnon avec chapeau haut de forme et canne à pommeau. Elle passa la soirée à lire au lit, mais de temps à autre, son regard dérivait vers les figurines de porcelaine.

Le lendemain, en sortant de chez elle, elle trouva une boîte sur le seuil. Elle contenait un autre crapaud méticuleusement emballé. C'était une figurine d'étain, assise sur une souche, un banjo à la main.

Le mystère s'épaississait.

Pendant l'été, Laura était employée à plein temps dans un fast-food de Costa Mesa, mais pendant l'année scolaire, son programme chargé ne lui permettait de travailler que trois soirs par semaine. Le Hamlet offrait des prix raisonnables et un décor confortable — poutres apparentes, lambris, fauteuils accueillants — si bien que les clients s'y sentaient plus détendus que dans les autres restaurants où elle avait été serveuse.

Même si l'endroit avait été affreux et les clients odieux, elle y serait restée car elle avait besoin d'argent. Quatre ans auparavant, le jour de ses dix-huit ans, elle avait appris que son père lui avait laissé un fonds en fidéicommis constitué à partir de la liquidation de ses biens que l'Etat n'avait pas le droit d'utiliser pour payer ses pensions à MacIlroy et Caswell Hall. A présent, le fonds lui appartenait, et elle s'en était servie pour payer ses frais universitaires. Son père n'était pas bien riche ; il n'y avait que douze mille dollars malgré les six ans d'intérêts cumulés, somme loin de pouvoir suffire à quatre ans de loyer, de nourriture et d'habillement. Son salaire lui était indispensable pour joindre les deux bouts.

Le dimanche soir, 16 janvier, le patron accompagna un couple d'une soixantaine d'années dans son secteur. Ils commandèrent deux bières avant de choisir leur menu. Quelques minutes plus tard, quand elle revint avec les boissons moussantes, elles vit un crapaud de céramique sur leur table. Elle regarda l'homme puis la femme. Ils lui souriaient sans rien dire.

— C'est vous qui m'envoyez tous ces crapauds ? demanda-t-elle.

— Ah, parce qu'on vous en a donné d'autres ? dit l'homme.

— C'est le quatrième. Ce n'est pas vous qui l'avez apporté ? Il n'était pas là il y a cinq minutes. Qui l'a posé sur la table ?

L'homme fit un clin d'œil à sa femme.

— Vous avez un admirateur secret, ma chère.

— Qui est-ce ?

— Un jeune homme qui était assis à la table là-bas, répondit l'homme en indiquant une table vide dans le secteur d'une autre serveuse, Amy Heppleman.

— Dès que vous avez eu le dos tourné, il s'est approché et a demandé l'autorisation de laisser ça pour vous.

C'était un crapaud en habit de Père Noël, avec une hotte de jouets sur le dos, mais sans barbe.

— Vous ne le connaissez pas ? demanda la femme.

— Non. Comment est-il ?

— Très grand. Assez fort. Les cheveux bruns.

— Des yeux bruns aussi, et une voix douce, ajouta la femme.

Laura prit le crapaud dans la main.

— Je ne sais pas... il y a quelque chose qui me met mal à l'aise dans tout ça.

— Mal à l'aise ? Un jeune homme qui est fou amoureux de vous ? dit la femme.

— Vous croyez ?

Laura alla rejoindre Amy Heppleman derrière le comptoir et s'enquit d'une meilleure description du donateur de crapauds.

— Il a pris une omelette aux champignons et un Coca, dit Amy en mettant de la salade dans un plat avec des pinces en inox. Tu ne l'as pas vu ?

— Je ne l'ai pas remarqué.

— Un costaud. En jean. Une chemise bleue à carreaux. Les cheveux trop courts, tu aurais pu le trouver mignon si ton genre c'est le gros nounours en peluche. Plutôt timide.

— Il a payé avec une carte de crédit ?

— Non, en liquide.

— Flûte !

Elle emporta le crapaud Père Noël chez elle et le mit à côté des autres.

Le lendemain matin, lundi, en sortant, elle trouva une autre boîte blanche sur le pas de la porte. Elle l'ouvrit à contrecœur. Elle contenait un crapaud de verre.

Quand elle revint de l'université ce même après-midi, Julie Ishimina lisait le journal en buvant une tasse de café à la cuisine.

— Tu en as reçu encore un autre, il est arrivé par la poste, dit-elle en indiquant une boîte blanche.

Laura déchira l'emballage méticuleux. Le sixième crapaud était en fait un couple de crapauds, une salière et une poivrière.

Elle les posa sur sa table de chevet et resta longtemps assise sur son lit à contempler sa collection en pleine croissance.

A cinq heures, ce même après-midi, elle appela Thelma Ackerson à Los Angeles et lui parla des crapauds.

Comme elle ne disposait d'aucun héritage, si réduit soit-il, Thelma n'avait jamais envisagé d'aller à l'université, ce qui n'était pas une tragédie, car les études ne l'intéressaient guère. De Caswell Hall, elle était directement allée à Los Angeles avec l'intention de se lancer dans une carrière de comédienne de cabaret.

Tous les soirs ou presque, de six heures à deux heures du matin, elle traînait dans tous les cafés-théâtres, clubs d'improvisation, cabarets d'imitateurs pour décrocher six minutes sur scène, non rémunérées, parmi une cohorte de jeunes comiques qui cherchaient à se faire découvrir.

Pendant la journée, elle faisait des petits boulots, assez bizarres le plus souvent, afin de pouvoir payer son loyer. Elle avait dû un jour débarrasser des tables déguisée en poulet dans une pizzeria au décor « fantastique ». Une autre fois, elle avait servi de piquet de grève à la place des membres de la guilde des scénaristes qui préféraient payer cent dollars par jour pour que quelqu'un brandisse une pancarte et signe le registre de présence à leur place.

Bien que séparées par une heure et demie de route seulement, Laura et Thelma ne se voyaient que deux ou trois fois par an, en général pour déjeuner ou dîner ensemble, car toutes deux étaient très occupées. Pourtant, malgré la rareté de leurs rencontres, elles se trouvaient instantanément à l'aise l'une avec l'autre et partageaient immédiatement leurs pensées et leurs expériences les plus intimes. Thelma avait l'habitude de dire : « Les liens de McIlroy-Caswell sont plus solides que ceux des frères de sang, plus solides que ceux qui unissent les clans de la Mafia, qui unissent Tom et Jerry et eux, pour se tenir les coudes... ! »

— Et alors, je ne vois pas le problème, dit Thelma après avoir écouté le récit de Laura. On dirait qu'un gros timide a le béguin pour toi. Il y en a qui seraient contentes à ta place.

— Pour toi, ce n'est rien d'autre : un béguin innocent ?

— Que veux-tu que ce soit ?

— Je ne sais pas. Ça me rend mal à l'aise.

— Mal à l'aise ? Ces crapauds sont tout mignons, non ? Pas d'affreuses grimaces ? Pas de couteau de boucher tout ensanglanté ? Pas de scie sauteuse ?

— Non.

— Pas de crapaud décapité non plus ?

— Non, mais...

— Shane, ces dernières années ont été plutôt calmes, même si tu as été très occupée. C'est compréhensible que tu t'attendes à rencontrer le frère jumeau de Jack l'Éventreur, mais ce type n'est sûrement pas plus méchant qu'il n'en a l'air. Un brave garçon un peu timide avec un romantisme gros comme ça. Et ta vie amoureuse ?

— Le vide complet.

— Et pourquoi ? Tu n'es pourtant pas vierge. Il y a bien eu un type l'an dernier ?

— Ouais, ça n'a pas marché.

— Et depuis, personne ?

— Non. Qu'est-ce que tu crois ? Que je sors avec n'importe qui ?

— Tu parles ! Deux amants en vingt-deux ans, ce ne serait pas sortir avec n'importe qui, même selon les critères du pape ! Arrête donc de t'inquiéter, sois plus relax ! C'est peut-être le prince charmant, après tout.

— Oui, tu as peut-être raison.

— Shane ?

— Quoi ?

— Pour te porter chance, tu ferais mieux de porter un .357 Magnum.

— Ah, très drôle.

— Ça, ma vieille, les vannes, c'est mon métier.

Pendant les trois jours suivants, Laura reçut deux nouveaux crapauds et le samedi matin 22 janvier, elle était toujours troublée, furieuse et terrifiée. Chaque nouveau crapaud semblait se moquer d'elle plutôt que lui faire la cour. Il y avait une sorte de compulsion obsessionnelle dans l'obstination du donateur.

Elle avait passé presque toute la soirée du samedi assise près de la fenêtre du salon, dans le noir. A travers les rideaux entrouverts, elle voyait la véranda et l'entrée du bâtiment. S'il venait en plein milieu de la nuit, elle avait bien l'intention de le prendre sur le fait. Il n'était toujours pas arrivé à trois heures et demie et elle s'assoupit. Quand elle s'éveilla le lendemain matin, il n'y avait pas de paquet sur le seuil.

Après s'être douchée et avoir pris un petit déjeuner rapide, elle descendit vers sa voiture garée à sa place de parking. Laura avait l'intention de se rendre à la bibliothèque pour faire des recherches, et apparemment, il n'y avait pas à regretter de devoir passer la journée enfermée. Le ciel sombre et lourd l'emplit de mauvais pressentiments... qui furent confirmés quand elle trouva une boîte sur le tableau de bord de sa vieille Chevrolet. Elle avait envie de hurler de rage.

Elle s'installa au volant et ouvrit le paquet. Les autres figurines étaient bon marché, pas plus de dix ou quinze dollars chacune, certaines même ne dépassant pas les trois dollars, mais celle-ci, une adorable miniature de porcelaine, devait avoir coûté cinquante dollars au moins. Pourtant, ce n'était pas tant le crapaud qui l'intéressait que l'emballage, une boîte au nom d'une boutique cadeaux du centre commercial de la côte Sud.

Laura se rendit directement au magasin, et arriva un quart d'heure avant l'ouverture. Elle attendit sur un banc de la promenade et se précipita dans la boutique dès la levée du rideau.

— Oui, c'est bien nous qui l'avons vendu, lui répondit la propriétaire, une petite femme aux cheveux gris, Eugenia Farvor. En fait je l'ai même vendu moi-même à un jeune homme, pas plus tard qu'hier.

— Vous connaissez son nom ?

— Non, je regrette.

— A quoi ressemblait-il ?

— Oh, c'est surtout à cause de sa stature que je me souviens de lui. Très grand, plus du mètre quatre-vingt-dix, très carré. Bien habillé. Il portait un costume gris à rayures et une cravate grise. Je lui ai même fait des compliments sur son costume et il m'a dit qu'il avait du mal à trouver des vêtements à sa taille.

— Il a payé en liquide ?

— Euh..., non, je crois qu'il a payé avec sa carte de crédit.

— Vous avez toujours le double ?

— Oh oui, sans doute, en général, il nous faut un jour ou deux avant de les déposer à la banque.

Mme Farvor conduisit Laura de l'autre côté des vitrines garnies de porcelaines et de cristaux de Lalique et Waterford, de figurines de Hummel et d'autres objets luxueux, vers un petit bureau encombré derrière la boutique. Soudain, elle fut prise d'une arrière-pensée :

— S'il est bien intentionné, si ce n'est qu'un simple admirateur, et je dois dire qu'il ne paraissait pas méchant, je vais peut-être tout lui gâcher. Il a peut-être envie de se faire connaître un jour dans les circonstances qu'il aura choisies.

Laura essaya de charmer la vieille dame et de se gagner sa sympathie. Elle ne se souvenait pas d'avoir fait preuve de tant d'éloquence. En général, elle était moins brillante pour exprimer oralement ses pensées que pour les coucher sur le papier. De vraies larmes volèrent à son secours, ce dont elle fut encore plus surprise que Mme Farvor.

Grâce à la Mastercard, elle obtint le nom et le numéro de téléphone. Daniel Packard. Il y avait deux Daniel Packard dans l'annuaire, mais celui qui correspondait à ce numéro habitait Newport Avenue à Tustin.

Une bruine glacée se mit à tomber. Laura remonta son col, mais elle n'avait ni parapluie ni chapeau. Elle arriva trempée à sa voiture. Elle trembla sur tout le chemin de Costa Mesa à Tustin nord.

Elle avait de bonnes chances de le trouver chez lui. S'il était étudiant, il n'aurait pas cours le samedi, s'il occupait un emploi de bureau, il ne serait sans doute pas à son travail non plus. Et le temps suffisait à décourager les promeneurs du week-end !

Il vivait dans une résidence d'immeubles de deux étages, de style espagnol, dispersés dans un jardin. Elle se précipita de bâtiment en bâtiment sous les palmiers ruisselants. Quand elle trouva enfin l'appartement, au premier étage du bâtiment le plus éloigné de la route, elle avait les cheveux trempés. Elle frissonnait de plus en plus. Le froid émoussait sa peur et attisait sa fureur, si bien qu'elle sonna à la porte sans hésiter.

De toute évidence, il ne prit pas la peine de regarder par le judas, car, quand il l'aperçut, il eut l'air stupéfait. Effectivement, il était grand et fort, un mètre quatre-vingt-douze, plus de cent kilos, tout en muscles. Il portait un jean et un T-shirt tachés de graisse. Il avait des biceps fort imposants, les mains toutes noires et le visage sale, assombri par une barbe naissante.

Restant prudemment hors de portée, Laura demanda simplement :

— Pourquoi ?

— Parce que... parce que...

Presque trop grand pour l'encadrement de la porte, il se balançait d'un pied sur l'autre.

— J'attends...

Il passa une main graisseuse dans ses cheveux coupés en brosse sans crainte des dégâts. Il détournait le regard et fixait la cour balayée par la pluie.

— Comment avez-vous su que c'était moi ?

— Ça n'a pas d'importance. Je ne vous connais pas, je ne vous avais jamais vu avant, et vous m'envoyez toute une ménagerie de crapauds, vous venez les déposer sur le pas de ma porte en plein milieu de la nuit, vous forcez les serrures de ma voiture pour les mettre sur mon tableau de bord, et ça depuis des semaines ! Alors vous ne croyez pas qu'il est temps que je sache le fin mot de l'histoire ?

Rougissant, toujours sans la regarder, il répondit :

— Euh... oui... mais... je... pensais que... ce n'était pas le moment.

— Pas le moment ! Cela fait des semaines que c'est le moment !

— Euh...

— Alors, *pourquoi* ?

— Eh bien..., bredouilla-t-il en regardant ses pieds.

— Oui ?

— Je vous aime.

Elle le regarda, incrécule. Finalement il osa lever les yeux.

— Vous m'aimez ? Mais vous ne me connaissez même pas ! Comment pouvez-vous aimer quelqu'un que vous n'avez jamais rencontré ?

De nouveau, il détourna le regard, se passa la main dans les cheveux et haussa les épaules.

— Je ne sais pas mais j'ai l'impression que... euh, que je dois passer le reste de ma vie avec vous.

Avec la pluie glacée qui lui ruisselait dans la nuque, sa journée à la bibliothèque fichue — comment se concentrer sur des recherches après une scène aussi insensée ? —, plus que déçue que son admirateur secret ne soit en fait qu'un gros balourd plein de graisse, Laura répondit :

— Ecoutez-moi, monsieur Packard, je ne veux plus que vous m'envoyiez de crapauds.

— Mais, j'ai envie de vous les offrir...

— Je n'ai pas envie de les recevoir... Et demain, non, aujourd'hui même, je vous les renverrai par la poste.

— Je croyais que vous aimiez les crapauds.

— Oui, j'aime les crapauds. Je les adore. Je trouve que ce sont des créatures ravissantes. En ce moment, je regrette même de ne pas en être un, mais je ne veux plus des vôtres, c'est compris ?

— Hum... hum.

— Packard, cessez de me harceler. Il y a peut-être des femmes qui se laissent séduire par vos lourdeurs romantiques et vos charmes de macho couvert de graisse, mais ce n'est pas mon genre. Et je suis tout à fait capable de me défendre toute seule. Je suis beaucoup plus solide qu'il n'y paraît et j'ai eu affaire à des plus costauds que vous.

Elle fit demi-tour, avança sous la pluie, retourna à sa voiture et reprit la route d'Irvine. Elle trembla pendant tout le trajet, non seulement de froid mais aussi de colère. Non mais, quel toupet !

Une fois chez elle, elle se déshabilla et, enroulée dans une énorme robe de chambre, se prépara du café pour lutter contre le froid.

Elle avait à peine avalé la première gorgée que le téléphone sonna. Elle décrocha dans la cuisine. Packard.

Parlant à une telle vitesse que ses phrases se télescopaient entre elles, il commença :

— S'il vous plaît, ne raccrochez pas, vous aviez raison, c'était complètement idiot, mais laissez-moi au moins une minute que je puisse m'expliquer, j'étais en train de réparer le lave-vaisselle quand vous êtes arrivée, c'est pour ça que j'étais tout sale et en sueur, il a fallu que je le sorte du comptoir moi-même, le propriétaire s'en serait chargé, mais ça prend toujours un temps fou de le contacter, alors comme je suis bricoleur, qu'il pleuvait et que je n'avais rien d'autre à faire, j'ai décidé de le réparer moi-même, je n'aurais jamais imaginé que vous alliez venir à ce moment-là. Je m'appelle Daniel Packard, mais ça vous le savez déjà, j'ai vingt-huit ans, j'ai été dans l'armée jusqu'en 1973, j'ai passé mon diplôme de sciences économiques à l'université de Californie à Irvine il y a trois ans, je travaille comme courtier, mais je prends toujours des cours du soir à la fac, c'est comme ça que je suis tombé sur votre histoire de crapaud dans le magazine littéraire du campus, c'était fantastique, ça m'a beaucoup plu, vraiment, alors je suis allé à la bibliothèque pour voir ce que vous aviez écrit avant, et j'ai tout lu. Il y avait beaucoup de choses excellentes, pas tout, mais presque. Je suis tombé immédiatement amoureux de vous, car l'écriture était si belle, si réelle... Un soir, j'étais à la bibliothèque à lire un de vos récits, ils ne laissent personne sortir les anciens numéros, ils sont reliés et il faut les lire sur place, et la bibliothécaire est passée derrière moi et m'a demandé si ça me plaisait, je lui ai dit que oui, et elle m'a répondu : « Eh bien, l'auteur est là, si vous voulez la féliciter... » Et vous étiez tout près avec une pile de livres en train de faire des recherches, de prendre des notes, et vous étiez splendide. Vous voyez, j'ai toujours su que vous seriez belle à l'intérieur parce que les sentiments que vous décrivez sont magnifiques, mais je n'avais jamais pensé que vous seriez belle à l'extérieur aussi, et je n'avais aucun moyen de vous approcher car je suis toujours resté muet et idiot devant les jolies femmes, peut-être parce que ma mère était jolie et qu'elle était toujours froide avec moi et que maintenant je crois que toutes les jolies femmes vont me rejeter... Cela aurait été beaucoup plus facile si vous aviez été laide ou même simplement banale. J'ai pensé à vous offrir les crapauds, parce que tous les admirateurs secrets se font toujours remarquer par un cadeau, j'avais prévu de me montrer après le troisième ou le quatrième, mais je n'arrivais pas à me décider de peur d'être rejeté, je savais que cela devenait complètement fou, crapaud après crapaud après crapaud..., mais je ne pouvais pas m'en empêcher, ni vous oublier, et j'étais incapable de vous faire face. C'est tout. Je ne veux pas vous faire de mal, je n'ai jamais voulu vous mettre en colère, alors, je vous demande de m'excuser si vous pouvez...

Enfin, il s'arrêta, exténué.

— Bon.

— Alors, vous voudrez bien dîner avec moi ?

Surprise de sa propre réponse, Laura dit :

— Oui.

— Et après, un cinéma ?

— D'accord.

— Ce soir ? Je passe vous prendre à six heures ?

— OK.

Après avoir raccroché, Laura resta immobile un instant, les yeux rivés sur le téléphone.

— Shane, tu as perdu la boule ? dit-elle à voix haute. Mais il m'a dit que mon écriture était si belle, si réelle.

Elle retourna dans sa chambre et regarda la collection de crapauds sur la table de chevet.

— Il est muet comme une carpe et cinq minutes plus tard, il est atteint de logorrhée ! C'est peut-être un psychopathe, Shane, méfie-toi. Ouais, mais c'est un grand critique littéraire.

Comme il avait parlé d'un dîner et d'une séance de cinéma, Laura mit une jupe grise, un chemisier blanc et un pull marron, mais il arriva en costume bleu marine, chemise blanche et boutons de manchettes, cravate de soie bleue avec une chaînette, une pochette de soie et des chaussures noires impeccablement cirées, comme pour une soirée de gala à l'Opéra. En l'abritant sous son parapluie, il l'escorta jusqu'à sa voiture en la tenant par le bras, craignant apparemment que la moindre goutte d'eau ne la fasse fondre ou qu'elle ne se brise en mille morceaux si par malheur elle glissait et tombait.

Etant donné la différence de leur habillement et de leur stature — avec son mètre soixante elle mesurait trente centimètres de moins que lui et pesait la moitié de son poids —, elle avait l'impression de sortir avec son père ou son frère aîné. Elle n'était pas vraiment petite, mais à côté de lui elle se sentait minuscule.

Dans la voiture, il resta silencieux mais s'en excusa en disant qu'il devait se concentrer pour conduire par ce temps. Ils allèrent dans un restaurant italien de Costa Mesa où Laura avait bien mangé quelquefois. Ils s'installèrent à la table et consultèrent le menu, mais avant que la serveuse ait eu le temps de prendre la commande, Daniel changea d'avis :

— Ce n'est pas bien ici, allons ailleurs.

— Mais pourquoi ? On y mange très bien.

— Non, ça ne va pas du tout. Pas d'ambiance, pas de style, je ne veux pas que vous pensiez...

De nouveau il parlait à toute vitesse, comme au téléphone, tout rougissant.

— Je ne veux pas que ce soit une soirée comme les autres. Excusez-nous, dit-il à la jeune serveuse abasourdie. J'espère que nous ne vous avons pas trop dérangée.

Déjà, il était levé et aidait Laura à quitter sa chaise.

— Je connais un endroit que vous adorerez. Je n'y suis jamais allé, mais il paraît que c'est excellent.

Les autres clients les regardaient, si bien que Laura cessa de protester.

— Ce n'est pas loin.

Ils retournèrent à sa voiture, se rendirent quelques pâtés de maisons plus loin et se garèrent devant un restaurant apparemment sans prétention dans un centre commercial.

Laura le connaissait désormais assez bien pour savoir qu'elle devait attendre qu'il vienne lui ouvrir la porte, mais elle s'aperçut que, par galanterie, il se tenait dans une profonde flaque d'eau.

— Oh, vos chaussures ! s'exclama Laura.

— Ça sèchera. Tenez, prenez le parapluie, je vais vous porter.

Sans autre forme de procès, elle se laissa porter au-dessus de la mare comme si elle ne pesait pas plus lourd qu'un sac de plumes.

Il la posa sur le trottoir et, sans parapluie, il retourna à la voiture pour fermer les portes.

Le restaurant français était encore plus froid que la trattoria. On les conduisit dans un coin près de la cuisine et les chaussures mouillées de Daniel crissèrent tout le long du chemin.

— Vous allez attraper une pneumonie, s'inquiéta-t-elle après qu'il eut commandé deux Martini-on-the-rocks.

— Non, je ne suis jamais malade. Un jour au Viêt-nam, je me suis retrouvé isolé de ma patrouille, j'ai passé une semaine tout seul dans la jungle, et il n'a pas cessé de pleuvoir. J'étais frigorifié quand j'ai retrouvé mon chemin, mais je n'ai même pas attrapé de rhume.

Tandis qu'ils buvaient tout en consultant le menu, Daniel était plus décontracté que jamais, et faisait preuve d'une conversation agréable et enjouée. Mais quand on leur servit les entrées, saumon au fenouil pour Laura, et feuilleté d'escalope pour lui, et qu'il devint évident que la nourriture serait à peine mangeable, Daniel se sentit de plus en plus mal à l'aise et retomba dans son mutisme.

Laura lui assura que ses plats étaient délicieux, mais il ne s'y trompa pas.

Le service était très lent. Quand Daniel eut payé l'addition, ils retournèrent à la voiture. Daniel la porta de nouveau, comme une petite fille, mais ils avaient une demi-heure de retard pour la séance.

— Ça ne fait rien, dit Laura, on arrivera en retard, on regardera le début après.

— Ah non ! Non, ce n'est pas comme ça que l'on va au cinéma. Cela va tout gâcher. Je voulais que cette soirée soit parfaite.

— Ne soyez pas si nerveux. Je m'amuse bien.

Il la regarda d'un air incrédule. Laura sourit, il lui répondit, mais il avait l'air crispé.

— Si vous ne voulez plus aller au cinéma, cela ne fait rien, on ira la prochaine fois, je suis partante.

Il hocha la tête, démarra. Ils avaient déjà fait un kilomètre quand Laura comprit qu'il la ramenait chez elle.

Pendant tout le trajet, il s'excusa de lui avoir fait passer une si mauvaise soirée, et elle répéta encore et encore qu'elle ne s'était pas ennuyée une seule seconde. Dès qu'elle eut glissé la clé dans la serrure, il tourna les talons et dégringola l'escalier, sans lui demander de l'embrasser pour lui dire au revoir ni lui laisser le temps de l'inviter à boire un dernier verre.

Elle retourna vers la cage d'escalier et le regarda descendre. Quand il fut arrivé à mi-chemin, une rafale de vent retourna son parapluie avec lequel il se débattit pendant les dernières marches, au risque de perdre son équilibre. Sur le trottoir, alors qu'il avait enfin réussi à remettre son parapluie du bon côté, une autre rafale le retourna encore. De rage, il le jeta dans un buisson et leva les yeux. Il était trempé de la tête aux pieds et, dans la pâle lumière d'un lampadaire, elle voyait son costume informe pendre sur ses épaules. Il était grand et fort, solide comme un bœuf, mais il avait été vaincu par de toutes petites choses, une flaque d'eau, une rafale de vent, et il y avait quelque chose de comique dans cette scène. Elle ne devait pas rire, n'osait pas rire, et pourtant, elle ne put s'en empêcher.

— Vous êtes vraiment belle, Laura Shane. Vraiment très belle, cria-t-il du trottoir en contrebas avant de s'enfuir dans la nuit.

Embarrassée par son fou rire, mais incapable de s'arrêter, elle alla se mettre en pyjama. Il n'était que neuf heures moins vingt.

Ou c'était un piètre imbécile, ou c'était l'homme le plus gentil qu'elle ait jamais connu depuis la mort de son père.

A neuf heures et demie, le téléphone sonna.

— Vous voudrez bien ressortir avec moi ?

— J'ai eu peur que vous ne m'appeliez plus jamais.

— Alors, c'est oui ?

— Bien sûr.

— Un dîner et une séance de cinéma ?

— Fantastique.

— On ne retournera pas à cet horrible restaurant français. Je suis vraiment désolé...

— Je me moque complètement de l'endroit où on ira, mais promettez-moi une chose : une fois qu'on sera installés, on y restera, d'accord ?

— Je suis un peu idiot parfois. Et... et puis, je ne sais jamais quoi faire avec les jolies femmes.

— Votre mère.

— Oui, elle m'a rejeté, elle a rejeté mon père. Je n'ai jamais senti aucune chaleur chez cette femme. Elle est partie quand j'avais onze ans.

— Vous avez dû en souffrir.

— Vous êtes encore plus belle qu'elle, et vous me faites peur.

— Eh bien, c'est flatteur !

— Excusez-moi, mais c'est la vérité. Mais même si vous êtes belle, vous n'êtes pas aussi belle que ce que vous écrivez, et ça, ça me fait encore plus peur. Qu'est-ce qu'un type comme moi peut représenter aux yeux d'un génie comme vous ? Un clown ?

— Juste une question, Daniel.

— Danny.

— Une question, Danny. Qu'est-ce vous donnez comme courtier ? Vous êtes doué ?

— Génial, dit-il avec une fierté si naïve qu'elle sut immédiatement qu'il disait vrai. Mes clients ne jurent que par moi, et je possède même un petit portefeuille qui a dépassé les meilleures performances du marché pendant trois ans de suite. L'analyste de la Bourse ou le conseiller en investissements ne laisse jamais au vent l'occasion de lui retourner son parapluie.

Le lendemain qui suivit l'installation des explosifs dans le sous-sol de l'institut, Stefan entreprit ce qu'il croyait être son avant-dernier voyage sur la route de l'Orage, un saut illicite vers le 10 janvier 1988 qui n'avait rien à voir avec le programme officiel et devait rester ignoré de ses collègues.

A son arrivée, la neige tombait sur les montagnes de San Bernardino, mais il était bien équipé, en bottes de caoutchouc, gants de cuir et manteau de marin. Il s'abrita sous un bosquet de pins touffus et attendit que l'intensité des éclairs diminue.

Il regarda sa montre sous la lumière scintillante du ciel et fut sidéré de voir à quel point il était en retard. Il avait moins de quarante minutes pour rejoindre Laura avant qu'elle ne se fasse tuer. S'il gâchait tout en arrivant trop tard, il n'y aurait pas de seconde chance.

Tandis que les dernières lueurs blanches déchiraient le ciel et que l'écho des coups de tonnerre résonnait dans les pics lointains, il dégringola la pente vers un champ où il s'enfonça dans l'épaisse couche de neige laissée par la précédente tempête. Il y avait une croûte de glace qu'il brisait à chaque pas et il progressait aussi difficilement que dans de l'eau. Il tomba deux fois ; la neige entrait par le haut de ses bottes, le vent glacial le cinglait, comme possédé du désir de l'anéantir. Quand il arriva à l'autre extrémité du champ et qu'il enjamba le talus de neige pour aller sur la route nationale à deux voies qui menait à Arrowhead d'un côté et à Big Bear de l'autre, son pantalon et son manteau étaient tout couverts de flocons glacés. Il avait encore pris cinq minutes de retard.

Sur la route récemment dégagée, il n'y avait que quelques tas de neige qui voletaient sur le macadam au gré du vent. Mais déjà, le rythme de l'orage se précipitait. Les flocons, deux fois plus minces qu'à son arrivée, tombaient deux fois plus dru. Bientôt, la route serait dangereuse.

Il remarqua une pancarte sur le bas-côté : LAC ARROWHEAD, ,5 KILOMÈTRE. Il fut épouvanté de voir qu'il était encore plus loin de Laura qu'il ne le croyait.

Clignant les yeux dans le vent, il regarda vers le nord et vit la naude lueur d'un éclairage électrique dans l'après-midi grisâtre : sa droite, il y avait un bâtiment à un étage et un parking. Il se dirigea immédiatement dans cette direction, la tête enfoncée dans son col pour se protéger des morsures du froid.

Il fallait qu'il trouve une voiture. Laura n'avait plus qu'une demi-heure à vivre, et elle était encore à quinze kilomètres de là.

· 3 ·

Cinq mois après ce premier rendez-vous, le samedi 16 juillet 1977, six semaines après avoir obtenu son diplôme de l'université de Californie, Laura épousa Danny Packard au cours d'une cérémonie civile. Les deux seuls invités et témoins étaient le père de Danny, Sam Packard, et Thelma Ackerson.

Bel homme avec ses cheveux argentés, malgré son mètre soixante-quinze, Sam paraissait minuscule à côté de son fils. Il pleura pendant toute la cérémonie, et Danny ne cessait de se retourner pour lui demander s'il se sentait bien. Sam hochait la tête et se mouchait, tout en essayant de leur dire de poursuivre. Pourtant, Sam continuait à se moucher dans un bruit qui rappelait le chant d'amour des oies.

— Danny, dit le juge, votre père pleure de joie, alors, si l'on pouvait avancer... j'ai encore trois autres mariages à faire.

Même si le père du marié n'avait pas été hyper-émotif et que son géant de fils n'avait pas révélé un cœur de faon, la noce serait restée mémorable grâce à la présence de Thelma. Elle avait une drôle de coiffure ébouriffée, avec une sorte de pompon violet sur l'avant. En plein milieu de l'été, et pour un mariage, elle portait un pantalon noir moulant, des hauts talons rouges, et une chemise noire déchirée, volontairement, soigneusement déchirée, ornée d'une ceinture en chaîne d'acier. Trop maquillée avec ses paupières violettes et son rouge à lèvres rouge sang, elle portait une seule boucle d'oreille qui ressemblait à un hameçon.

Après la cérémonie, tandis que Danny échangeait quelques mots avec son père, Thelma attira Laura dans un coin et lui expliqua les raisons de son apparence.

— C'est le nouveau look punk, c'est la dernière mode en Angleterre. Presque personne ne s'habille comme ça ici, d'ailleurs en Angleterre, ce n'est pas très courant non plus, mais dans quelques années, tout le monde sera comme ça. C'est génial pour la scène. J'ai l'air tellement bizarre que les gens éclatent de rire

119

rien qu'en me voyant. Et puis, c'est bien pour moi aussi. Il faut voir la vérité en face, je ne m'améliore pas avec l'âge. Si la laideur était une maladie et qu'il y ait une association charitable pour la combattre, je serais leur enfant chérie. Mais avec ce genre d'attirail, on ne voit pas si tu es belle ou non, et puis, de toute façon t'es censée avoir l'air terrifiant. Dis donc, Danny, c'est un sacré costaud ! Tu m'en avais parlé au téléphone, mais tu ne m'avais pas dit qu'il était si gigantesque. Tu lui enfiles un costume de King Kong, tu le lâches en plein New York, et t'as ton film d'épouvante sans avoir à dépenser des fortunes pour construire des décors miniatures ! Alors, tu l'aimes ?

— Je l'adore ! Il est aussi gentil qu'il est grand, peut-être à cause de toutes les horreurs qu'il a vues au Viêt-nam, ou parce qu'il a toujours eu bon cœur. Il est très réfléchi, et il trouve que je suis l'un des meilleurs auteurs qu'il ait jamais lus.

— Et dire que lorsqu'il a commencé à t'envoyer des crapauds tu le prenais pour un psychopathe.

— Petite erreur de jugement !

Deux policiers en uniforme traversèrent le hall avec un jeune homme barbu menottes aux mains. Le prisonnier regarda Thelma et lui dit :

— Hé, la môme, on y va ?

— Ah, le célèbre charme des Ackerson ! s'exclama Thelma. Tu vois, toi, tu attires les mélanges de dieux grec et de nounours en peluche et moi, je reçois des propositions malhonnêtes des déchets de la société ! Enfin, quand j'y pense, avant, je n'obtenais même pas ça, alors, peut-être que mon heure arrive.

— Thelma, tu te sous-estimes, comme toujours. Un jour, un type fantastique se rendra compte de ta valeur.

— Ouais, Charles Manson quand il sera libéré sur parole[1] !

— Non, je suis sûre qu'un jour tu seras aussi heureuse que moi. Je le sais. Ça fait partie de ton destin.

— Grands dieux ! Shane, tu sombres dans l'optimisme ! Et l'orage, tu l'oublies ? Toutes ces longues discussions qu'on avait dans notre chambre à Caswell Hall, tu ne t'en souviens plus ? On trouvait que la vie n'était qu'une comédie burlesque et que de temps en temps, le spectacle était interrompu par un éclair de

1. Condamné pour l'assassinat de l'actrice Sharon Tate et de cinq autres personnes, en 1969.

tragédie, pour rétablir l'équilibre, pour que la farce soit plus drôle en comparaison.

— Peut-être qu'il n'y aura plus d'orages dans ma vie, dit Laura.

Thelma la regarda.

— Ouaouh ! Je te connais bien, Shane, et je sais quel risque tu cours en voulant être aussi heureuse que ça. J'espère que tu ne te trompes pas, j'en suis même sûre. Je parie qu'il n'y aura plus d'orages pour toi.

— Merci, Thelma.

Elles se retrouvèrent dans les bras l'une de l'autre, et pendant un instant, elles ne furent plus que des fillettes, méfiantes et vulnérables, à la fois pleines de confiance et terrifiées par la crainte du destin aveugle qui avait frappé leur adolescence.

Le samedi 24 juillet, après une lune de miel d'une semaine à Santa Barbara, ils rentrèrent dans leur appartement de Tustin et préparèrent le dîner ensemble — salade composée, boulettes de viande chauffées au micro-ondes, spaghettis. Laura avait renoncé à son appartement une semaine avant la noce. Selon le plan qu'ils avaient élaboré ensemble, ils resteraient là deux ou trois ans. (Ils avaient si souvent parlé d'avenir qu'à présent, le « plan » était gravé dans leur esprit et qu'ils s'y référaient comme à un manuel distribué le jour de leurs noces donnant une image détaillée de leur destin comme mari et femme.) Dans deux ans, trois peut-être, ils auraient les moyens de verser le premier acompte pour leur maison grâce au portefeuille que Danny se constituait, et, à ce moment-là seulement, ils déménageraient.

Ils dînèrent à la table de la cuisine qui donnait sur les palmiers de la cour baignés du soleil couchant. Ils discutèrent du point clé de leur « plan » : Danny entretiendrait Laura pendant qu'elle écrirait son premier roman.

— Et quand tu seras riche et célèbre, dit Danny en enroulant des spaghettis sur sa fourchette, je laisserai tomber la Bourse, et je m'occuperai de ton argent.

— Et si je ne suis jamais riche et célèbre ?

— Impossible.

— Si personne ne veut me publier ?

— Alors, je divorcerai.

Elle lui envoya une miette de pain à la figure.

— Salaud !

— Mégère !

— Tu veux une autre boulette ?

— Si c'est pour me la jeter à la figure !

— Non, ma colère est passée. D'ailleurs je suis un as des boulettes de viande, pas vrai ?

— Exact.

— Il faut fêter ça, non ? D'avoir épousé la reine des boulettes !

— Effectivement, c'est l'occasion ou jamais.

— Si on faisait l'amour ?

— A table ? demanda Danny.

— Non, au lit.

Laura repoussa sa chaise et se leva.

— Allez, viens, on pourra toujours les réchauffer.

Pendant la première année de leur mariage, ils firent l'amour fréquemment, et, dans cette intimité, Laura trouvait plus qu'un soulagement physique, beaucoup plus qu'elle ne l'avait jamais espéré. Etre avec Danny, l'avoir en elle, lui procurait le sentiment de n'être plus qu'une seule et même personne, un seul esprit, un seul corps, un seul espoir. Elle l'aimait de tout son cœur, mais ce sentiment d'unicité était plus fort que l'amour, différent de l'amour du moins. Lors de leur premier Noël ensemble, elle comprit qu'elle ressentait quelque chose qu'elle n'avait pas éprouvé depuis longtemps : le sentiment d'appartenir à une famille. Il était son mari, elle était sa femme, et un jour, de cette union, naîtraient des enfants, dans deux ou trois ans, selon le « plan », et, dans ce foyer, elle trouvait une paix qui n'existait pas ailleurs.

Elle aurait cru que vivre et travailler dans l'harmonie, la sécurité et le bonheur permanents pouvait entraîner une certaine léthargie, que son écriture souffrirait d'un trop grand confort mental, que les petites misères quotidiennes étaient indispensables pour aiguiser sa plume. Mais en fait, croire que les chants désespérés sont les plus beaux n'est que l'attitude hautaine des jeunes inexpérimentés. Plus elle était heureuse, mieux elle écrivait.

Six semaines avant leur premier anniversaire de mariage, Laura termina son premier roman, *Les Nuits de Jéricho*, et l'envoya à un agent littéraire de New York, Spencer Keene, qui avait répondu favorablement à une lettre, un mois auparavant. Deux semaines plus tard, Keene téléphona pour dire qu'il acceptait de représenter le livre, qu'il espérait le vendre bientôt et qu'il croyait à son avenir d'auteur. Avec une rapidité qui étonna l'agent lui-même, il trouva acquéreur dès la première maison d'édition à laquelle il s'adressa, Viking, pour une avance modeste, mais parfaitement honorable, de quinze mille dollars. L'affaire fut conclue le vendredi 14 juillet, deux jours avant l'anniversaire de mariage de Danny et Laura.

· 4 ·

Ce qu'il avait vu de l'autre côté de la route était un petit restaurant à l'abri de pins gigantesques. Avec leur écorce sombre et magnifique, les arbres qui s'élevaient à plus de soixante mètres de haut étaient chargés de lourdes grappes d'énormes pommes de pin ; les rameaux ployaient encore sous le poids de la neige des précédentes tempêtes. Le bâtiment de bois à un étage se trouvait si bien abrité sur trois de ses côtés que son toit d'ardoise était couvert de plus d'aiguilles que de neige. Les fenêtres embuées ou couvertes de givre diffusaient agréablement la lumière.

Deux Jeep, deux camions et une Thunderbird étaient garés dans le parking en face du restaurant. Soulagé qu'on ne puisse pas le voir à travers les vitres, Stefan alla directement vers l'une des Jeep, essaya la porte, la trouva ouverte et s'installa au volant.

Il sortit son Walther PPK/S .38 de son holster et le posa sur le siège à côté de lui.

Il avait froid aux pieds et aurait aimé enlever ses bottes pour les débarrasser des paquets de neige, mais il était arrivé en retard et son programme s'en trouvait bouleversé. Il n'avait pas une seconde à perdre. Et puis, tant que ses pieds lui faisaient mal, ils n'étaient pas gelés !

Les clés n'étaient pas sur le contact. Il recula le siège, se pencha en avant, fouilla sous le tableau de bord, trouva les fils du démarreur et fit tourner le moteur en un instant.

Stefan se releva au moment où le propriétaire, l'haleine puante de bière, ouvrit la porte :

— Hé, toi ! qu'est-ce qu'y te prend ?

Le parking enneigé était toujours désert. Ils étaient seuls. Laura serait morte dans vingt-cinq minutes.

Le propriétaire de la Jeep se jeta sur lui et Stefan se laissa tirer de son siège, prenant son pistolet au passage. En fait, il se jeta même dans les bras de l'autre homme et profita du déséquilibre de son assaillant pour le renverser sur le sol glissant. Ils tombèrent. Une fois couché par terre, Stefan mit son arme sous le menton de son adversaire.

— Non, non, ne me tuez pas !

— Lève-toi. Doucement. Pas de geste brusque.

Quand ils furent debout tous les deux, Stefan se plaça derrière l'homme et, se servant de son arme comme d'un gourdin, le frappa à la tête, assez fort pour l'assommer mais sans provoquer de dommages définitifs. Le propriétaire de la Jeep tomba à nouveau, immobile.

Stefan jeta un coup d'œil sur le restaurant. Personne d'autre n'était sorti.

Aucune voiture ne semblait s'approcher sur la route, mais les hurlements du vent auraient pu masquer le bruit d'un moteur.

Tandis que la neige tombait plus dru, il remit le pistolet dans son étui et tira l'homme inconscient vers le véhicule le plus proche, la Thunderbird. Elle n'était pas fermée. Il posa sa victime sur le siège arrière et se précipita vers la Jeep.

Le moteur avait calé. Il le fit redémarrer.

Dans le vent hurlant, il passa une vitesse et se dirigea vers la route. La neige se faisait de plus en plus dense et les rafales soulevaient des nuages de flocons de la veille qui tourbillonnaient en colonnes étincelantes. Les pins géants se balançaient dans les bourrasques hivernales.

Laura avait encore un peu plus de vingt minutes à vivre.

· 5 ·

Ils fêtèrent la future publication des *Nuits de Jéricho* et leur premier anniversaire de mariage dans un de leurs lieux préférés, Disneyland. Le ciel était bleu, sans nuages, l'air chaud et sec. Sans même voir la foule estivale, ils suivirent la route des pirates des Caraïbes, se firent prendre en photo avec Mickey, eurent le vertige dans l'immense tasse tourbillonnante du Chapelier Fou[1], laissèrent un caricaturiste leur faire leur portrait, mangèrent des hot dogs et des glaces, des esquimaux de bananes glacées recouvertes de chocolat, et dansèrent toute la soirée au son d'un orchestre de Dixieland sur la place de La-Nouvelle-Orléans.

Après la tombée de la nuit, le charme du parc devenait encore plus magique, et, pour la troisième fois, enlacés devant la balustrade de l'étage supérieur, ils reprirent le bateau à aubes de Mark Twain autour de l'île de Tom Sawyer.

— Tu sais pourquoi cet endroit nous plaît tant ? dit Danny. Parce qu'il fait partie du monde, mais qu'il n'est pas touché par le monde, exactement comme notre mariage.

Plus tard, devant des glaces à la fraise, en dessous de pins décorés d'enluminures de Noël, Laura dit :

— Quinze mille dollars pour un an de travail..., ce n'est pas vraiment la fortune.

— Ce n'est pas non plus un salaire de misère, répondit Danny, qui repoussa sa glace sur le côté pour lui prendre la main. L'argent viendra plus tard grâce à ton talent, et de toute façon, l'argent, ce n'est pas ça qui compte. Ce qui compte, c'est que tu aies quelque chose de spécial à partager. Non, ce n'est pas ça. Tu n'as pas quelque chose de spécial, tu es une femme extraordinaire. D'une certaine façon, je me comprends, mais je n'arrive pas à m'expliquer. Ce que tu es, quand on le partage, apporte autant d'espoirs et de joie aux autres que cela m'en apporte à moi quand je suis à tes côtés.

— Je t'aime, dit-elle, en clignant les yeux pour dissiper ses larmes.

Les Nuits de Jéricho furent publiées dix mois plus tard, en mai 1979. Danny insista pour qu'elle signe de son nom de jeune fille, car il savait qu'elle avait enduré toutes les années passées à McIlroy et à Caswell Hall pour être quelqu'un de bien et rendre ainsi hommage à son père, et peut-être aussi à la mère qu'elle n'avait jamais connue. Le livre se vendit mal, ne fut racheté par aucun club du livre et fut cédé par Viking à une maison de livres de poche pour une faible avance.

— Cela n'a pas d'importance, tout arrivera en son temps, tu as du talent.

---

1. Personnage d'*Alice au pays des Merveilles,* de Lewis Carroll.

A cette époque, son second roman, *Shadrach*, était déjà bien avancé. En travaillant dix heures par jour, six jours par semaine, elle le termina en juillet de la même année.

Un vendredi soir, elle envoya un double à Spencer Keene à New York et donna l'original à Danny. Il fut le premier à le lire. Il quitta son travail de bonne heure et commença sa lecture le vendredi après-midi à une heure, dans le fauteuil du salon. Il passa ensuite dans la chambre, ne dormit que quatre heures et, le samedi matin, à dix heures, de nouveau dans son fauteuil, il en était déjà aux deux tiers du manuscrit. Il ne voulait pas en parler, pas en dire un mot.

— Non, pas avant que j'aie terminé. Ce ne serait pas juste pour toi de commencer une analyse avant que j'aie tout compris. Et ce ne serait pas juste pour moi non plus, car si on en parlait, tu révélerais sûrement la suite de l'intrigue.

Laura ne cessait de le regarder pour voir s'il fronçait les sourcils, s'il souriait, ou s'il réagissait d'une manière ou d'une autre, et, quand il semblait réagir à ce qu'il lisait, elle redoutait que ce ne fût une réaction négative à la scène qu'il était en train de lire. A dix heures et demie, incapable de rester dans l'appartement, elle alla au centre commercial du South Coast Plaza, fouina dans les librairies, déjeuna de bonne heure bien qu'elle n'ait pas faim, fit du lèche-vitrines à Westminster avant de prendre la route d'Orange où elle acheta une énorme plaque de chocolat, qu'elle engloutit presque entièrement.

« Shane, rentre chez toi, sinon, tu vas ressembler à Orson Welles avant ce soir ! »

En se garant, elle remarqua que la voiture de Danny n'était plus là. Elle l'appela en entrant dans l'appartement mais n'obtint pas de réponse.

Le manuscrit de *Shadrach* était sur la table basse.

Elle chercha un mot, elle n'en trouva pas.

— Oh, mon Dieu !

Le roman ne valait rien. C'était nul ! Du pipi de chat. Le pauvre Danny était parti boire une bière quelque part pour trouver le courage de lui dire qu'elle devait profiter de sa jeunesse pour commencer une nouvelle carrière, se reconvertir dans la plomberie, par exemple.

Elle allait vomir. Elle se précipita à la salle de bains, mais ses nausées avaient disparu. Elle se passa de l'eau froide sur le visage.

Du pipi de chat.

Bon, il faudrait qu'elle apprenne à vivre avec cet échec. Elle avait cru *Shadrach* bien meilleur que *Les Nuits de Jéricho* mais de toute évidence, elle s'était trompée. Tant pis, elle en écrirait un autre.

Elle alla ouvrir une bière à la cuisine. Elle avait à peine avalé deux gorgées que Danny rentra avec un énorme paquet cadeau. Il le posa solennellement à côté du manuscrit.

— C'est pour toi.

Sans prêter un regard à la boîte, Laura demanda :

— Qu'est-ce que tu en penses ?

— Ouvre ton cadeau d'abord.

— Oh, mon Dieu, c'est mauvais à ce point ? Il faut que tu amortisses le choc avec un cadeau ? Dis-moi la vérité, je suis assez grande pour l'encaisser. Attends ! Je m'assieds.

Elle écarta une chaise de la table et s'y effondra.

— Allez, vas-y, ne cherche pas à m'épargner. Je survivrai.

— Tu plonges dans le mélo.

— Quoi, mon livre, un mélo ?

— Pas ton livre, toi. Pour le moment du moins. Tu as fini de jouer les jeunes artistes ébranlées ? Ouvre donc ton cadeau.

— Bon, bon, si je dois absolument l'ouvrir pour savoir ce que tu penses, je vais l'ouvrir, cette boîte.

Elle la posa sur ses genoux. C'était très lourd — et défit le ruban tandis que Danny s'asseyait en face d'elle pour mieux l'observer.

La paquet venait d'un magasin de luxe, mais Laura n'était pas préparée à ce qu'elle allait y trouver : une énorme coupe Lalique, transparente, à part les anses, faite de cristal givré et de pâte de verre vert tendre. Elles étaient constituées d'un couple de crapauds en position de saut, quatre en tout.

— Danny, je n'ai jamais rien vu d'aussi beau.

— Ça te plaît alors ?

— Mon Dieu, combien ça t'a coûté ?

— Trois mille dollars.

— Danny, on n'a pas les moyens !

— Oh, que si !

— Bien sûr que non ! Tout ça parce que j'ai écrit un navet et que tu...

— Tu n'as pas écrit de navet ! Tu as écrit un livre digne d'un

127

crapaud! Digne de quatre crapauds, quatre étant la meilleure note! Et on peut s'offrir cette coupe justement parce que tu viens d'écrire *Shadrach*. C'est magnifique, Laura. Bien meilleur que le dernier, car il te ressemble. Ce livre, c'est toi, et c'est brillant!

Dans sa joie et son empressement à le prendre dans ses bras, Laura faillit briser la coupe à trois mille dollars.

· 6 ·

Une couche de neige fraîche couvrait la route à présent. La Jeep à quatre roues motrices était équipée de chaînes, si bien que Stefan pouvait rouler assez vite malgré les mauvaises conditions.

Pas assez vite, pourtant.

Il estimait que l'auberge où il avait volé la Jeep devait être à une quinzaine de kilomètres de la maison des Packard, tout près de la route 330, à quelques kilomètres de Big Bear. Sur la route montagneuse escarpée et sinueuse, la visibilité se trouvait fort réduite, si bien que Stefan ne roulait qu'à soixante kilomètres-heure de moyenne. Il ne pouvait courir le risque d'accélérer, car il ne serait d'aucun secours à Laura, Danny et Chris s'il perdait le contrôle de son véhicule et allait périr dans un fossé. A sa vitesse actuelle, pourtant, il arriverait au chalet au moins dix minutes après leur départ.

Il avait eu l'intention de les retenir chez eux jusqu'à ce que tout danger fût dissipé. Il lui fallait changer ses projets.

Le ciel de janvier, croulant sous le poids de l'orage, était à peine plus haut que les cimes des conifères qui bordaient la route. Le vent agitait les branches et martelait la carrosserie. La neige collait aux essuie-glaces; Stefan alluma le dégivreur et se pencha en avant pour regarder à travers le pare-brise givré.

Quand il regarda sa montre qu'il avait réglée sur l'heure locale juste avant son voyage, il s'aperçut qu'il lui restait moins de quinze minutes. Laura, Danny et Chris devaient s'installer dans la voiture s'ils n'étaient pas déjà en chemin.

Il devrait les intercepter sur l'autoroute, à quelques secondes de la mort.

Il tenta d'accélérer sans pour autant rater un virage et se précipiter dans le ravin.

Cinq jours après que Danny lui eut offert le Lalique, le 15 août 1979, un peu avant midi, Laura faisait chauffer une boîte de soupe au poulet pour le repas de midi, quand Spencer Keene, son agent littéraire de New York, l'appela. La maison d'édition Viking avait adoré *Shadrach* et proposait une avance de cent mille.

— En dollars ? demanda Laura.

— Bien sûr, des dollars ! Que voulez-vous que ce soit ? Des roubles ? Oh, vous pourrez au moins acheter un chapeau !

— Mon Dieu !

Elle dut s'appuyer sur le comptoir car soudain ses jambes flageolaient.

— Ma chère Laura, c'est à vous seule d'en décider bien sûr, mais à moins qu'ils ne proposent de mettre ces cent mille dollars comme mise à prix minimale à une vente aux enchères, je vous conseille de refuser.

— Refuser cent mille dollars ?

— J'aimerais pouvoir l'envoyer à six ou huit autres éditeurs, fixer une date d'enchères et voir ce qui va se passer. Il me semble que je le sais déjà. Je crois qu'ils vont tous aimer ce livre autant que moi. D'un autre côté, ce n'est pas si sûr, c'est une décision difficile à prendre, je crois qu'il va vous falloir un peu de temps pour y réfléchir.

Dès que Spencer eut raccroché, Laura appela Danny et lui parla de la proposition.

— S'ils ne veulent pas en faire une base de mise à prix, refuse.

— Mais Danny, nous n'avons pas les moyens de refuser cette somme. Ma voiture a onze ans, elle tombe en ruine. La tienne a déjà quatre ans...

— Ecoute, qu'est-ce que je t'avais dit à propos de ce livre ? Je ne t'avais pas dit que c'était toi de la première à la dernière ligne ?

— Tu es gentil, mais...

— Refuse. Laura, tu crois que refuser cent mille dollars, c'est un peu cracher à la figure des dieux de la chance, que c'est inviter l'orage et l'éclair dont tu m'as tant parlé. Mais tu as gagné cet argent, ce n'est pas le destin qui te le reprendra.

Elle téléphona à Spencer Keene et lui fit part de sa décision. Nerveuse, agitée, regrettant déjà les cent mille dollars, elle retourna à son bureau, s'installa devant sa machine à écrire et relut sa dernière nouvelle encore inachevée jusqu'à ce qu'elle perçoive une odeur de soupe au poulet et se souvienne qu'elle l'avait laissée sur le gaz. Elle se précipita à la cuisine. La soupe s'était presque entièrement évaporée ; il ne restait plus qu'un centimètre de liquide sur le vermicelle carbonisé et collé au fond de la casserole.

A deux heures dix, cinq heures dix à l'heure de New York, Spencer rappela pour dire que Viking acceptait de faire partir les enchères à cent mille dollars.

— Voilà, à présent vous avez gagné au moins cent mille dollars. Je pense fixer la date des enchères au 26 septembre. Ça va faire un tabac, Laura, je le sens.

Elle passa l'après-midi à essayer de se calmer sans y parvenir. Quoi qu'il arrive lors de la vente aux enchères, *Shadrach* était déjà un grand succès. Ses craintes étaient injustifiées, mais elle ne pouvait s'en débarrasser.

Ce soir-là, Danny revint du travail avec une bouteille de champagne, un bouquet de roses et une boîte de chocolats. Ils burent et grignotèrent les chocolats assis sur le divan et parlèrent d'un avenir qui semblait resplendissant. Pourtant, l'anxiété de Laura persistait.

— Je n'ai pas envie de chocolats ni de champagne ni de roses, ni de cent mille dollars. Je veux faire l'amour. Emmène-moi dans la chambre.

Ils firent l'amour longuement. Les lueurs tardives du soleil d'été cédaient la place à la marée de la nuit quand leurs corps se séparèrent, doucement, à regret. Allongé à côté d'elle dans le noir, Danny lui embrassa les seins, la gorge, les paupières et les lèvres. Laura se sentit enfin libérée de sa nervosité. Ce n'était pas le soulagement sexuel qui chassait ses craintes. Leur intimité, l'abandon de soi, les espoirs, les rêves et le destin partagés, voilà ce qui apportait le véritable remède à l'angoisse. Le sentiment de fonder une famille avec lui fonctionnait comme un talisman repoussant le mauvais sort.

Le mercredi 26 septembre, Danny prit sa journée pour être aux côtés de Laura quand elle aurait des nouvelles de New York.

A sept heures trente du matin, dix heures trente à New York, Spencer Keen appela pour annoncer que Random House avait fait la première offre supérieure à la mise à prix :

— Cent vingt-cinq mille dollars, et cela ne fait que commencer.

Deux heures plus tard, il rappela.

— Tout le monde est parti déjeuner, alors, c'est la pause. Pour le moment on en est à trois cent cinquante mille dollars, et il y a encore six maisons d'édition en lice.

— Trois cent cinquante mille dollars ? répéta Laura.

Devant l'évier où il faisait la vaisselle, Danny laissa tomber une assiette.

— Je me trompe, ou il s'agit du roman que tu traitais de pipi de chat ? dit-il dès qu'elle eut raccroché.

Quatre heures et demie plus tard, tandis qu'ils faisaient tous deux semblant de se concentrer sur un jeu de rami, alors qu'ils étaient tous deux incapables de faire le moindre calcul et de tenir les comptes, Spencer Keene rappela.

— Vous êtes assise, ma très chère ? demanda Spencer.

— Je suis prête, je n'ai pas besoin de chaise. Allez-y.

— C'est terminé. Simon et Schuster. Un million deux cent vingt-cinq mille dollars.

Tremblante, Laura continua à parler avec Spencer pendant une dizaine de minutes, mais quand elle raccrocha, elle ne se souvenait plus de ce qu'il avait dit après avoir annoncé le montant. Danny la regardait avec impatience. Elle lui dit le nom de l'éditeur et le chiffre.

Pendant un instant, ils se regardèrent en silence.

— Je crois que maintenant on a les moyens d'avoir un enfant, dit Laura.

· 8 ·

Stefan parvint au sommet d'une colline et observa l'étendue de route balayée par la neige où tout devait se produire. Sur sa gauche, au-delà de la voie sud, la pente boisée descendait abruptement vers la route. Sur sa droite, en direction du nord, la route était bordée d'un bas-côté d'un peu plus d'un mètre de large au-delà duquel la pente descendait à pic dans une gorge profonde. Il n'y avait pas de garde-fou.

Au pied de la colline, la route dessinait une courbe vers la gauche, hors de vue. Entre le virage en contrebas et le sommet qu'il venait de passer, la route était déserte.

S'il en croyait sa montre, Laura serait morte dans une minute, deux au plus.

Soudain, il se rendit compte qu'il n'aurait jamais dû essayer d'aller chez les Packard, pas après avoir accumulé un tel retard. Il aurait beaucoup mieux fait d'essayer de repérer le véhicule des Robertson en amont, sur la route d'Arrowhead. Cela aurait été aussi efficace.

Trop tard maintenant.

Stefan n'avait le temps ni de repartir, ni d'aller à la rencontre des Packard. Il ne connaissait pas le moment exact de leur mort, pas à la seconde près, mais à présent, la catastrophe approchait à grands pas. S'il tentait de faire un kilomètre de plus, il atteindrait le virage et risquait de les croiser. Il n'aurait plus le temps de faire demi-tour pour les arrêter avant que le camion des Robertson les heurte de front.

Il freina doucement, se dirigea vers la voie montante opposée et arrêta la Jeep à un endroit où le bas-côté s'élargissait, au milieu de la pente. Il était garé si près du ravin qu'il ne pouvait pas sortir par la porte du passager. Le cœur battant, il serra le frein à main, coupa le moteur, se glissa sur le siège et descendit de la voiture.

La neige et le vent lui cinglèrent le visage, les rafales gémissaient dans les montagnes et hurlaient comme des milliers de voix, les voix des dieux grecs qui se moquaient de ses efforts dérisoires pour contrer le destin qu'ils avaient mis en place.

· 9 ·

Après avoir reçu quelques conseils de son éditeur, Laura entreprit une rapide correction de *Shadrach* et donna la version définitive à la mi-décembre 1979. Simon et Schuster programma la publication pour septembre 1980.

L'année fut si mouvementée pour Laura et Danny qu'ils furent à peine conscients de la crise des otages américains en Iran, de la campagne présidentielle et encore moins des milliers d'incendies, catastrophes aériennes, meurtres, inondations, tremblements de terre et autres tragédies qui nourrissent les informations. Ce fut l'année où Laura tomba enceinte. Ce fut l'année où Danny acheta leur première maison, une villa d'Orange de style espagnol, avec quatre chambres, deux salles de bains, une salle d'eau. Laura commença son troisième roman, *Le Canif d'or*. Un jour que Danny lui demandait comment cela allait, Laura répondit :

— C'est du pipi de chat.

— Fantastique !

Le 1er septembre, ils reçurent un chèque substantiel pour les droits cinématographiques de *Shadrach* qui avaient été cédés à la MGM. Danny quitta son travail et devint le directeur financier de Laura à temps complet. Le dimanche 21 septembre, trois jours après sa sortie en librairie, *Shadrach* était placé en douzième position sur la liste des best-sellers du *New York Times*. Le 5 octobre 1980, quand Laura donna naissance à Christopher Robert Packard, *Shadrach* en était à sa troisième réimpression et avait pris la huitième place au hit-parade du *New York Times*. Il obtint ce que Spencer Keene qualifia de « critique dithyrambique » à la page cinq du supplément littéraire de ce même numéro.

Le garçon vint au monde à deux heures vingt-trois de l'après-midi dans un flot de sang beaucoup plus important que celui qui aide d'habitude les enfants à sortir de leurs ténèbres prénatales. Laura dut subir deux transfusions sanguines. Bien que toujours très fatiguée et souffrante, elle passa une meilleure nuit que prévu et fut hors de danger dès le lendemain matin.

Le lendemain, à l'heure des visites, Thelma Ackerson vint voir le bébé et la jeune maman. Toujours habillée en punk en avance sur son temps — les cheveux longs du côté gauche, très courts du côté droit, avec un drôle de toupet rappelant un peu la fiancée de Frankenstein —, elle se précipita dans la chambre. Elle alla directement vers Danny et le serra dans ses bras.

— Mon Dieu ! tu es vraiment gigantesque. Allez, avoue, tu es un mutant. Ta mère était peut-être une femme, mais ton père est un ours grizzly !

Thelma s'approcha du lit où Laura reposait, appuyée sur trois oreillers, et embrassa son amie sur la joue et le front.

— Je suis passée à la nursery avant de venir ici. J'ai vu Christopher par la vitre, il est adorable. Mais je crois que tu auras besoin de tous les millions que tu vas gagner avec ton livre, parce qu'il ressemble à son père et tu vas avoir une note de nourriture de trente mille dollars par mois ! Si tu ne le dresses pas bien, il va manger tes meubles !

— Je suis contente que tu sois venue.

— Tu crois que j'aurais raté ça ? Peut-être si j'avais joué dans un cabaret de la Mafia dans le New Jersey et que j'aie dû annuler un spectacle pour venir. Si on ne remplit pas un contrat avec ces salauds, ils vous coupent le doigt et ils vous forcent à vous en servir comme suppositoire. Mais j'étais dans le Mississippi quand j'ai appris la nouvelle et il n'y aurait eu qu'une guerre atomique ou un rendez-vous avec Paul McCartney pour me retenir.

Deux ans auparavant, Thelma avait finalement réussi à monter sur les planches à l'Improv, et elle avait fait un tabac. Elle s'était trouvé un agent et avait commencé à obtenir des petits cachets dans des cabarets de troisième, puis de deuxième ordre. Laura et Danny étaient allés la voir deux fois à Los Angeles, ils avaient failli mourir de rire. Elle écrivait ses sketches elle-même et les présentait avec le sens de l'à-propos qu'elle possédait depuis l'enfance. Son spectacle avait quelque chose de particulier qui lui assurerait un succès phénoménal ou la plongerait définitivement dans l'obscurité : tissé dans la trame des gags, on retrouvait un sens de la mélancolie, de la tragédie, qui cohabitait avec l'humour et l'absurde. En fait, ses sketches ressemblaient beaucoup aux romans de Laura, mais ce qui fascinait le public de lecteurs était moins susceptible de séduire les foules qui avaient payé pour rire aux éclats.

Thelma se pencha sur le lit et regarda attentivement Laura.

— Dis donc, tu es bien pâle. Regarde-moi ces cernes !

— Thelma, ma chérie, je suis désolée d'avoir à détruire tes illusions, mais ce ne sont pas les cigognes qui apportent les bébés. Ils sortent du ventre de leur mère, et c'est un sacré boulot !

Thelma la regarda, puis regarda Danny qui s'était approché de l'autre côté du lit pour prendre la main de Laura.

— Hé, qu'est-ce qui ne va pas ?

Mal à l'aise, Laura soupira et changea laborieusement de position en grimaçant de douleur.

— Tu vois, dit-elle à Danny, je t'avais bien dit que c'était une sorcière.

— Ça a été une grossesse difficile ?

— Non, l'accouchement, seulement.

134

— Tu n'as pas failli mourir...

— Non, non, dit Laura en sentant la main de Danny se resserrer sur la sienne. Ce n'est pas si grave que ça. On savait dès le début qu'il y aurait des problèmes, mais on a trouvé un très bon médecin, et j'ai été bien surveillée. Simplement, je ne pourrai plus avoir d'enfants. Christopher sera notre dernier.

— Je suis désolée...

— Ce n'est rien, dit Laura en s'efforçant de sourire. On a Chris, et il est magnifique.

Il y eut un moment de silence embarrassé puis Danny s'exclama :

— Je n'ai pas encore déjeuné, je suis affamé. Je vais à la cafétéria. Je reviens d'ici une heure environ.

— Il n'a pas vraiment faim, dit Thelma après le départ de Danny. Il voulait nous laisser entre filles.

— Il est adorable.

Thelma abaissa les barreaux d'un côté du lit.

— Si je m'assieds à côté de toi, je ne vais pas te déchirer le ventre ? Tu ne vas pas te mettre à saigner sur moi ?

— Je me retiendrai.

Thelma s'installa sur le haut lit d'hôpital et prit la main de Laura dans la sienne.

— J'ai lu *Shadrach* et c'est littéralement fantastique. C'est tout ce que les auteurs rêvent d'écrire sans jamais y parvenir.

— Tu es gentille.

— Moi, je ne suis qu'une vieille cynique sans pitié. Ecoute, je suis sérieuse à propos de ton livre. C'est génial ! J'y ai reconnu cette vache de Bowmaine, et Tammy. Et Boone, le psychiatre à la noix. Tu as changé les noms, mais je les ai reconnus. Tu les as parfaitement compris, Shane. Mon Dieu, il y a des moments où j'en ai eu des frissons à tel point que j'ai dû laisser tomber le livre et aller me promener au soleil. Et il y a des moments où je riais comme une folle !

Laura souffrait dans tous ses muscles, toutes ses articulations. Elle n'avait pas la force de se soulever des oreillers pour prendre Thelma dans ses bras.

— Je t'aime, Thelma.

— L'Anguille n'était pas là.

— Je le garde pour un autre roman.

— Et moi, bon sang, je ne suis même pas dans le livre alors que

135

je suis quand même le personnage le plus coloré que tu aies jamais connu !

— Toi, tu auras un livre à toi seule.

— Pour de vrai ?

— Oui. Pas celui sur lequel je travaille en ce moment, mais le suivant.

— Ecoute, Shane, t'as intérêt à me faire superbe, sinon, je te fais un procès. Tu m'entends ?

— Oui, je t'entends.

Thelma se mordit les lèvres.

— Tu vas...

— Oui, Ruthie sera là, elle aussi.

Elles gardèrent le silence un instant, main dans la main.

Des larmes retenues brouillaient la vue de Laura, mais elle s'aperçut malgré tout que Thelma clignait les yeux pour contenir les siennes.

— Ne pleure pas, tu vas gâcher ton maquillage.

Thelma leva un pied.

— T'as vu ces bottes ? Cuir noir, bouts pointus, talons d'acier, je ressemble à une vraie dominatrice, non ?

— Quand tu es entrée, la première chose que je me suis demandé, c'est combien d'hommes tu avais fouettés ces derniers temps.

Thelma soupira et renifla.

— Shane, écoute-moi bien, ton talent est sans doute plus précieux que tu ne le crois. Tu captures la vie des gens sur une page, et quand ils sont partis, la page reste là, la vie est toujours là. Tu peux mettre des sentiments sur du papier et tous ceux qui lisent tes livres ressentent les mêmes. Tu frappes au plus profond du cœur, tu nous rappelles ce que c'est d'être humain dans un monde qui l'oublie sans cesse. C'est plus de talent et de raisons de vivre que la plupart des gens en ont jamais. Oui, je sais, tu as toujours voulu une famille, trois ou quatre enfants... et je sais combien tu dois souffrir maintenant. Mais tu as Danny, Christopher et ce talent exceptionnel, et c'est déjà beaucoup.

— Parfois... j'ai tellement peur, dit Laura d'une voix tremblante.

— Peur de quoi, mon gros bébé ?

— Je voulais une grande famille... parce qu'il y a moins de chances qu'ils me soient tous retirés.

136

— Personne ne va rien te prendre.

— Avec Danny et Chris..., il pourrait arriver quelque chose.

— Il ne se passera rien.

— Et je me retrouverais toute seule.

— Il ne se passera rien.

— Il se passe toujours quelque chose, c'est la vie.

Thelma s'étendit près de Laura et posa sa tête contre son épaule.

— Quand tu as dit que l'accouchement avait été difficile et que je t'ai vue si pâle... j'ai eu peur. J'ai des amis à Los Angeles, bien sûr, mais ils sont tous dans le show-biz. Tu es la seule *véritable* personne dont je me sente proche, même si l'on ne se voit pas souvent, et l'idée que tu avais failli...

— Mais je ne suis pas morte.

— Tu risquais..., dit Thelma en forçant un rire. Ah, Shane, quand on est orphelin, on reste orphelin !

Laura la serra contre elle et lui caressa les cheveux.

Peu après le premier anniversaire de Chris, Laura remit le manuscrit du *Canif d'or* qui fut publié dix mois plus tard. Et, pour le deuxième anniversaire de Chris, le livre était en tête de la liste des best-sellers du *Times,* ce qui était une première pour Laura.

Danny géra les revenus de Laura avec une telle diligence, une telle efficacité qu'en quelques années, malgré les sévères ponctions des impôts, ils n'étaient pas seulement riches — ils étaient riches dès le début selon les critères les plus courants — mais excessivement riches. Laura ne savait guère qu'en penser. Elle ne s'y était pas attendue. Quand elle se penchait sur sa position plutôt enviable, elle estimait qu'elle devrait se sentir enthousiasmée ou, étant donné la misère qui sévit dans le monde, terrifiée, mais en fait, elle ne ressentait pas grand-chose vis-à-vis de tout cet argent. La sécurité qu'il fournissait était bienvenue et inspirait confiance. Pourtant, ils n'avaient pas prévu de quitter leur villa, bien qu'ils puissent s'offrir un véritable domaine. L'argent était là, et c'était tout. Elle n'y réfléchissait guère. Pour Laura, la vie c'était Danny et Chris, et, dans une moindre mesure, ses livres.

Avec un enfant en bas âge, elle n'avait plus guère envie de

passer soixante heures par semaine devant son ordinateur à traitement de texte. Chris marchait, parlait et n'avait jamais de ces accès de mauvaise humeur ou de rébellion qu'on décrivait comme normaux entre deux et trois ans dans tous les livres sur l'éducation des enfants. C'était un plaisir d'être avec un enfant aussi intelligent et curieux. Elle lui consacrait tout le temps qu'il était possible sans risquer de le gâter.

Les Fantastiques Jumelles Appleby, son quatrième roman, ne fut publié qu'en octobre 1984, deux ans après Le Canif d'or, mais il n'y eut aucun désintérêt du public comme c'est parfois le cas lorsqu'un auteur ne publie pas un livre par an. On lui donna une avance encore plus importante que pour les autres.

Le 1er octobre, elle était installée avec Chris et Danny sur le divan du salon à regarder un dessin animé de Beep-Beep — Beep-Beep, criait Chris chaque fois que Beep-Beep se lançait dans sa course, lorsque Thelma appela de Chicago, en larmes. Laura prit l'appel dans la cuisine adjacente. A l'écran, Vil Coyote tentait de faire exploser sa proie mais ne réussissait qu'à se faire sauter la cervelle.

— Danny, je crois que je ferais mieux de la prendre au bureau.

Au cours des quatre dernières années, la carrière de Thelma avait été sur la pente ascendante. Elle avait même été embauchée dans quelques casinos de Las Vegas. (« Hé, Shane, je dois être sacrément bonne, car les serveuses sont à moitié à poil, avec leurs beaux nichons et leurs derrières, et parfois, c'est moi que les types regardent ! A moins que je ne plaise qu'aux pédés. ») Ensuite, elle avait servi de vedette américaine dans un spectacle de Dean Martin, et avait fait quatre apparitions à la célèbre émission de Johnny Carson, Tonight. On parlait même d'un film ou d'une série télévisée dont elle serait la vedette, et elle semblait promise à une grande carrière de comédienne. En ce moment elle travaillait à Chicago, où elle était la tête d'affiche d'un établissement très coté.

Ce fut peut-être à cause de cette longue chaîne d'événements heureux dans leurs vies que Laura fut prise de panique en entendant Thelma pleurer. Depuis quelque temps déjà, elle s'attendait à voir le ciel lui tomber sur la tête avec une soudaineté qui aurait surpris les Gaulois eux-mêmes. Elle s'écroula sur la chaise de son bureau et saisit le combiné.

— Thelma, qu'est-ce qui se passe ?

— Je viens de lire... ton livre.

Laura ne parvenait pas à comprendre ce qui avait tant bouleversé Thelma dans la lecture des *Fantastiques Jumelles Appleby*, mais soudain elle se demanda si un détail du caractère de Carrie et Sandra Appleby ne l'avait pas profondément blessée. Bien qu'aucun des épisodes du roman ne reflétât la vie de Ruthie et Thelma, le caractère des deux sœurs s'inspirait des jumelles Ackerson. Pourtant, Laura avait campé ses personnages avec tendresse et bonne humeur ; Thelma n'avait pas de quoi s'offusquer à cette lecture, et c'est ce que Laura essaya d'expliquer malgré son agitation.

— Non, Shane, espèce d'andouille ! dit Thelma entre deux sanglots. Je ne me sens pas vexée. Bien au contraire, c'est pour ça que je pleure. Carrie Appleby est le portrait tout craché de Ruthie, mais dans ton livre, tu l'as fait vivre longtemps. Tu l'as laissée vivre, Shane, t'as fait du bien meilleur boulot que la vraie vie !

Elles discutèrent pendant plus d'une heure, de Ruthie surtout, parlèrent de leurs vieux souvenirs, avec plus d'affection que de larmes. Danny et Chris apparurent plusieurs fois dans l'encadrement de la porte, l'air triste et abandonné. Laura leur envoya des baisers, mais elle resta au téléphone, car c'était l'un des rares moments où le souvenir des morts importait plus que les vivants.

Deux semaines avant Noël 1985, alors que Chris avait un peu plus de cinq ans, la saison des pluies de Californie commença par une averse terrifiante qui fit claquer les feuilles de palmiers comme des os, arracha les derniers pétales des impatiens et inonda les rues. Chris dut rester à l'intérieur. Son père était parti voir un nouveau domaine qui offrait des possibilités d'investissement et l'enfant s'ennuyait. Il ne cessait de déranger Laura dans son bureau sous des prétextes divers et variés et, à onze heures, Laura abandonna son travail pour sortir les plateaux à pâtisserie du placard en promettant à Chris qu'il pourrait l'aider à préparer des biscuits au chocolat.

Avant d'aller le rejoindre, elle prit les bottes palmées de sire Thomas Crapaud ainsi que son écharpe miniature et son minuscule parapluie qu'elle avait conservés pour des occasions de ce genre.

Plus tard, tandis qu'elle enfournait un plateau de biscuits, elle demanda à Chris d'aller voir sur le palier si le facteur n'avait pas déposé un paquet urgent qu'elle attendait d'un moment à l'autre. Chris revint les joues toutes rouges d'animation.

— Maman, maman, viens voir !

Dans le vestibule, il lui montra les trois objets.

— Cela doit être à sire Tommy. Oh, mon Dieu, j'ai oublié de te dire que nous avions un locataire. Un gentilhomme crapaud d'Angleterre, envoyé par la reine pour affaires.

Elle avait huit ans quand son père avait inventé sire Tommy, et elle avait pris cette histoire pour un récit imaginaire, mais Chris n'avait que cinq ans et il y crut dur comme fer.

— Où va-t-il dormir ? Dans la chambre d'amis ? Où dormira pépé quand il viendra nous voir ?

— Non, sire Tommy a loué une chambre dans le grenier. Il ne faut pas le déranger, ni parler de lui à qui que ce soit, sauf à papa, car il est ici incognito pour le compte de Sa Majesté.

Chris la regarda avec des yeux écarquillés, et Laura dut retenir son envie de rire. Il avait des cheveux noirs, comme elle et Danny, mais ses traits délicats ressemblaient à ceux de sa mère. Malgré sa petite taille, il semblait qu'il serait un jour aussi grand et aussi solide que son père.

— Pourquoi ? Sire Tommy, c'est un espion ? demanda-t-il en chuchotant.

Pendant tout l'après-midi, tout en faisant cuire les biscuits et en jouant, Chris ne tarit pas de questions à propos de sire Tommy. Laura découvrit qu'il était parfois plus difficile de construire des histoires pour enfants que d'écrire des romans pour adultes.

Danny rentra à quatre heures et demie et leur cria bonjour de la porte qui donnait sur le garage.

Chris sauta de sa chaise et se précipita vers son père.

— Chut, papa, il ne faut pas faire de bruit. Sire Tommy est peut-être endormi. Il a fait un long voyage. C'est la reine d'Angleterre, et il espionne dans notre grenier.

Danny fronça les sourcils.

— Quoi ? Il suffit que je m'en aille cinq minutes, et ma maison est envahie par des espions anglais déguisés en filles ?

140

Cette nuit-là, Laura fit l'amour avec une passion qui la surprit elle-même.

— Qu'est-ce qui t'arrive aujourd'hui ? demanda Danny. Je ne t'ai jamais vue aussi enthousiaste... aussi gaie.

Elle se blottit contre le corps nu de son mari, profitant du contact de sa peau :

— Oh, je ne sais pas... Je suis vivante, Chris est vivant, tu es vivant, nous sommes tous ensemble. Et puis, sire Thomas Crapaud est revenu.

— Et ça t'excite ?

— Oui, mais c'est plus que ça... J'ai l'impression que la vie continue, que le cycle recommence... Tu crois que c'est idiot ? J'ai l'impression que la vie continue pour nous et qu'elle continuera pendant longtemps.

— Oui, tu as raison, à moins que tu ne t'obstines à mettre autant d'énergie à faire l'amour. Dans ce cas, tu me tueras avant trois mois.

En octobre 1986, alors que Chris avait cinq ans, Laura publia son cinquième roman, *La Rivière sans fin*, qui fut acclamé par la critique et remporta un succès encore plus immense que ses livres précédents. L'éditeur n'en fut pas étonné. « Il y a tout l'humour, tout le sens de la tragédie et de l'étrange des romans de Laura Shane, mais d'une certaine manière, ce n'est pas aussi sombre que les autres, et c'est ce qui le rend aussi fascinant. »

Depuis deux ans, Laura et Danny emmenaient Chris dans les montagnes de San Bernardino et aux lacs d'Arrowhead et de Big Bear au moins un week-end par mois pour que l'enfant sache bien que le monde ne ressemblait pas toujours à la banlieue agréable mais plutôt urbanisée du comté d'Orange. Avec le succès de sa carrière, les investissements astucieux de Danny et la nouvelle humeur de Laura qui ne lui faisait plus seulement entretenir son optimisme mais le vivre réellement, ils décidèrent d'acheter une maison de campagne à la montagne.

C'était une maison de douze pièces en pierre et séquoia près de la route 330, à quelques kilomètres au sud du lac de Big Bear. En fait, c'était une demeure plus luxueuse que la villa d'Orange où ils habitaient pendant la semaine. Dans le parc, poussaient des genévriers et des pins, et le voisin le plus proche était hors de vue. Dès le premier week-end, alors qu'ils faisaient un bonhomme de neige, ils virent un cerf pointer le nez à l'orée de la forêt, à une vingtaine de mètres d'eux.

Chris fut enthousiasmé à la vue de l'animal, et quand on le mit au lit ce soir-là, il était sûr que c'était lui qui conduisait le traîneau du Père Noël. C'était là qu'habitait le gros bonhomme tout rouge, et non pas au pôle Nord, comme le prétendait la légende.

Le Vent dans les étoiles parut en octobre 1987, et, une fois de plus, ce fut un succès plus grand que les autres. En novembre, le jour de Thanksgiving, *La Rivière sans fin* sortit en film et fut classé premier au box-office de cette année-là.

Le vendredi 8 janvier, heureux de savoir que *Le Vent dans les étoiles* serait en première position au hit-parade du *Times* pour la cinquième semaine consécutive, ils décidèrent d'aller à Big Bear dès le vendredi après-midi, quand Chris sortirait de l'école. Le mardi suivant, Laura fêterait ses trente-trois ans, et ils avaient l'intention de célébrer l'événement en avance, tous les trois, dans les montagnes, avec le vent qui chanterait dans la neige blanche, pareille au glaçage d'un gâteau d'anniversaire.

Habitué à leur présence, un cerf s'aventura à quelques mètres de la maison le samedi matin. Mais Chris avait sept ans, il avait entendu dire que le Père Noël n'existait pas et n'était plus sûr que ce n'était pas un cerf comme les autres.

Tout était parfait, c'était peut-être même le meilleur week-end qu'ils eussent jamais passé à la montagne, mais ils durent malheureusement l'abréger. Ils avaient l'intention de partir à six heures, lundi matin, et d'accompagner directement Chris à son école, mais un orage s'annonça le dimanche en fin d'après-midi, et, bien qu'ils ne fussent qu'à une heure et demie de route du climat plus doux de la côte, les services de météorologie annonçaient cinquante centimètres de neige dès le lendemain matin. Pour ne pas risquer de faire manquer l'école à Chris, éventualité à envisager malgré leur Blazer à quatre roues motrices, ils fermèrent la maison de pierre et de séquoia et se dirigèrent vers la route 330 quelques minutes après quatre heures.

La Californie du Sud est un des rares lieux où l'on peut passer d'un paysage hivernal à une température quasi tropicale en moins de deux heures, et Laura avait toujours beaucoup apprécié ce trajet. Tous trois portaient des vêtements de neige, chaussettes de laine, bottes, pantalon de ski, pull-overs et parka, mais dans une heure et quart, ils n'auraient plus besoin d'être ainsi emmitouflés, et dans deux heures, ils seraient de nouveau en bras de chemise.

Laura prit le volant, Danny était installé à côté d'elle et, avec Chris à l'arrière, ils jouaient à un jeu d'association de mots qu'ils avaient inventé pour passer le temps lors des précédents voyages. Rapidement, la neige atteignait même les portions de la grande route abritées par des arbres de chaque côté, et dans les parties découvertes, les flocons drus tourbillonnaient dans les courants capricieux du vent de montagne, réduisant la visibilité. Laura conduisait prudemment, peu lui importait que les deux heures de route en prennent trois, ils avaient toute la vie devant eux.

Quand elle sortit du virage à quelques kilomètres de leur maison, elle aperçut une Jeep rouge garée sur le bas-côté droit et un homme en manteau de marin au milieu de la route. Il descendait la colline et agitait les bras, leur faisant signe d'arrêter.

Danny se pencha en avant et plissa les yeux pour mieux voir à travers le pare-brise.

— On dirait qu'il a des ennuis.

— Patrouille Packard à la rescousse, s'écria Chris du siège arrière.

Laura ralentit, et l'homme fit des grands gestes leur indiquant de se garer sur le bas-côté.

— Il y a quelque chose de bizarre.

Oui, bizarre de voir son ange gardien ! Après toutes ces années, cette apparition l'effraya.

· 10 ·

Il venait juste de sortir de la Jeep volée quand la Blazer apparut à la sortie du virage. Il se précipita vers le véhicule, pour le ralentir, à peu près au tiers de la pente, mais comme il se trouvait toujours au milieu de la route, il leur fit signe de se garer aussi près que possible du bord du ravin. Au début, Laura continua d'avancer, se demandant sans doute s'il s'agissait d'un automobiliste en difficulté ou d'un homme dangereux, mais quand elle fut assez proche pour discerner son visage, et peut-être le reconnaître, elle obtempéra immédiatement.

Tandis qu'elle le dépassait et garait sa voiture, Stefan fit demi-tour, courut à leur rencontre et ouvrit la porte.

— Ne restez pas dans la voiture, descendez !

— Hé là... ! s'exclama Danny.

— Fais ce qu'il te dit. Chris, descends.

Stefan agrippa le bras de Laura et l'aida à sortir. Tandis que Danny et Chris descendaient eux aussi, Stefan perçut un bruit de moteur dans les hurlements du vent. Il leva les yeux et vit qu'un camion avait dépassé le sommet et amorçait sa descente. Il poussa Laura devant lui et fit le tour de la Blazer en courant.

— Vite, sur le talus ! dit Stefan en escaladant le monticule de neige formé par les chasse-neige qui montait doucement vers la ligne des arbres.

Laura regarda la route et vit le camion, à quelques centaines de mètres, qui commençait à glisser sur la pente et finit par poursuivre son chemin en travers de la route. S'ils ne s'étaient pas arrêtés, si son ange gardien ne les avait pas retardés, ils auraient été juste en dessous de la crête. D'ores et déjà, le véhicule aurait percuté le leur.

Danny avait pris Chris sur son dos car lui aussi avait vu le danger. Le camion risquait de dévaler toute la colline sans que le chauffeur puisse reprendre le contrôle de son véhicule et risquait de heurter la Jeep et la Blazer. Portant toujours Chris, il se frayait un chemin dans le tas de neige, en criant à Laura d'avancer.

Laura grimpait à quatre pattes en cherchant des points d'appui pour ses mains et ses pieds. La neige recouverte d'une couche de glace se brisait sous les pieds, et, à plusieurs reprises, Laura faillit tomber en arrière et se retrouver sur le bas-côté. Quand elle rejoignit son ange gardien, Danny et Chris à quelques mètres au-dessus de la route, sur une plaque rocheuse près des arbres, assez étroite mais épargnée par la neige, il lui sembla avoir escaladé pendant plusieurs minutes. Pourtant, son sens de la durée devait être troublé par la peur, car, en bas, le camion glissait toujours vers eux, à une soixantaine de mètres à présent. Il avait effectué une révolution complète et descendait à nouveau en crabe.

Comme au ralenti, le destin s'incarnait dans les flocons mousseux sous la forme de quelques tonnes d'acier. Dans la remorque, il y avait un chasse-neige qu'on n'avait pas pris la précaution d'attacher ou de fixer. Le chauffeur avait compté sur l'inertie du poids pour qu'il tienne en place. A présent, il ballottait de tous côtés et contribuait à déstabiliser le véhicule. Il semblait que le camion allait bientôt faire un tonneau au lieu de continuer à tourner sur lui-même.

Le chauffeur se débattait avec le volant. A côté de lui, une femme hurlait. Mon Dieu, les pauvres gens ! songea Laura.

Comme s'il devinait ses pensées, son ange gardien lui cria :

— Ils sont ivres, tous les deux, et ils n'ont pas de chaînes.

Si vous en savez autant sur eux, vous les connaissez sûrement, pourquoi ne les avez-vous pas arrêtés ? Pourquoi ne les avez-vous pas sauvés eux aussi ? pensa-t-elle.

Dans un vacarme épouvantable, l'avant du camion s'enfonça dans la Jeep. La femme, qui ne portait pas de ceinture de sécurité, fut à demi projetée à travers le pare-brise, où elle resta accrochée, moitié à l'extérieur, moitié dans la cabine...

— Chris ! hurla Laura, mais elle s'aperçut que Danny avait reposé l'enfant à terre et le serrait contre lui pour qu'il n'assiste pas au spectacle de l'accident.

... La collision ne suffit pas à arrêter le camion, il avait pris trop de vitesse et le sol était trop glissant. Pourtant, l'impact le fit changer de direction. Il vira vers la droite du chauffeur et descendit la colline à reculons. Le chasse-neige explosa littéralement à travers le hayon, s'envola et s'écrasa sur le toit de la Blazer, faisant éclater le pare-brise. Une seconde plus tard, l'arrière du camion heurta la voiture avec assez de force pour la repousser de trois mètres malgré le frein à main serré...

Bien qu'elle assistât à la scène d'un endroit sûr, Laura s'agrippa au bras de Danny, horrifiée à la pensée qu'ils auraient sûrement été blessés, mortellement peut-être, s'ils s'étaient réfugiés près de la voiture.

... Le camion rebondit. La femme ensanglantée retomba dans la cabine. Plus lent à présent, mais toujours fou, le véhicule entama un virage à soixante degrés dans un étrange ballet de mort et traversa la route pour aller se jeter dans le ravin du côté opposé, dans le vide, hors de vue.

Bien qu'il n'y ait plus rien à voir, Laura se couvrit le visage des mains, sans doute pour chasser l'image mentale du véhicule et de ses occupants disparaissant au fond du ravin, à une centaine de mètres en contrebas. Le chauffeur et sa passagère seraient morts avant d'atteindre le fond. Malgré les rafales de vent, on entendit la tôle heurter un rocher puis un autre. En quelques secondes, le bruit s'estompa pour laisser place aux hurlements de la tempête.

Abasourdis, ils descendirent vers le bas-côté, entre la Jeep et la Blazer, où des éclats de verre et de métal jonchaient le sol. Un nuage de vapeur sortait du dessous de la Blazer dont le radiateur avait été percé, et le véhicule craquait sous le poids du chasse-neige encastré dans le toit.

Chris pleurait. Laura alla vers lui. Il se jeta dans les bras de sa mère qui le serra contre elle et continua à sangloter dans son cou.

— Mais qui êtes-vous, nom d'une pipe...? demanda Danny.

Laura observait son ange gardien, presque incapable de croire à sa présence. Elle ne l'avait pas vu depuis plus de vingt ans, depuis qu'elle l'avait aperçu dans un bosquet de lauriers du cimetière à l'âge de douze ans, lors de l'enterrement de son père. Elle ne l'avait pas vu de près depuis vingt-cinq ans, depuis qu'il avait tué le junkie dans l'épicerie de son père. Ensuite, comme il n'était pas venu à son secours quand elle avait été agressée par l'Anguille, elle avait perdu foi en lui, sentiment confirmé par la mort de Nina et de Ruthie. Avec le temps, il n'était plus qu'une figure de rêve, plus proche du mythe que de la réalité, et, ces dernières années, elle n'avait plus guère pensé à lui. Elle y avait renoncé un peu comme Chris renonçait à croire au Père Noël. Elle avait toujours le mot qu'il avait laissé sur son bureau après l'enterrement, mais, depuis longtemps, elle s'était convaincue qu'il venait de la plume de Cora ou de Tom Lance, les amis de son père, plutôt que de celle d'un ange gardien magique. Et voilà qu'il l'avait à nouveau sauvée. Danny voulait savoir qui il était, et Laura se posait la même question.

Le plus étrange, c'est qu'il n'avait pas du tout changé. Il était exactement comme avant. Elle l'avait reconnu immédiatement, malgré le passage du temps, car il n'avait pas vieilli. Il paraissait toujours trente-cinq ou quarante ans. C'était impossible, pourtant, il n'était pas marqué par les ans, n'avait pas un cheveu gris, pas une ride. Il devait avoir l'âge de son père, lors de ce jour sanglant dans l'épicerie, et à présent, il appartenait à sa propre génération ou à peu près.

Avant que l'homme puisse répondre à la question de Danny ou trouver un moyen de s'esquiver, une voiture apparut en haut de la côte et s'avança vers eux. C'était une Pontiac de modèle récent équipée de chaînes qui chantaient dans la neige. Le chauffeur vit les véhicules endommagés et remarqua les traces de pneus du camion qui n'avaient pas encore été effacées par la neige. Il ralentit. A vitesse réduite, le chant des chaînes se transforma en crissement. Il traversa la chaussée et se dirigea vers l'autre voie. Pourtant, au lieu de se garer, il poursuivit sa route sur la mauvaise voie et s'arrêta à quelques mètres d'eux, derrière la Jeep. Quand il ouvrit la porte, le chauffeur, grand, vêtu de noir, portait un objet que, trop tard, Laura identifia comme un pistolet mitrailleur.

— Kokoschka ! s'exclama son gardien.

Au moment où on prononçait son nom, Kokoschka ouvrit le feu.

Bien qu'il ait quitté le Viêt-nam depuis plus de quinze ans, Danny réagit avec le réflexe du soldat. Tandis que les balles ricochaient sur la carrosserie des voitures, Danny empoigna Laura et Chris et les plaqua au sol avec Chris entre les deux véhicules.

Alors qu'elle se couchait sous la ligne de tir, Laura vit que Danny était touché dans le dos par une ou deux balles. Elle sursauta comme si c'était elle qui avait été blessée. Danny s'écroula à genoux devant le capot de la Blazer.

Laura cria et, tenant Chris par le bras, s'approcha de son mari.

Il était toujours en vie et se tourna vers eux. Pâle comme les flocons de neige qui tourbillonnaient autour d'eux, il ressemblait plus à un fantôme qu'à un être vivant.

— Sous la Jeep, vite ! dit Danny en repoussant la main de Laura d'une voix humide et rauque, comme si ses cordes vocales étaient brisées.

Une des balles l'avait complètement traversé. Une tache de sang rouge apparaissait sur son parka bleu.

En la voyant hésiter, il se redressa sur ses genoux et la poussa vers la Jeep, à quelques pas de là.

Une autre rafale de balles transperça l'air hivernal.

De toute évidence, l'homme à la mitraillette contournerait la Jeep et les tuerait dans leur abri. Pourtant, il n'y avait aucun endroit où se réfugier. S'ils se dirigeaient vers les arbres, Kokoschka les toucherait bien avant qu'ils n'aient atteint la sécurité de la forêt, et, de l'autre côté, il n'y avait rien que le ravin escarpé. S'ils montaient la colline, ils se précipiteraient au-devant de leur agresseur ; s'ils descendaient, ils lui présenteraient le dos et n'en seraient que des cibles plus faciles.

Le tir de mitraillette redoubla. Les vitres explosèrent. Les balles perçaient le métal avec des petits *sching-sching*.

Laura rampa vers la Jeep, tirant Chris derrière elle, et vit son ange gardien se faufiler dans l'espace étro couvert de neige et la voiture. Il était accroupi sous le pare-chocs, hors de vue de celui qu'il avait appelé Kokoschka. Avec la peur, il avait perdu toute apparence magique, ce n'était plus un ange gardien, mais un homme comme les autres ; en fait, il n'était même plus un sauveur, mais un agent de la Mort, puisque sa présence avait attiré le tueur.

Sur l'insistance de Danny, elle se faufila sous la Jeep. Chris rampa lui aussi, sans pleurer, très courageux pour son âge, mais il n'avait pas vu que son père était blessé, car il avait le visage collé contre le sein de sa mère. A quoi bon se cacher sous la Jeep, puisque Kokoschka les trouverait de toute façon ? Il ne pouvait pas être assez stupide pour ne pas penser à cet endroit, en l'absence de toute autre cachette. Ils gagnaient tout juste un peu de temps.

Quand elle fut entièrement sous le châssis, Chris bien serré contre elle pour lui offrir la protection de son corps, elle entendit Danny lui parler.

— Je t'aime.

Son cœur se noua car elle comprit que c'étaient des mots d'adieu.

Stefan se glissa entre la Jeep et le monticule de neige sale. L'espace réduit ne lui avait pas permis de sortir de ce côté de la voiture, et il pouvait tout juste se tortiller vers le pare-chocs arrière où Kokoschka ne s'attendait pas à le voir, où il aurait peut-être sa chance avant que l'agresseur se retourne et l'arrose de balles.

Kokoschka. Stefan n'avait jamais été aussi surpris qu'en le voyant sortir de la Pontiac. Cela signifiait qu'à l'institut, les autres étaient au courant de ses activités subversives. Ils savaient aussi qu'il s'était interposé entre Laura et son véritable destin.

148

Kokoschka avait emprunté la route de l'Orage derrière lui dans l'intention de les tuer, lui et Laura.

Tête baissée, Stefan se frayait un passage. Au-dessus de lui, les rafales de balles sifflaient et faisaient voler en éclats les vitres. Derrière lui, la neige gelée s'enfonçait douloureusement dans son corps. Luttant contre la douleur, il pressait le dos contre le monticule de neige pour élargir le passage. Le vent s'engouffrait dans l'espace exigu, rugissait contre la paroi de métal, si bien qu'il lui semblait affronter une créature invisible qui lui hurlait au visage.

Il avait vu Laura et Chris se faufiler sous la Jeep, mais il savait que cela leur permettrait à peine de gagner quelques minutes, moins peut-être. Dès que Kokoschka serait parvenu de l'autre côté de la Jeep, ne les trouvant pas, il ne manquerait pas de regarder sous le véhicule. Il se coucherait à plat ventre et ouvrirait le feu, les réduisant en bouillie sous leur abri précaire.

Et Danny ? Il était si imposant, si carré, il ne pourrait sûrement pas se glisser sous la voiture. Et puis, il était blessé, la douleur devait le raidir. De plus, il n'était pas du genre à fuir les ennuis, même de cette taille.

Enfin, Stefan parvint au niveau du pare-chocs arrière. Prudemment, il regarda de l'autre côté et vit la Pontiac garée à quelques mètres, porte du chauffeur ouverte, moteur en marche. Pas de Kokoschka. Son Walther PPK/S .38 en main, Stefan se dégagea du tas de neige et avança derrière la Jeep. Il s'accroupit derrière le hayon et pencha la tête.

Kokoschka était au milieu de la route et avançait vers l'avant du véhicule, où, croyait-il, tout le monde s'était réfugié. Il portait un Uzi à magasin spécial, arme choisie pour cette mission parce qu'elle ne semblerait pas anachronique. Tandis qu'il parvenait à l'espace libre entre la Jeep et la Blazer, Kokoschka ouvrit à nouveau le feu, balayant de son pistolet mitrailleur de droite et de gauche. Les balles éraflèrent le métal, déchirèrent les pneus et s'enfoncèrent dans la neige.

Stefan tira sur Kokoschka, mais manqua son coup.

Soudain, dans un accès de courage insensé, Danny Packard jaillit de sa cachette devant la calandre de la Jeep, où il devait être couché par terre pour avoir évité les balles qui venaient d'arroser la voiture, et se jeta sur Kokoschka. Malgré ses blessures, il était toujours rapide et puissant, et, pendant un instant, Stefan crut qu'il allait déséquilibrer le tueur. Kokoschka brandissait toujours son Uzi, s'éloignant déjà de sa cible, quand il vit Danny. Il se retourna et fit pivoter son canon. S'il avait été plus près de la Jeep et non au milieu de la route, il n'aurait pas pu tirer à temps.

— Danny ! Non ! cria Stefan, en tirant à trois reprises sur Kokoschka.

Mais Kokoschka avait gardé ses distances et il visa Danny qui était encore à un mètre de lui. Immédiatement, Danny tomba sous l'impact des balles.

Stefan ne se sentit pas consolé de voir que Kokoschka était blessé lui aussi par une balle dans la cuisse et une dans l'épaule. Kokoschka tomba à la renverse et lâcha son arme qui tournoya comme une toupie sur le sol.

Sous la Jeep, Laura hurlait.

Stefan quitta son abri et courut vers Kokoschka, près de la Blazer à présent, une dizaine de mètres plus bas. Il lutta pour conserver son équilibre sur le sol glissant.

Gravement blessé, Kokoschka le vit malgré tout approcher. Il roula vers l'Uzi qui s'était arrêté contre les pneus de la Blazer.

Stefan tira encore trois fois, mais il n'avait pas la stabilité requise pour un tir précis et il manqua cette ordure de Kokoschka qui se déplaçait. Stefan dérapa et tomba à genoux au milieu de la route. Le choc fut si violent qu'il se propagea dans la cuisse et les hanches.

Toujours en roulant au sol, Kokoschka saisit son arme.

Comprenant qu'il ne parviendrait pas à viser à temps, Stefan se mit à genoux et leva son Walther en le tenant à deux mains. Kokoschka était à moins d'une vingtaine de mètres, mais même un bon tireur pouvait manquer sa cible à cette distance dans des circonstances défavorables, et, pour être défavorables, elles l'étaient ! La panique, un mauvais angle de tir, un vent violent...

Plus bas, Kokoschka ouvrit le feu dès qu'il mit la main sur son arme, avant même de pouvoir viser. Les vingt premières balles se perdirent sous la Blazer et déchirèrent les pneus avant.

Tandis que Kokoschka dirigeait le canon vers lui, Stefan tira ses trois derniers coups avec le plus grand soin. Malgré le vent et le mauvais angle de tir, il ne fallait pas les gâcher, car il n'aurait pas le temps de recharger.

Le premier manqua sa cible.

Le pistolet mitrailleur de Kokoschka poursuivait sa courbe, et l'arc atteignit l'avant de la Jeep. Laura et Chris étaient sous le véhicule. Kokoschka tirait au niveau du sol, et sans aucun doute quelques balles perdues s'étaient glissées sous la voiture.

Stefan tira de nouveau. Cette fois, il toucha Kokoschka au torse et la mitraillette cessa son feu. Le troisième et dernier coup de Stefan atteignit Kokoschka à la tête. C'était fini.

Sous la Jeep, Laura vit l'assaut courageux de Danny, le vit s'écrouler sur le dos, immobile, et sut immédiatement qu'il n'y aurait pas de rémission cette fois. Telle une immense déflagration, un éclair de douleur la transperça. Elle envisagea l'avenir sans Danny, vision illuminée de noirceur et d'une puissance si meurtrière qu'elle faillit s'évanouir.

Puis elle pensa à Chris, toujours vivant, qui s'abritait contre elle. Laura chassa sa peine, sachant qu'elle reviendrait plus tard, si jamais elle survivait. Pour le moment, l'important, c'était la vie de Chris et, si possible, le protéger de la vue du cadavre de son père déchiqueté par les balles.

Danny lui avait partiellement obstrué la scène, mais elle avait vu que Kokoschka était touché. Elle avait vu son gardien s'approcher du tueur, et, pendant un instant, il lui avait semblé que le pire était terminé. Puis son gardien était tombé à genoux et Kokoschka avait roulé jusqu'au pistolet mitrailleur qu'il venait de lâcher. D'autres coups de feu. Des milliers de coups de feu en quelques secondes. Elle avait entendu quelques balles siffler sous la Jeep, terriblement proches, du plomb qui chuchotait dans l'air, le bruit le plus tonitruant du monde.

Ensuite, le silence avait été parfait. Elle ne percevait même pas les sourds sanglots de son fils. Graduellement, ces sons s'imposèrent malgré tout.

Quand elle vit que son gardien était toujours en vie, elle fut partiellement soulagée, partiellement furieuse, car il avait amené Kokoschka avec lui, et Kokoschka avait tué Danny. Pourtant, sans lui, elle, Chris et Danny auraient péri dans l'accident avec le camion. Qui était-il ? D'où venait-il ? Pourquoi s'intéressait-il à elle ? Elle était terrifiée, bouleversée, malade de douleur... troublée...

Souffrant visiblement, son gardien se leva et avança en

clopinant jusqu'à Kokoschka. Laura se retourna pour regarder en bas de la colline, derrière la tête immobile de Danny. Elle ne voyait pas très bien ce qu'il faisait, mais il lui sembla qu'il déchirait les vêtements de Kokoschka.

Un peu plus tard, il boitilla vers elle, en portant quelque chose qu'il venait de prendre sur le cadavre.

Il s'accroupit sous la Jeep et la regarda.

— Sortez, c'est fini.

Il avait le teint livide et en quelques minutes semblait avoir gagné au moins quelques-unes des vingt-cinq dernières années perdues. Il s'éclaircit la gorge. D'une voix pleine d'un remords sincère, il dit :

— Je suis désolé, Laura, vraiment désolé.

Elle rampa sur le ventre vers l'arrière de la Jeep et se cogna la tête contre le châssis. Elle poussa Chris et l'encouragea à sortir du même côté qu'elle, car s'il allait à l'avant, il risquait de voir le corps de son père. Son gardien les aida à se dégager. Laura s'assit sur le pare-chocs arrière et serra Chris contre elle.

— Je veux papa, dit le garçon d'une voix tremblante.

Oh, moi aussi, je le veux, moi aussi, mon bébé, c'est la seule chose que je veux au monde.

Le vent s'était transformé en véritable blizzard et déversait la neige du ciel. L'après-midi tirait à sa fin, la lumière s'obscurcissait, tout autour d'eux, le jour triste et gris laissait place à l'étrange noirceur fluorescente d'une nuit enneigée.

Par ce temps, peu de gens prennent la route, mais Stefan était sûr que quelqu'un ne tarderait pas à arriver. Il ne s'était guère écoulé plus de dix minutes depuis qu'il avait arrêté Laura, mais même dans cette région rurale, l'intervalle entre deux véhicules ne durait jamais plus longtemps. Il avait besoin de parler avec elle avant qu'il ne soit pris dans les conséquences tumultueuses de cette rencontre sanglante.

Il s'accroupit en face d'elle et du garçonnet en larmes derrière la Jeep et dit :

— Laura, je dois partir, mais je serai bientôt de retour, dans quelques jours au plus...

— Qui êtes-vous ?

— Je n'ai pas le temps de vous expliquer maintenant.

— Je veux savoir, j'ai le droit de savoir.

— Oui, je sais, je vous raconterai tout dans quelques jours. Mais pour le moment, il faut mettre votre récit au point, comme la dernière fois, à l'épicerie. Vous vous en souvenez ?

— Allez au diable !

— C'est pour votre bien, Laura, dit-il, sans perdre son calme. Vous ne pouvez pas dire la vérité parce que cela ne tient pas debout. On croira que vous avez tout inventé. Surtout quand vous m'aurez vu partir... Si vous leur racontez comment je suis parti, ils vous prendront pour une complice ou pour une folle.

Elle le regarda sans rien dire. Il ne lui en voulait pas d'être en colère. Peut-être même désirait-elle sa mort, mais cela aussi, il le comprenait. Il n'éprouvait pour elle qu'amour, compassion et respect.

— Vous direz à la police que quand vous êtes sortis du virage, il y avait *trois* voitures garées sur le bas-côté, la Pontiac dans le mauvais sens, comme elle l'est maintenant... et une autre voiture sur la voie nord. Il y avait... quatre hommes, dont deux étaient armés, et ils semblaient avoir obligé la Jeep à s'arrêter. Vous êtes arrivée au mauvais moment, c'est tout. Ils ont braqué une mitraillette sur vous, vous ont forcée à vous arrêter, ils vous ont fait descendre. A un moment, vous avez entendu parler de cocaïne... Ils parlaient de drogue, vous ne savez pas très bien, mais ils se disputaient à ce sujet, et ils avaient sans doute traqué l'homme à la Jeep...

— Des dealers, là, au milieu de nulle part ! dit-elle, méprisante.

— Il pourrait y avoir des laboratoires dans le coin, une cabane dans les bois... Ecoutez, si l'histoire a un minimum de vraisemblance, tout le monde sera prêt à vous croire. La vérité ne tient pas debout, alors, ne la dites pas. Racontez-leur que les Robertson sont arrivés en camion... bien sûr, vous ne connaissez pas leur nom... Et comme la route était bloquée par toutes ces voitures, le camion s'est mis à déraper.

— Vous avez un accent, assez léger, mais perceptible quand même, dit-elle, furieuse. D'où êtes-vous ?

— Je vous dirai tout dans quelques jours, dit-il, impatient, en scrutant la route enneigée. Je vous le jure, mais il faut que vous me promettiez de leur raconter cette histoire, vous pouvez l'arranger tant que vous voudrez, mais surtout, ne leur dites pas la vérité.

— Je n'ai pas le choix, c'est ça ?

— Non, dit-il, soulagé de voir qu'elle avait compris la situation.

Elle restait accrochée à son fils sans rien dire.

Stefan recommençait à sentir la douleur dans ses pieds à moitié gelés. La chaleur de l'action s'était dissipée, et il frissonnait de tous ses membres. Il lui tendit la ceinture qu'il avait prise sur le corps de Kokoschka.

— Mettez ça dans votre parka. Ne la montrez à personne. Cachez-la chez vous.

— Qu'est-ce que c'est ?

— Plus tard. J'essaierai de revenir dans quelques heures. Dans quelques heures seulement. Surtout, ne la mettez pas, et pour l'amour de Dieu, n'appuyez pas sur le bouton jaune.

— Et pourquoi ?

— Parce que vous n'avez pas envie d'aller là où cela vous emmènerait.

— M'emmener ?

— Je vous expliquerai, mais pas maintenant.

— Pourquoi vous ne voulez pas l'emporter ?

— Deux ceintures sur un corps, c'est une anomalie... Cela provoquera des perturbations dans le champ de l'énergie, et Dieu sait où je finirais dans ces conditions.

— Je ne comprends rien. De quoi parlez-vous ?

— Plus tard, Laura. Mais si jamais je ne revenais pas, il vaudrait mieux que vous preniez des précautions.

— Quel genre de précautions ?

— Armez-vous. Soyez prête. Il n'y a aucune raison pour qu'ils s'acharnent sur vous une fois qu'ils m'auront eu, mais ça se pourrait. Ils se repaissent de vengeance. Et s'ils viennent vous chercher... attendez-vous à un escadron... et armé jusqu'aux dents.

— Ils ? Qui ça « ils » ?

Sans répondre, il se redressa en grimaçant de douleur. Il recula en lui adressant un dernier et long regard. Puis il se tourna, la laissant dans la neige et le froid, appuyée contre la silhouette noire de la Jeep délabrée, avec son enfant terrifié et son mari mort.

Lentement, il avança au milieu de la route où la lumière semblait venir de la neige plus que du ciel. Elle l'appela, mais il ne répondit pas.

Il rangea son pistolet dans son étui sous son manteau. Il fouilla à l'intérieur de sa chemise, localisa le bouton jaune de sa ceinture de voyage et hésita...

Ils avaient envoyé Kokoschka pour l'arrêter. A présent, ils attendaient à l'institut pour connaître la suite des événements. On l'arrêterait dès son arrivée. Il n'aurait sans doute plus jamais l'occasion de prendre la route de l'Orage et de revenir la voir comme il l'avait promis.

La tentation de rester était grande.

Pourtant, s'il restait, ils enverraient quelqu'un d'autre le tuer et il passerait toute sa vie à fuir tueur après tueur en voyant changer le monde autour de lui d'une manière intolérable. S'il rentrait, il avait peut-être encore une chance de pouvoir détruire l'institut. De toute évidence le Dr Penlovski et les autres étaient au courant de son intrusion dans la vie de cette femme, mais peut-être ne savaient-ils pas qu'il avait placé des explosifs dans le grenier et le sous-sol de l'institut. Dans ce cas, s'ils lui laissaient la possibilité de retourner dans son bureau, ne serait-ce que quelques instants, il pourrait presser sur le bouton et envoyer ce lieu maudit et ses milliers de dossiers à leur véritable place, en enfer. Malgré tout, il était probable qu'ils aient trouvé les charges de plastic et qu'ils les aient désamorcées. Mais tant qu'il restait une chance de pouvoir détruire le projet et fermer à tout jamais la route de l'Orage, il se sentait moralement obligé de retourner à l'institut, même si cela signifiait ne jamais revoir Laura.

Plus le jour baissait, plus l'orage se faisait cruel. Sur la montagne, le vent rugissait dans les pins gigantesques et les branches crissaient, tels des mille-pattes géants qui dévalaient la pente. Les flocons, fins et secs à présent comme des morceaux de glace, semblaient poncer le sol, comme du papier de verre, jusqu'à ce qu'il n'y ait plus ni sommets ni vallées, rien qu'une morne plaine à perte de vue.

La main sous son manteau, Stefan appuya trois fois sur le bouton jaune, ce qui alluma le voyant lumineux. A regret, et plein de terreur, il retourna dans son propre temps.

Tenant toujours Chris dont les sanglots s'étaient un peu apaisés, Laura s'assit par terre derrière la Jeep et regarda son gardien marcher le long de la pente neigeuse près de la Pontiac de Kokoschka.

Il s'arrêta au milieu de la route, resta immobile un long moment, lui tournant le dos, puis, il se produisit un phénomène incroyable. Tout d'abord, l'air se fit extrêmement lourd ; Laura sentait une étrange pression, comme si l'atmosphère se condensait en une sorte de cataclysme cosmique. Soudain, elle eut du mal à respirer. L'air se parfuma d'une odeur étrange et familière à la fois, une odeur de fils électriques chauds, une odeur de brûlé, un peu comme ce qu'elle avait senti dans sa cuisine quelques semaines auparavant quand la prise du grille-pain avait roussi. Cette puanteur se mêlait aux senteurs d'ozone assez agréables, odeur qui emplissait l'air pendant l'orage. La pression devint plus intense jusqu'à ce qu'elle se sente clouée au sol et que l'air scintille et frissonne, comme de l'eau. Dans le vacarme d'un énorme bouchon de champagne sautant d'une bouteille, son gardien s'évanouit dans la lueur gris violacé du crépuscule d'hiver. Et le *pop* se transforma en une énorme bourrasque, comme si de grandes masses d'air s'engouffraient pour remplir le vide. Pendant un instant, le souffle coupé, elle se crut prisonnière d'un immense aspirateur. Soudain, la pression avait disparu, l'air ne sentait plus que le pin et la neige, tout redevenait normal.

Mais après ce qu'elle avait vu, rien ne serait plus normal pour elle.

La nuit était très noire. Sans Danny, c'était la plus sombre nuit de sa vie. Une seule lueur restait, une lueur qui éclairerait sa lutte pour un lointain espoir de bonheur : Chris. Sa dernière lueur dans les ténèbres.

Plus tard, une voiture apparut au sommet de la colline. Les phares perçaient l'obscurité et la neige. Elle fit signe pour demander de l'aide.

Quand la voiture ralentit, elle se demanda soudain s'il n'allait pas en sortir un autre homme armé d'une mitraillette. Elle ne se sentirait jamais plus tranquille.

QUATRE

Le feu intérieur

· 1 ·

Le samedi 13 août, sept mois après la mort de Danny, Thelma Ackerson vint passer quelques jours chez Laura, dans le chalet de montagne.

Laura s'entraînait à tirer dans la cour avec son Smith & Wesson .38 Chief's Special. Elle venait de recharger, avait replacé le barillet et s'apprêtait à mettre ses protections d'oreilles quand elle entendit une voiture dans l'allée. Elle ramassa les jumelles posées à ses pieds pour s'assurer que ce visiteur n'était pas indésirable. Quand elle reconnut Thelma, elle les reposa et tira sur sa cible, une silhouette d'homme coupée à la taille, posée contre des balles de foin.

Assis dans l'herbe à côté d'elle, Chris sortit six cartouches de la boîte pour les lui donner dès qu'elle aurait vidé son barillet.

Dans l'air chaud et transparent, des milliers de fleurs sauvages scintillaient tout autour du jardin, là où la pelouse laissait place aux herbes folles près de la ligne des arbres. Quelques instants auparavant des écureuils jouaient à proximité et des oiseaux chantaient, mais les tirs les avaient effrayés.

Laura aurait pu associer la mort de son mari avec la retraite de montagne et la vendre, mais au contraire, elle avait abandonné la maison du comté d'Orange quatre mois plus tôt et avait emménagé dans les montagnes de San Bernardino.

Pour elle, ce qui s'était passé en janvier sur la route 330 aurait pu arriver n'importe où. Ce n'était pas le lieu le responsable, mais son destin, les forces mystérieuses qui régissaient sa vie. Intuitivement, elle savait que si son gardien n'était pas entré dans sa vie pour la sauver sur la route enneigée, il serait venu à un autre moment de crise. Et Kokoschka serait apparu armé d'une mitraillette et la tragédie n'aurait pu être évitée.

Leur maison d'Orange était plus empreinte de souvenirs que le chalet de montagne et elle supportait mieux son chagrin à Big Bear.

De plus, étrangement, la montagne lui paraissait plus sûre. Dans la banlieue peuplée du comté d'Orange, parmi les rues et les autoroutes bondées, elle ne pourrait pas voir l'ennemi avant qu'il passe à l'attaque. Là au contraire, les étrangers étaient visibles de loin, d'autant plus que la propriété était située dans un terrain de plus de trente acres. Elle n'avait pas oublié les avertissements de son gardien : *Armez-vous, soyez prête. S'ils viennent vous chercher... attendez-vous à un escadron... et armé jusqu'aux dents.*

Quand Laura eut épuisé ses six balles, Chris lui en tendit six autres. Il enleva ses protections d'oreilles et courut vers la cible pour vérifier la précision du tir.

Le support était constitué de balles de foin empilées sur deux mètres de haut et un mètre d'épaisseur. Derrière, se trouvait la forêt de pins qui lui appartenait également, si bien qu'une telle précaution s'avérait presque inutile, mais Laura ne voulait tuer personne, du moins pas accidentellement.

Chris installa une nouvelle cible et revint avec l'ancienne.

— Quatre sur six, maman. Deux dans la tête, et deux blessures graves, mais tu dévies un peu sur la gauche.

— On va essayer de corriger ça.

— Tu te fatigues, c'est tout, dit Chris.

A ses pieds, plus de cent cinquante douilles jonchaient le sol. Ses poignets, ses bras et ses épaules commençaient à souffrir du recul, mais elle voulait encore vider un barillet avant de terminer son entraînement de la journée.

A l'arrière de la maison, on entendit Thelma fermer sa porte de voiture.

Chris remit ses protections d'oreilles et prit les jumelles pour observer la cible pendant que sa mère tirait.

Le chagrin envahit Laura qui regardait son fils, pas seulement parce qu'il était orphelin, mais aussi parce qu'il lui semblait injuste qu'à deux mois de son huitième anniversaire, un enfant sache déjà à quel point la vie est dangereuse et s'attende sans cesse à une explosion de violence. Elle faisait de son mieux pour lui rendre la vie aussi agréable que possible : ils s'amusaient toujours des histoires de sire Thomas Crapaud, bien que Chris ne croie plus que Tommy soit un être réel ; grâce à une ample bibliothèque de classiques pour enfants, Laura lui faisait découvrir les joies de la lecture. Elle s'arrangeait même pour faire un jeu des séances de tir et rendre moins dramatique la nécessité d'une défense armée. Pourtant, pour le moment, leur vie était dominée par la crainte et le chagrin, la peur de l'inconnu. On ne pouvait cacher cette réalité à l'enfant, ce qui ne manquerait pas de le marquer profondément.

Chris abaissa ses jumelles et regarda sa mère pour comprendre pourquoi elle ne tirait pas. Elle lui sourit. Il lui sourit. Il avait un sourire si tendre qu'elle en eut presque le cœur brisé.

Elle se tourna vers la cible, leva son .38, le tint à deux mains et tira le premier coup de la dernière série.

Elle avait visé quatre fois quand Thelma s'approcha d'elle en se mettant les doigts dans les oreilles et en fronçant les sourcils.

Laura tira ses deux derniers coups et ôta ses protections d'oreilles. Chris alla chercher la cible. Le grondement du revolver résonnait toujours en écho dans la montagne quand Laura se retourna pour prendre Thelma dans ses bras.

— Qu'est-ce que c'est que cette histoire ? demanda Thelma. Tu veux écrire un nouveau film pour Clint Eastwood ? Non, mieux, tu n'as qu'à écrire la version féminine des rôles de Clint, *L'Inspecteur Harriette*. Je serais impec dans le rôle, avec une grimace à faire frémir Bogart de jalousie !

— Je me souviendrai de toi, mais en fait, je préférerais voir Clint déguisé en femme.

— Tu n'as pas perdu ton sens de l'humour.

— Pourquoi l'aurais-je perdu ?

Thelma fronça les sourcils.

— Je ne savais pas quoi penser quand je t'ai vue armée jusqu'aux dents avec un air méchant à faire peur.

— Autodéfense. Toutes les filles bien devraient s'entraîner.

— Dis donc, tu tires comme une pro, dit Thelma en remarquant les nombreuses douilles. Tu fais ça souvent ?

— Trois fois par semaine, pendant une heure ou deux.

— B'jour, tante Thelma, dit Chris en revenant avec la cible.

Maman, tu as quatre coups mortels sur six, une bonne blessure, et une balle perdue.

— Des coups mortels ? dit Thelma.

— Je dévie toujours à gauche ?

— Moins que la dernière fois, répondit Chris en lui montrant la cible.

— Hé, Christopher Robbin, protesta Thelma, c'est comme ça que tu m'accueilles, avec un malheureux « bonjour tante Thelma » ?

Chris posa la cible sur le tas, s'approcha de Thelma et lui donna un baiser chaleureux.

— Hé, tante Thelma, qu'est-ce qui t'arrive ? t'as l'air comme tout le monde ! s'exclama-t-il en remarquant qu'elle avait renoncé à ses vêtements punk.

— Comme tout le monde ? C'est un compliment ou un reproche ? Dis donc, le môme, même si ta vieille tante Thelma a l'air comme tout le monde, elle n'est pas comme les autres. C'est un génie, pleine d'esprit, la légende de son journal intime ! De toute façon, la mode punk, c'est dépassé.

Ils embauchèrent Thelma pour ramasser les douilles vides.

— Maman tire comme un chef, dit Chris fièrement.

— Il y a intérêt ! Il y a assez de cuivre par terre pour satisfaire les élans de tout un régiment d'amazones.

— Qu'est-ce que ça veut dire, maman ?

— Repose-moi la question dans dix ans.

Une fois à l'intérieur, Laura verrouilla la porte de la cuisine. Deux verrous. Elle ferma les volets de toutes les fenêtres afin que personne ne pût les voir.

Thelma observa ces rituels sans rien dire.

Chris mit *Les Aventuriers de l'arche perdue* sur le magnétoscope et s'installa devant la télévision familiale avec un paquet de pop-corn et un Coca-Cola. Dans la cuisine, Thelma et Laura burent un café tandis que Laura nettoyait son .38.

Grande et confortable, la cuisine au sol de céramique bleue et aux lourds meubles de chêne avec deux murs de brique était ornée de casseroles de cuivre suspendues à des crochets, le genre de cuisines dans lesquelles, une fois par semaine, les familles des feuilletons télévisés résolvaient leurs crises et élucidaient le monde en trente minutes (y compris les spots publicitaires). Même pour Laura, il semblait étrange d'y nettoyer une arme destinée à tuer des êtres humains.

— Tu as vraiment peur ? demanda Thelma.

— Plutôt !

— Mais Danny s'est fait tuer parce que tu as eu le malheur de passer au moment où des dealers réglaient leurs comptes. Ils sont partis depuis longtemps.

— Peut-être pas.

— S'ils avaient peur que tu les reconnaisses, ils t'auraient retrouvée bien plus tôt.

— Je ne veux pas courir de risques.

— Détends-toi ! Tu ne peux pas vivre le restant de tes jours en t'attendant à voir un tueur sortir du buisson. Bon, aie une arme si tu veux. Ça me paraît raisonnable. Mais tu ne veux plus sortir ? Tu ne peux pas trimbaler un revolver partout avec toi.

— Oh, que si, j'ai un permis.

— Un permis, pour porter un canon pareil ?

— Je le prends dans mon sac chaque fois que je sors.

— Mon Dieu, comment tu t'es débrouillée pour avoir un port d'armes ?

— Mon mari a été tué dans des circonstances pour le moins étranges par des inconnus. Les assassins ont essayé de nous tuer, mon fils et moi, et ils sont toujours en vadrouille. En plus, je suis riche et célèbre. C'est plutôt que je ne réussisse pas à en avoir qui serait bizarre.

Thelma garda le silence pendant plus d'une minute.

— C'est quand même effrayant que tu prennes les choses si au sérieux. Enfin, cela fait sept mois... que Danny est mort. Tu es aussi nerveuse que si tout cela s'était passé hier. Tu ne peux pas être toujours sur les dents, tu vas devenir folle. Tu cours à la paranoïa. Il faut simplement que tu acceptes de ne pas rester sur tes gardes toute ta vie.

— Si, il le faut.

— Oui ? Et maintenant ? Ton revolver est démonté. Qu'est-ce qui se passerait si ces barbares tatoués défonçaient ta porte ?

Les chaises à roulettes de caoutchouc de la cuisine permirent à Laura de rouler rapidement vers le comptoir près du réfrigérateur. Elle ouvrit un tiroir et en sortit un autre .38 spécial.

— Non, mais c'est un véritable arsenal, ici !

Laura rangea le deuxième revolver.

— Viens, je vais te faire faire le tour du propriétaire.

Thelma la suivit à l'office.

— Mais c'est une mitraillette ! C'est légal ?

— Avec l'autorisation de la police fédérale, tu peux les acheter dans tous les magasins d'armements. Enfin, on ne peut avoir que des semi-automatiques. C'est illégal de les modifier en armes automatiques.

— Et celle-là, tu l'as fait modifier ?

— Non. C'est une automatique, mais je l'ai achetée comme ça, par une filière clandestine.

— Shane, tu me fais peur, vraiment.

Elle conduisit Thelma dans la salle à manger et lui montra le revolver fixé à un mur. Dans le salon, un autre était dissimulé sous une table à côté du divan. Il y avait un deuxième Uzi modifié dans le vestibule qui donnait sur la porte d'entrée. Il y avait des revolvers dans les tiroirs du bureau, dans les tables de nuit, et un troisième Uzi dans sa chambre.

— De plus en plus étrange, dit Thelma en examinant l'arme que Laura sortait de sous le lit. Si je ne te connaissais pas si bien je croirais que tu as perdu la boule, que tu n'es plus qu'une maniaque des armes. Mais comme je te connais, si tu as peur à ce point-là, c'est que tu as de bonnes raisons. Tu n'es pas inquiète de laisser Chris au milieu de tous ces fusils ?

— Il sait qu'il ne doit pas y toucher, et je sais qu'on peut lui faire confiance. En Suisse, il y a au moins un membre de chaque famille dans la milice, presque tous les citoyens mâles sont préparés à défendre leur patrie, et pourtant, c'est là qu'il y a le moins d'accidents avec les armes à feu, tu le savais ? Les armes font partie de la vie. Les enfants apprennent à les respecter dès leur plus jeune âge. Tout ira bien pour Chris.

— Mais comment as-tu déniché une filière d'armes clandestine ? demanda Thelma tandis que Laura rangeait l'Uzi sous le lit.

— Je suis riche, ne l'oublie pas.

— Et avec de l'argent, on achète tout ce qu'on veut ? Peut-être. Mais comment une fille comme toi a pu dénicher ça ? Ils ne font pas de publicité à la télé quand même !

— J'ai fait des recherches pour mes romans. Je sais trouver tout ce dont j'ai besoin.

Thelma et Laura retournèrent à la cuisine en silence. Du salon, on entendait la musique glorieuse qui accompagnait Indiana Jones dans ses exploits.

— Bon, parlons franchement. Si tu te crois menacée à ce point-là, tu ne pourras sûrement pas t'en tirer toute seule, alors, pourquoi pas des gardes du corps ?

— Je n'ai confiance en personne. Enfin, à part toi et Chris. Et le père de Danny. Mais il est en Floride.

— Tu ne peux pas continuer comme ça...

— Je sais, j'ai peur... mais cela me rassure de me sentir prête, dit Laura en passant un pinceau dans le barillet. Pendant toute ma vie, je suis restée immobile pendant que les gens mouraient autour de moi. Je n'ai rien fait d'autre que supporter. Ça suffit. A partir de maintenant, je vais me battre. Si quelqu'un essaie de me prendre Chris, il faudra qu'il passe par moi avant. Ils auront la guerre.

— Laura, je sais ce que tu as dû traverser. Ecoute, laisse-moi jouer les psychanalystes sauvages. Pour moi, tu ne réagis pas à une véritable menace, mais tu succombes à ton sens de l'impuissance face au destin. On ne peut pas lutter contre la Providence, la môme. Tu ne peux pas jouer au poker avec Dieu et espérer gagner parce que tu as un .38 dans la poche. Danny est mort de mort violente et Nina Dockweiler aurait sans doute vécu si on avait mis une balle dans la tête de l'Anguille à temps, mais ce sont les seuls moments où les choses auraient pu s'arranger avec une arme. Ta mère est morte en couches. Ton père a eu une crise cardiaque. Ruthie a été brûlée dans un incendie. C'est bien de se défendre avec des armes, mais il faut penser à l'avenir. Il faut garder son sens de l'humour face à la fragilité de l'espèce humaine, sinon on finit à l'asile avec des gens qui parlent aux branches et qui mangent leurs boutons de chemise. Que Dieu l'en préserve mais qu'est-ce qui se passerait si Chris avait un cancer ? Tu es prête à faire sauter la cervelle de tous ceux qui s'approchent de lui, mais j'ai peur que si tu t'obstines à le protéger comme ça, tu tombes en miettes s'il lui arrive quelque chose contre quoi on ne peut rien. Je me fais du souci pour toi, ma fille.

— Je sais, je sais, dit Laura envahie par un élan de chaleur pour son amie. Mais rassure-toi. Si Chris ou moi nous avions un cancer, j'irais voir les meilleurs spécialistes. Mais si ça ratait, si Chris mourait d'un cancer par exemple, j'accepterais la défaite. Se battre, cela ne veut pas dire qu'on ne se résigne plus. Je me battrai et, si j'échoue, je supporterai l'échec.

Pendant un long moment Thelma la regarda sans rien dire.

— Bon, c'est ce que je voulais entendre. La discussion est close. Passons à autre chose. Quand as-tu prévu d'acheter un tank ?

— On le livre lundi.

— Le canon, les grenades, le bazooka ?

— Mardi. Et le nouveau film d'Eddie Murphy ?

— On a signé il y a deux jours.

— Wouaouh ! Thelma, la vedette d'un film avec Eddie Murphy !

— Ta Thelma va faire une apparition dans un film avec Eddie Murphy. On ne peut guère me qualifier de vedette pour le moment.

— Tu avais le quatrième rôle dans ce film avec Steve Martin, le troisième avec Chevy Chase. Et là, je parie que c'est le deuxième, pas vrai ? Combien de fois es-tu passée à *Tonight* ? Huit, non ? Allez, avoue, tu es une star.

— De faible magnitude, peut-être. C'est bizarre, non, Shane. Toutes les deux, on est parties de rien, McIlroy, et on est arrivées au sommet. C'est drôle.

— Ce n'est pas drôle du tout. L'adversité engendre la force. C'est grâce à ça qu'on réussit, et qu'on survit.

· 2 ·

Stefan quitta les montagnes de San Bernardino enneigées et un instant plus tard se retrouva au portail, à l'autre extrémité de la route de l'Orage. Il ressemblait à un énorme cylindre, un peu comme dans les barriques de champs de foire, mais la paroi intérieure était recouverte de métal poli et non de bois et elle ne tournait pas sous les pieds. En quelques pas, il sortit et se retrouva dans le laboratoire principal du rez-de-chaussée, sûr que des hommes armés l'attendaient.

L'endroit était désert.

Surpris, il resta un moment immobile dans son manteau encore couvert de flocons et regarda autour de lui. Trois des murs de la pièce étaient couverts, du sol au plafond, de consoles qui bourdonnaient et cliquetaient, sans surveillance. Comme la plupart des lampes étaient éteintes, la pièce était baignée d'une étrange et douce lumière. Toute cette machinerie soutenait en fait le portail et des dizaines de voyants vert pâle et orange clignotaient, car cette brèche dans le temps, ce tunnel vers n'importe quand, n'était jamais fermé ; sa réouverture délicate exigeait une dépense d'énergie considérable alors que son entretien ne demandait que peu d'efforts. Ces jours-ci, les recherches ne se concentraient plus sur le portail lui-même. Le personnel du laboratoire se chargeait de la maintenance de la machine et de l'organisation des voyages. Si les circonstances avaient été autres, Stefan n'aurait pas pu faire les voyages secrets qu'il avait entrepris pour contrôler et parfois corriger les épisodes de la vie de Laura.

Mais bien qu'il ne fût pas inhabituel de trouver le laboratoire désert pendant une grande partie de la journée, c'était assez bizarre à ce moment précis car on avait envoyé Kokoschka pour contrer son action et on devait attendre avec impatience le résultat de ce voyage dans les montagnes venteuses de Californie. Les dirigeants avaient dû envisager la possibilité de voir revenir le mauvais homme de ce saut en 1988, et auraient dû surveiller la porte jusqu'au dénouement de l'affaire. Où était la police secrète en manteau noir à épaulettes ? Où étaient les fusils qui devaient l'accueillir ?

Il regarda la grande horloge sur un des murs et vit qu'il était exactement onze heures six, heure locale. C'était normal. Il avait commencé son saut à onze heures moins cinq, et les sauts se terminaient toujours onze minutes après avoir commencé. Personne ne savait vraiment pourquoi, mais quel que soit le temps qu'un voyageur du temps passait à l'autre bout de son voyage, il ne s'écoulait que onze minutes à la base de départ. Il avait passé plus d'une heure et demie dans les montagnes de San Bernardino, mais dans son propre temps, il n'y avait consacré que onze minutes de sa vie. S'il était resté des mois près de Laura avant d'appuyer sur le bouton jaune de sa ceinture, il serait quand même revenu à l'institut seulement onze minutes, et onze minutes précisément après son départ.

Mais où étaient la police, les fusils, ses collègues furieux exprimant leur outrage ? Après avoir découvert son intervention dans la vie de Laura, après avoir envoyé Kokoschka pour les tuer, pourquoi avaient-ils abandonné la porte alors qu'il n'y avait que onze minutes à attendre avant de connaître l'issue de la confrontation ?

Stefan ôta ses bottes, son manteau, son étui à revolver et les mit hors de vue dans un coin où il avait laissé sa blouse blanche avant de partir.

Il se rhabilla. Stupéfait, toujours inquiet malgré l'absence d'un comité d'accueil hostile, il alla dans le corridor au-devant des ennuis.

· 3 ·

Le samedi matin, à deux heures trente, en pyjama et robe de chambre, Laura travaillait à un nouveau roman sur son ordinateur, tout en buvant un jus d'orange. La seule lumière provenait des lettres vertes de l'écran et d'une petite lampe de bureau braquée sur un tirage de son travail de la veille à côté duquel elle avait posé un revolver.

La porte du couloir était ouverte. Laura ne fermait jamais les portes, sauf celles des toilettes, car, tôt ou tard, une porte fermée pourrait l'empêcher d'entendre les pas d'un intrus. La maison était dotée d'un système d'alarme très perfectionné, mais deux précautions valaient mieux qu'une.

Thelma apparut dans le couloir.

— J'ai fait du bruit ? Je t'empêche de dormir ?

— Non, nous les artistes, on est des couche-tard, mais je dors jusqu'à midi. Et toi ? Tu travailles toujours jusqu'à des heures impossibles ?

— Je ne dors plus très bien. Quatre ou cinq heures par nuit. Alors, au lieu de me retourner dans mon lit, je préfère travailler.

Thelma s'installa sur une chaise et mit les pieds sur le bureau. Ses goûts en matière de vêtements de nuit étaient plus flamboyants que dans sa jeunesse : un pyjama ample de soie orné de motifs carrés et circulaires rouges, verts, bleus et jaunes.

— Ça me fait plaisir de voir que tu portes toujours tes chaussons à tête de lapin. Cela manifeste une certaine constance.

— Ça c'est tout moi. Je n'en trouve plus à ma taille, alors j'achète des chaussons pour adultes et une paire de chaussons de gosse, j'arrache les oreilles et les yeux et je les recouds sur les grands. Qu'est-ce que tu écris ?

— Un livre noir de bile.

— Exactement ce qu'il faut pour un week-end à la plage !

Laura soupira et s'appuya sur le dos de son fauteuil.

— C'est un roman sur la mort, l'injustice de la mort. C'est un projet idiot, parce que j'essaie d'expliquer l'inexplicable. J'essaie d'expliquer la mort à mon lecteur idéal pour la comprendre moi-même. Je dis pourquoi il faut continuer à vivre et à lutter en dépit de notre mortalité. C'est un livre noir, triste, mélancolique, amer, très déprimant et dérangeant.

— Et il y a un grand marché pour ça ?

— Sûrement pas, dit Laura en riant. Mais une fois qu'un auteur a une idée... c'est comme un feu intérieur qui te réchauffe au début, mais qui te dévore et te donne l'impression de brûler vive. On ne peut pas y échapper. Le seul moyen de se libérer, c'est d'écrire ce fichu bouquin. Mais quand j'en ai marre, je me mets sur un livre pour enfants, avec sire Thomas Crapaud comme héros.

— Shane, tu es cinglée.

— C'est moi qui porte des chaussons à oreilles de lapin, peut-être ?

Elles parlèrent de tout et de rien, avec la camaraderie facile qu'elles avaient partagée pendant vingt ans. Peut-être à cause de ses sentiments de solitude, plus poignants encore que pendant les jours suivant la mort de Danny, peut-être par peur de l'inconnu, toujours est-il que Laura parla de son ange gardien. Seule Thelma pouvait croire une histoire pareille. En fait, elle fut fascinée et n'exprima pas la moindre incrédulité pendant que Laura lui racontait tout, du meurtre du junkie à la disparition de l'ange gardien sur la route de montagne.

Quand son amie se fut enfin délivrée de ce feu intérieur, Thelma demanda :

— Mais pourquoi ne m'en as-tu jamais parlé avant... à McIlroy ?

— Je ne sais pas. Cela me paraissait... magique. Je devais garder le secret, sinon je risquais de rompre le charme et de ne plus jamais le revoir. Et puis, il m'a laissée me débrouiller toute seule avec l'Anguille, il n'a rien fait pour Ruthie... alors, j'ai cessé de croire en lui. Je n'en ai jamais parlé à Danny non plus car quand on s'est connus, il ne me semblait pas plus réel que le Père Noël. Et tout d'un coup, le voilà qui revient...

— Cette nuit-là, il t'avait dit qu'il reviendrait pour tout t'expliquer quelques jours plus tard ?

— Oui, mais je ne l'ai jamais revu. Je l'ai attendu pendant sept mois, mais si quelqu'un se matérialisait soudain, cela pourrait aussi bien être lui qu'un autre Kokoschka avec une mitraillette.

Comme irradiée par un courant électrique, Thelma s'agitait sur sa chaise. Finalement, elle se leva et fit les cent pas.

— Et Kokoschka ? Les flics ont trouvé des renseignements sur lui ?

— Rien. Il n'avait aucun papier. La Pontiac avait été volée, comme la Jeep. Ils ont comparé les empreintes avec tous leurs fichiers, mais ils sont restés bredouilles. Et on ne peut guère interroger un cadavre. Ils ignorent qui c'est, d'où il vient et pourquoi il voulait nous tuer.

— Tu as eu le temps d'y réfléchir, tu dois bien avoir une idée ? D'où sortait-il ?

— Je ne sais pas.

Pourtant, une idée, elle en avait une, mais cela semblait trop insensé et elle n'avait pas le moindre indice pour appuyer sa théorie. Elle n'en parla donc pas à Thelma, non parce qu'elle craignait de passer pour une folle, mais parce qu'elle ne voulait pas paraître trop égocentrique.

— Je ne sais pas.

— Où est la ceinture qu'il t'a laissée ?

— Dans le coffre-fort, dit Laura en indiquant une boîte prise dans le sol dissimulée sous la moquette.

Ensemble, elles la soulevèrent. Le coffre était formé d'un cylindre de trente centimètres de diamètre et de vingt-cinq de profondeur. Il n'y avait qu'une seule chose à l'intérieur.

Elles retournèrent près du bureau pour examiner l'objet à la lumière.

La ceinture de tissu noir élastique — de nylon peut-être — mesurait environ dix centimètres de large ; des fils de cuivre formaient un étrange motif. A cause de sa largeur, elle se fermait grâce à deux petites boucles, également en cuivre. Il y avait aussi une petite boîte, assez semblable à un vieil étui à cigarettes, de dix centimètres sur huit, elle aussi en cuivre. Même en l'observant de près, on ne discernait aucun système d'ouverture. Seul le bouton jaune en bas à gauche était visible.

Thelma passa le doigt sur l'étrange objet.

— Qu'est-ce qu'il t'a dit qu'il arriverait si tu appuyais sur le bouton ?

— Pas grand-chose. Simplement de ne pas y toucher, et quand j'ai demandé pourquoi, il m'a répondu que je n'avais pas envie d'aller là où cela m'emmènerait.

Elles restèrent là, dans la morne lueur de la lampe de bureau, penchées sur la ceinture. Il était plus de quatre heures du matin, et la maison était aussi silencieuse qu'un cratère lunaire privé d'atmosphère.

— Tu n'as jamais été tentée de désobéir ?

— Non, jamais, dit Laura sans hésiter. Quand il a parlé de l'endroit où cela m'emmènerait, il avait un regard plein de détresse. Et je sais qu'il n'y est retourné qu'à contrecœur. Je ne sais pas d'où il vient, mais si je ne me suis pas trompée dans mon interprétation, cela doit être de la porte de l'enfer.

Le dimanche après-midi, vêtues de shorts et de T-shirts, elles étendirent des couvertures sur la pelouse et firent un long pique-nique composé de salade de tomates, viande froide, chips, fromage et gâteau à la cannelle. Elles jouèrent avec Chris qui s'amusait énormément, car Thelma mettait son humour en sourdine pour se lancer dans des petites répliques à la portée d'un enfant de huit ans.

Chris vit des écureuils batifoler un peu plus loin et il voulut aller les nourrir. Laura lui donna un morceau de gâteau.

— Coupe-le en petits morceaux, et lance-les-leur. Ils ne te laisseront pas trop approcher. De toute façon, ne t'éloigne pas.

— Oui, maman.

— Ne va pas dans le bois. D'accord ?

Chris courut à une trentaine de mètres et s'agenouilla. Il jeta les morceaux de gâteau aux écureuils agiles qui s'enhardissaient un peu plus à chaque miette.

— C'est un brave gosse.

— Adorable, répondit Laura en approchant l'Uzi.

— Voyons, il n'est pas loin.

— Oui, mais il est plus près des bois que de moi, répondit Laura en scrutant les ombres de la forêt.

— C'est bien la première fois que je vais à un pique-nique avec quelqu'un qui a une mitraillette, dit Thelma en prenant quelques chips. Finalement, ça me rassure, je n'ai plus à avoir peur des ours.

— Ça fait des ravages sur les fourmis aussi.

Thelma s'allongea sur sa couverture, mais Laura resta assise en tailleur. Des papillons orange, étincelants comme les rayons du soleil, traversaient l'air chaud d'été.

— Le gosse a l'air de s'en sortir.

— Plus ou moins. Il a passé un mauvais moment. Il a beaucoup pleuré, il était instable. Maintenant, c'est passé. Ils s'adaptent facilement à cet âge, mais... j'ai bien peur qu'il y ait une certaine tristesse au fond de lui qui n'existait pas avant, et ça, ça risque de durer longtemps.

— Cela ne passera jamais. C'est comme une ombre qui plane sur le cœur. Mais il continuera à vivre, il trouvera le bonheur et il y aura des moments où il n'y pensera plus du tout.

Tandis que Chris attirait toujours les écureuils, Laura observa son amie.

— Ruth te manque toujours ?

— J'y pense tous les jours depuis vingt ans. Et toi, ton père te manque encore ?

— Bien sûr. Mais quand je pense à lui, je n'ai pas l'impression de ressentir la même chose que toi. En fait, on s'attend à voir nos parents mourir avant nous et même quand ils meurent prématurément, on peut l'accepter parce qu'on a toujours su que cela arriverait un jour ou l'autre. Ce n'est pas pareil quand on perd une femme, un mari, un enfant ou une sœur. On ne s'attend pas à les voir mourir si tôt, surtout quand il s'agit d'une jumelle.

— Quand j'apprends une bonne nouvelle... enfin, au sujet de ma carrière, je pense toujours à quel point Ruthie serait heureuse pour moi. Et toi, Shane ? Tu t'en sors ?

— Je pleure souvent la nuit.

— Pour le moment, c'est un signe de bonne santé. Ce le sera moins dans un an.

— Je reste couchée dans le noir, et j'écoute les battements de mon cœur. Tu ne peux pas savoir comme c'est un bruit solitaire. Heureusement que j'ai Chris. Cela me donne un but dans l'existence. Et toi aussi. J'ai toi et Chris, et on forme une sorte de famille, tu ne trouves pas ?

— Pas une sorte. Une vraie famille. Toi et moi, nous sommes sœurs.

Laura sourit, tendit le bras et passa la main dans les cheveux bouffants de Thelma.

— Oui, mais ce n'est pas parce que nous sommes sœurs que tu dois te croire tout permis.

· 4 ·

Des couloirs, à travers les portes ouvertes de l'institut, Stefan voyait ses collègues travailler. Personne ne semblait s'intéresser particulièrement à lui. Il prit l'ascenseur jusqu'au troisième étage où il rencontra le Dr Wladyslaw Januskaya, le protégé du Dr Vladimir Penlovski. Petit, obèse, chauve, le teint rougeaud, avec deux dents de devant en or, des verres épais qui faisaient ressembler ses yeux à des œufs peinturlurés, Wladyslaw Januskaya aurait facilement pu être un personnage comique. Mais sa foi impie dans le système totalitaire, son dévouement à la cause suffisaient à contrebalancer ces aspects comiques. En fait, c'était là l'aspect le plus troublant de tout le projet de la route de l'Orage.

— Stefan, mon cher Stefan, dit Januskaya, je voulais vous dire à quel point nous vous sommes reconnaissants d'avoir suggéré d'actionner le portail avec un générateur de secours en octobre dernier. Vos pressentiments ont sauvé le projet. Si on s'était reposés sur le réseau municipal... le portail aurait été bloqué une bonne douzaine de fois déjà, et nous serions très en retard sur notre programme.

S'attendant à une arrestation, Stefan fut très troublé de voir que non seulement sa supercherie n'avait pas été découverte mais que cette langue de vipère lui faisait des louanges. Ce n'était pas pour sauver le projet qu'il avait suggéré d'employer un générateur autonome, mais simplement pour que ses propres interventions dans la vie de Laura ne soient pas entravées par une panne de courant.

— En octobre dernier, je n'aurais jamais imaginé que la situation en viendrait à ce point. On ne peut plus se fier aux services publiques, dit Januskaya en hochant tristement la tête.

171

L'ordre social est complètement bouleversé. Que ne doit-on pas endurer pour voir enfin triompher l'Etat socialiste !

— C'est une époque bien sombre, dit Stefan qui mettait derrière ces mots tout autre chose que ce que comprit son collègue.

— Mais nous gagnerons, dit Januskaya d'un ton forcé.

Ses yeux s'illuminèrent d'une étincelle de folie que Stefan ne connaissait que trop bien.

— Nous gagnerons grâce à la route de l'Orage !

Il donna une petite tape sur l'épaule de Stefan et poursuivit son chemin. Stefan regarda le savant s'éloigner et le rappela :

— Au fait, Dr Januskaya, vous n'auriez pas vu Kokoschka aujourd'hui ?

— Aujourd'hui ? Non, pas aujourd'hui.

— Il est là pourtant ?

— Oh, je suppose que oui. Il travaille comme un forcené. Si nous en avions plus comme lui, notre succès ne ferait plus de doute. Vous voulez le voir ? Je vous l'envoie si je le rencontre ?

— Non, non, il n'y a rien d'urgent. Je ne voudrais pas le déranger dans son travail. Je le verrai bien tôt ou tard.

Januskaya se dirigea vers l'ascenseur et Stefan entra dans son bureau en fermant la porte derrière lui.

Il s'accroupit près du placard qu'il avait légèrement déplacé pour couvrir un tiers de la grille du circuit d'aération. Derrière, on voyait à peine l'entrelacement de fils de cuivre dépasser d'une fente. Ils étaient reliés à un minuteur classique branché sur une prise derrière le placard. Rien n'avait été touché. Il n'aurait qu'à tendre le bras, mettre l'horloge à l'heure, et, une à cinq minutes plus tard, selon le mouvement qu'il imprimerait au cadran, l'institut serait détruit.

Que se passe-t-il ? se demandait Stefan.

Pendant un instant, il resta assis à son bureau, les yeux fixés sur le carré de ciel qu'il apercevait de l'une des deux fenêtres, un ciel parsemé de nuages gris et sales qui se détachaient sur le bleu.

Il quitta son bureau, alla vers l'escalier nord, et se rendit rapidement au grenier. La porte s'ouvrit dans un faible grincement. Il alluma la lumière et pénétra dans la longue pièce, marchant aussi silencieusement que possible sur les lattes de bois. Il vérifia trois des charges de plastic qu'il avait dissimulées dans les poutres deux jours plus tôt. Personne n'y avait touché.

Il était inutile d'aller examiner le sous-sol. Il quitta le grenier et retourna à son bureau.

De toute évidence, personne n'était au courant de ses projets de destruction de l'institut et personne ne savait qu'il avait sauvé Laura de toute une série de tragédies. A part Kokoschka. Kokoschka était sûrement au courant puisqu'il était venu à sa rencontre dans la montagne avec un Uzi.

Pourquoi Kokoschka n'en avait-il parlé à personne ?

Kokoschka était un officier de la police secrète, un véritable fanatique, serviteur zélé du gouvernement, personnellement responsable de la sécurité de la route de l'Orage. S'il avait découvert un traître à l'institut, il n'aurait pas hésité à faire appel à des escadrons d'agents pour encercler le bâtiment, garder la porte et interroger tous les témoins.

Il ne se serait sûrement pas contenté de laisser Stefan se porter au secours de Laura et de le suivre dans l'intention de les tuer ensuite. D'abord, il aurait sans doute tenu à l'interroger pour savoir s'il avait des complices.

Kokoschka savait donc que Stefan était intervenu dans la vie de Laura, mais il ne savait rien des explosifs, sinon, il aurait au moins débranché le système. Et, pour certaines raisons connues de lui seul, il avait réagi plus en individu qu'en policier. Il avait poursuivi Stefan sur la route enneigée, avec des arrière-pensées que ce dernier ne comprenait pas.

Cela n'avait aucun sens. Pourtant, c'était bien ce qui s'était passé.

Qu'avait mijoté Kokoschka ?

Il ne le saurait sans doute jamais.

A présent, Kokoschka était mort au bord d'une route, en 1988, et bientôt quelqu'un se rendrait compte de son absence.

A deux heures, en ce même après-midi, Stefan devait entreprendre un saut officiel sous la direction de Penlovski et de Januskaya. Il avait l'intention de faire exploser l'institut à une heure, une heure avant le départ. Il était onze heures quarante-trois. Il lui faudrait agir plus vite que prévu, avant que l'on s'inquiète de la disparition de Kokoschka.

Il alla vers l'un des placards, ouvrit le tiroir du fond et le sortit complètement du meuble. Il prit le pistolet fixé sur la paroi du fond, un Colt Commander 9 mm Parabellum à neuf coups acheté illégalement au cours de l'un de ses sauts et ramené clandestinement à l'institut. Dans l'autre tiroir, il prit deux silencieux très perfectionnés et quatre magasins déjà chargés. Travaillant rapidement de peur que quelqu'un n'entre sans frapper, il fixa un silencieux sur son arme, défit le cran de sécurité et fourra les magasins de rechange et l'autre silencieux dans les poches de sa blouse.

En quittant l'institut pour la dernière fois par le portail, il ne pouvait pas être sûr que l'explosion tuerait Penlovski, Januskaya et certains autres scientifiques d'importance. La déflagration détruirait bâtiment et dossiers, mais qu'arriverait-il si l'un des responsables du projet survivait ? Penlovski et Januskaya possédaient les connaissances nécessaires pour tout reconstruire, si bien que Stefan avait projeté de les tuer personnellement, tous les deux, ainsi qu'un dénommé Volkaw, avant de lancer le compte à rebours et d'aller rejoindre Laura par le portail.

Muni du silencieux, le Colt Commander était trop long pour entrer dans sa poche. Stefan la retourna et déchira le fond. Le doigt sur la détente, il enfonça son arme dans sa poche sans fond, ouvrit la porte et alla dans le couloir.

Son cœur tambourinait. C'était la partie la plus dangereuse de son plan, car il y avait de grandes chances que quelque chose ne tourne pas rond avant qu'il puisse brancher le détonateur.

Laura était encore bien loin, et il risquait de ne jamais la revoir.

· 5 ·

Le lundi après-midi, Laura et Chris enfilèrent des tenues de jogging grises. Thelma les aida à déplier les tapis de gymnastique sur le patio tandis que Laura et Chris faisaient leurs exercices de respiration.

— Bruce Lee arrive à quelle heure ? demanda Thelma.

— Ce n'est pas Bruce Lee, dit Chris exaspéré. D'ailleurs je ne sais pas pourquoi tu l'appelles comme ça. Bruce Lee est mort.

M. Takahami arriva à deux heures précises. Il portait un jogging bleu avec, imprimée dans le dos, la formule de son école d'arts martiaux : LA FORCE TRANQUILLE.

— Enchanté. J'adore votre disque, j'aime beaucoup vos sketches, dit-il quand il fut présenté à Thelma.

— Et moi, j'aurais aimé que le Japon gagne la guerre, répondit Thelma toute fière des compliments.

— Je crois que c'est ce qui s'est passé, dit Henry en riant.

Assise sur une chaise longue à boire du thé glacé, Thelma observa la leçon d'autodéfense.

Âgé d'une quarantaine d'années, Henry avait un torse musclé et des jambes noueuses. C'était un maître de judo et de karaté, un spécialiste de la boxe, et il enseignait une technique fondée sur les divers arts martiaux qu'il avait lui-même mise au point. Deux fois par semaine, il venait de Riverside et passait trois heures avec Chris et Laura.

La séance de coups de poing, coups de pied, grognements, déséquilibrage, corps à corps était conduite avec assez de vigueur pour un entraînement mais sans risquer de provoquer des dommages. Chris avait droit à des leçons plus faciles que celles de Laura et très espacées les unes des autres, ce qui lui laissait tout le temps de se reposer et de reprendre son souffle. Mais à la fin des trois heures, Laura, comme toujours, était exténuée et en sueur.

Après le départ de Henry, Laura envoya Chris se doucher pendant qu'elle remballait les tapis avec Thelma.

— Il est mignon.

— Henry ? Oui, peut-être.

— Je vais me lancer dans le judo ou le karaté.

— Pourquoi ? Ton public est furieux à ce point-là ?

— Ça, c'est un coup bas, Shane.

— Il n'y a pas de coup bas quand on s'attaque à un adversaire d'une force incommensurable.

Le lendemain après-midi, en mettant ses valises dans le coffre de sa Camaro pour rentrer à Beverly Hills, Thelma lança :

— Hé, Shane, tu te souviens de ta première famille adoptive ?

— Les Teagel ? Flora, Hazel et Mike.

Thelma s'appuya sur le côté ensoleillé de la carrosserie près de Laura.

— Tu te rappelles que Mike était fasciné par le *National Enquirer* ?

— Comme si c'était hier.

— Eh bien, j'ai beaucoup pensé à ce qui t'était arrivé, à ton ange gardien qui ne vieillit pas et qui s'évapore à chaque fois, et j'ai repensé aux Teagel — c'est assez rigolo. A McIlroy, on n'arrêtait pas de se moquer de Mike pendant des nuits entières... et maintenant, c'est toi qui es devenue l'héroïne de nouvelles exotiques !

Laura rit doucement.

— Il faudrait peut-être que je réfléchisse sérieusement à tous ces extraterrestres qui infestent secrètement Cleveland !

— Je voulais dire... que la vie est pleine d'inconnu et de surprises. Parfois, elle nous en réserve de mauvaises, et il y a des jours qui sont aussi noirs que l'esprit d'un politicien, mais malgré tout, on s'aperçoit qu'on est toujours là, aussi étrange que cela puisse paraître. Ça a sûrement un sens ; si cela n'en avait pas, il n'y aurait plus de mystère, tout serait aussi triste et aussi dépourvu de mystère que le ventre d'une cafetière.

Laura hocha la tête.

— Mon Dieu, écoute-moi, je suis en train de triturer notre pauvre langue, tout ça pour arriver à une conclusion philosophique minable du genre : garde la tête haute, ma fille !

— Il n'y a rien de minable.

— Le mystère ! L'étrange ! Tu vis en plein dedans, et c'est le cœur de la vie, Shane. Pour le moment, c'est le noir... mais cela passera.

Elles se tinrent enlacées près de la voiture, sans ressentir le besoin de parler plus longuement, jusqu'à ce que Chris arrive avec un dessin qu'il avait fait pour Thelma. C'était une représentation grossière mais charmante de sire Thomas Crapaud devant un théâtre, fasciné par le nom de Thelma en tête d'affiche.

— Tu dois vraiment partir, tante Thelma ? dit-il, les larmes aux yeux. Reste encore un jour.

Thelma le prit dans ses bras et roula soigneusement le dessin comme si c'était le chef-d'œuvre d'un grand maître.

— J'ai très envie de rester, Christopher Robbin, mais c'est impossible. Mes fans veulent absolument que je fasse ce film et puis, j'ai un emprunt.

— C'est quoi, un emprunt ?

— Ce qui fait marcher le monde, dit Thelma en lui donnant un dernier baiser.

Elle s'installa au volant, mit le contact, ouvrit la vitre et fit un clin d'œil à Laura :

— Les nouvelles exotiques, Shane.

— Le mystère.

— L'étrange.

Laura lui fit le salut avec trois doigts des personnages de *Star Trek.*

Thelma se mit à rire.

— Tu t'en sortiras, Shane. Malgré ton arsenal et tout ce que j'ai appris depuis vendredi, je suis moins inquiète aujourd'hui qu'en arrivant.

· 6 ·

Le bureau du Dr Vladimir Penlovski était situé au quatrième étage de l'institut. La salle de réception attenante était déserte mais on entendait des voix venir de la pièce d'à côté. Stefan poussa la porte de séparation entrouverte. Penlovski dictait une lettre à sa secrétaire, Anna Kaspar.

Penlovski leva les yeux, légèrement surpris de voir Stefan. Il dut percevoir la tension de son regard car il demanda :

— Quelque chose qui cloche ?

— Il y a longtemps qu'il y a quelque chose qui cloche. Mais maintenant, je crois que tout ira bien.

Penlovski fronça les sourcils. Stefan appuya sur la détente de son pistolet et lui tira deux balles dans la poitrine.

Anna Kaspar jaillit de sa chaise en laissant tomber crayon et bloc-notes, un cri étouffé dans la gorge.

Il n'aimait pas tuer les femmes, il n'aimait tuer personne, mais il n'avait plus le choix ; il tira trois fois, la projetant en arrière contre le bureau avant que son cri ait pu sortir de sa gorge.

Elle glissa au sol. Les coups de feu avaient à peine été plus bruyants que les crachements d'un chat en colère, et le bruit sourd de la chute n'avait pas dû attirer l'attention.

Affaissé dans son fauteuil, la bouche et les yeux ouverts, Penlovski semblait fixer le vide. Il avait sans doute été touché au cœur car il n'y avait qu'une petite tache de sang sur sa blouse. La circulation avait été bloquée immédiatement.

Stefan sortit et ferma la porte. Dans le couloir, il ferma également la pièce de réception. Avec ces deux meurtres, il s'était définitivement coupé de son propre temps, de son propre peuple.

177

Désormais, il n'y avait de vie pour lui que dans l'époque de Laura. Plus moyen de faire marche arrière.

Les mains et le pistolet dans la poche, il se rendit au bureau de Januskaya. Tandis qu'il approchait de la porte, deux de ses collègues sortirent. Ils le saluèrent en passant. Stefan se retourna pour voir s'ils allaient chez Penlovski. Dans ce cas, il aurait fallu les tuer aussi.

Il fut soulagé car ils s'arrêtèrent devant l'ascenseur. Plus il laissait de cadavres, plus il multipliait les risques que quelqu'un déclenche l'alarme, ce qui l'empêcherait de brancher le détonateur et de s'échapper par la route de l'Orage.

Une pièce de réception jouxtait également le bureau de Januskaya. Au bureau, sa secrétaire particulière, fournie par la police secrète, tout comme Anna Kaspar, leva les yeux et sourit.

— Le Dr Januskaya est là ? demanda Stefan.

— Non, il est à la documentation avec le Dr Volkaw.

Volkaw était le troisième homme à éliminer. C'était de bon augure qu'il soit avec Januskaya.

A la documentation, les savants consultaient des journaux, magazines et autres papiers accumulés par les voyageurs du temps au cours de leurs sauts officiels. A cette époque, les responsables du projet de la route de l'Orage se penchaient sur l'analyse des conséquences du bouleversement de la succession naturelle des événements sur le cours de l'histoire.

Dans l'ascenseur, Stefan remplaça le silencieux déjà utilisé par le nouveau. L'ancien pouvait assourdir encore une bonne douzaine de coups, mais Stefan ne voulait pas forcer ses possibilités. Le second silencieux n'était qu'une précaution de plus. Il remplaça également le chargeur entamé.

Le premier étage débordait d'animation, des employés allaient et venaient d'un laboratoire à l'autre. Toujours les mains dans les poches, Stefan alla directement à la salle de documentation.

Il trouva Januskaya et Volkaw devant une table de chêne, discutant à voix basse, mais avec passion, du contenu d'un magazine. Ils levèrent les yeux et reprirent leur conversation, pensant que Stefan était entré pour ses propres recherches.

Stefan tira deux fois dans le dos de Volkaw.

Abasourdi, Januskaya réagit de manière confuse en voyant Volkaw tomber sur la table, abattu par le coup de feu muet.

Stefan visa Januskaya au visage. Immédiatement, il quitta la

178

pièce et ferma la porte derrière lui. Sûr d'être incapable de parler calmement à ses collègues, Stefan préféra paraître perdu dans ses pensées, espérant décourager ainsi ceux qui auraient voulu l'aborder. Il alla vers l'ascenseur aussi vite que possible sans courir, tendit le bras derrière le placard, régla le détonateur sur la limite maximale, ce qui lui laissait exactement cinq minutes pour se rendre au portail avant que l'institut ne soit réduit en flammes et en cendres.

· 7 ·

A la rentrée scolaire, Laura avait obtenu l'autorisation de ne pas envoyer Chris à l'école pourvu qu'elle emploie un précepteur agréé. La préceptrice, Ida Palomar, lui rappelait une ancienne actrice de cinéma, héroïne d'un feuilleton familial. C'était une énorme femme au grand cœur, pleine de talents pédagogiques.

Aux vacances de Thanksgiving, à la fin novembre, au lieu de se sentir emprisonnés, Laura et Chris s'étaient habitués à leur isolement relatif. En fait, ils se réjouissaient même de vivre si proches l'un de l'autre en l'absence d'autres relations.

Le jour de Thanksgiving, Thelma les appela de Beverly Hills pour leur souhaiter de bonnes vacances. Laura prit l'appel dans la cuisine, qui embaumait la dinde rôtie. Chris lisait au salon.

— Vous êtes invités à venir passer les vacances de Noël avec moi et Jason.

— Jason ?

— Jason Gaines, le réalisateur. C'est lui qui met en scène le film dans lequel je joue. J'habite chez lui.

— Et il est au courant ?

— Dis donc, Shane, c'est moi qui fais les mauvaises plaisanteries ici.

— Excuse-moi.

— Il dit qu'il est amoureux de moi. C'est dingue, non ? Enfin, il a un physique correct, il n'a que cinq ans de plus que moi, apparemment ce n'est pas un mutant, c'est un réalisateur très célèbre bourré de fric qui pourrait avoir toutes les jolies starlettes qu'il veut, et lui, il préfère être avec moi. Il est sûrement dérangé, mais quand on parle avec lui, ça ne se voit pas. Il a même l'air normal. Il dit que ce qu'il aime chez moi, c'est que j'ai une *tête*.

179

— Et il sait à quel point elle est malade ?

— Shane, ne recommence pas. Il aime mon intelligence et mon sens de l'humour, et mon corps lui plaît... ou alors, c'est le seul type au monde à pouvoir feindre une érection...

— Tu as un corps adorable.

— Ouais, je commence à penser que le cas est moins grave que je le croyais. Enfin, si tu considères la maigreur comme un critère de la beauté féminine. Mais même si j'ai le courage de me regarder dans un miroir, il y a toujours le même visage perché en haut.

— Tu as un visage charmant, surtout depuis qu'il n'est plus entouré de cheveux verts et violets.

— Je ne suis pas aussi belle que toi. C'est pour ça que je suis folle de t'inviter. Jason te verra, et cinq minutes après je me retrouverai dans une poubelle au coin de la rue. Bah, qu'est-ce qu'on peut y faire ? Tu viendras ? Le tournage se passe à Los Angeles, et on aura fini les scènes importantes vers le 10 décembre. Après, Jason aura encore beaucoup de travail sur le montage, mais pour Noël, on arrête *tout*. J'aimerais bien te voir. Accepte...

— Je serais sûrement très heureuse de rencontrer l'homme assez intelligent pour tomber amoureux de toi, mais, je ne sais pas... Je me sens... en sécurité ici.

— Tu nous crois dangereux ?

— Tu sais de quoi je parle.

— Tu pourras amener ton Uzi.

— Et qu'est-ce que Jason en pensera ?

— Je lui dirai que tu es une gauchiste qui milite pour la préservation du sperme de baleine, pour la libération des perroquets et que tu es toujours armée au cas où la révolution se déclarerait par surprise. Il y croira. On est à Hollywood, ne l'oublie pas. La plupart des acteurs avec lesquels il travaille ont des idées politiques encore plus délirantes que ça.

De l'autre côté de l'arche qui séparait la cuisine de la salle à manger, Laura vit Chris recroquevillé sur son livre. Elle soupira.

— Il est peut-être temps de retourner un peu dans le monde. Et puis ce sera un Noël difficile, le premier Noël sans Danny. Mais je me sens mal à l'aise...

— Cela fait plus de dix mois, dit Thelma gentiment.

— Oui, mais ce n'est pas le moment de baisser les armes.

— Ce sera inutile. Je parle sérieusement pour l'Uzi. Amène tout ton arsenal si ça te rassure, mais viens.

— Bon... D'accord.

— Fantastique ! Je suis impatiente de te présenter Jason.

— Est-ce que je me trompe ou tu partages les sentiments de ce demeuré de Hollywood ?

— Je suis folle de lui, admit Thelma.

— Je suis contente pour toi. En fait, j'ai un sourire sur les lèvres qui ne veut pas partir et cela fait des mois que je ne me suis pas sentie aussi heureuse.

Elle disait la vérité, mais quand elle eut raccroché, Danny lui manqua plus que jamais.

· 8 ·

Dès qu'il eut remonté la minuterie du détonateur, Stefan quitta son bureau du troisième étage et se rendit au laboratoire principal du rez-de-chaussée. Il était midi quatorze et, comme le saut n'était programmé que pour deux heures, il n'y avait personne. Les fenêtres étaient fermées et la plupart des lampes éteintes, exactement comme une heure plus tôt quand il était revenu des montagnes de San Bernardino. Les myriades de voyants clignotaient d'une lumière verte et orange. Dans l'ombre, le portail attendait.

Quatre minutes avant la détonation.

Il alla directement vers la console de commandes et régla cadrans, leviers et boutons sur la destination désirée : Californie, sur la route de Big Bear, huit heures du soir, le 10 janvier 1988, quelques heures après la mort de Danny Packard. Il avait fait tous les calculs des jours auparavant et avait noté les résultats sur une feuille de papier qu'il consultait pour gagner du temps.

S'il avait pu retourner sur les lieux avant la rencontre avec Kokoschka, il l'aurait fait pour sauver Danny. Pourtant, ils avaient appris qu'un voyageur du temps ne pouvait pas retourner à un endroit s'il programmait son arrivée trop peu de temps *avant* son départ : il y avait un mécanisme naturel qui empêchait le voyageur de se rencontrer lui-même. Il devait donc retourner à Big Bear après avoir quitté Laura cette nuit de janvier, car, comme il avait déjà quitté la route, il ne risquait plus de se croiser.

181

Mais s'il réglait la machine de façon à pouvoir se rencontrer, il rebondirait directement à l'institut sans aller nulle part. C'était l'un des nombreux mystères entourant les voyages dans le temps sur lesquels les scientifiques se penchaient sans arriver à les comprendre.

Quand il eut terminé les réglages, il vérifia l'indicateur de longitude et de latitude pour s'assurer qu'il atterrirait bien dans la région désirée. Puis il consulta l'horloge qui avait enregistré son heure d'arrivée et fut abasourdi de voir qu'elle indiquait huit heures, 10 janvier 1989 et non 1988. Le portail l'enverrait dans la région de Big Bear un an après la mort de Danny.

Pourtant, il était sûr de ne pas s'être trompé dans ses calculs. Au cours des semaines précédentes, il avait eu tout le loisir de les vérifier. De toute évidence, dans sa nervosité, il avait commis une erreur en entrant les données. Il devait reprogrammer la porte.

Moins de trois minutes avant la détonation.

Il essuya les gouttes de sueur qui lui tombaient devant les yeux et regarda sa feuille de calculs. En tendant le bras vers un bouton pour annuler le programme et entrer de nouveau les données, il entendit un cri provenant du couloir du rez-de-chaussée, du côté de la salle de documentation.

Quelqu'un avait découvert les corps de Januskaya et de Volkaw.

D'autres hurlements. Des bruits de pas.

Nerveux, il regarda la porte fermée qui donnait sur le corridor. Il n'avait pas le temps de reprogrammer. Il ne reverrait Laura qu'une année après l'avoir quittée.

Le Colt Commander toujours muni de son silencieux à la main, il s'éloigna de la console pour aller vers le portail, cet immense cylindre de métal poli. Il ne voulait pas même perdre quelques secondes à reprendre son manteau de marin.

Dans le couloir, l'agitation se faisait plus intense.

Il n'était qu'à quelques pas du portail quand la porte du laboratoire s'ouvrit derrière lui avec une telle force qu'elle heurta le mur.

— Arrêtez !

Stefan reconnut immédiatement la voix, mais il ne pouvait croire à ce qu'il entendait. Il braqua le pistolet dans la direction de son adversaire, Kokoschka.

Impossible. Kokoschka était mort. Kokoschka l'avait suivi sur

182

la route de Big Bear le 10 janvier 1988 et Stefan l'avait tué sur la route enneigée.

Abasourdi, Stefan tira deux fois, à côté.

Kokoschka lui retourna son feu. Une balle toucha Stefan à l'épaule, le projetant contre le portail. Il chancela et tira encore trois fois, forçant ce salopard à se réfugier derrière une table.

Plus que deux minutes avant l'explosion.

Stefan ne ressentait pas la douleur, mais son bras gauche pendait, inutile, le long de son corps. Une obscurité persistante troublait sa vision latérale.

Seules quelques lampes au plafond étaient allumées, mais soudain, elles s'éteignirent également et plongèrent la salle dans la lueur orange et verte des voyants. Au début, Stefan crut que l'obscurité n'était due qu'à une perte de connaissance, mais il comprit qu'il y avait une panne de courant — le travail de saboteurs de toute évidence, car on n'avait entendu aucune sirène d'alarme prévenant d'une attaque aérienne.

Kokoschka tira deux fois dans le noir, et Stefan put deviner sa position grâce à l'éclair sortant du canon. Il tira trois fois, pourtant, il n'avait aucune chance de blesser son adversaire abrité par une table de marbre.

Heureux de voir que, grâce à son générateur, le portail fonctionnait toujours, Stefan jeta son arme et, de son bras valide, s'agrippa à la porte du cylindre. Il se hissa à l'intérieur et rampa vers le point de traversée du champ de l'énergie pour prendre le départ.

A genoux, appuyé sur son bras droit, il se souvint brusquement que son détonateur était branché sur le circuit municipal. Le compte à rebours s'était interrompu au moment de la panne de courant.

Terrifié, il comprit pourquoi Kokoschka n'était pas mort sur la route de Big Bear en 1988. *Kokoschka n'avait pas encore entrepris le voyage !* Il venait juste d'apprendre la trahison de Stefan en découvrant les corps de Januskaya et de Volkaw. Avant que l'électricité soit rétablie, il fouillerait le bureau de Stefan, découvrirait le détonateur et désamorcerait les explosifs. L'institut ne serait pas détruit.

Stefan hésita, se demandant s'il ne devait pas faire marche arrière

Derrière lui, il perçut d'autres voix. Les agents de la sécurité arrivaient au secours de Kokoschka.

Il rampa plus loin.

Et Kokoschka ? Le chef de la sécurité voyagerait jusqu'au 10 janvier 1988 et essaierait de le tuer sur la route, pourtant il ne parviendrait qu'à assassiner Danny avant de se faire lui-même tuer. Presque persuadé que la mort de Kokoschka faisait partie d'un destin immuable, Stefan devait encore réfléchir aux paradoxes du voyage dans le temps pour savoir à coup sûr si Kokoschka avait une chance d'échapper à une mort dont il avait été témoin.

La complexité des voyages dans le temps était troublante, même lorsqu'on y réfléchissait la tête froide. Blessé, luttant pour ne pas perdre connaissance, il ne faisait que s'étourdir un peu plus en y pensant. Plus tard. Il y réfléchirait plus tard.

Derrière lui, dans le sombre laboratoire, quelqu'un tira sur l'entrée du portail, espérant l'atteindre avant qu'il ne prenne le départ.

Il rampa pendant le dernier mètre Vers Laura. Vers une vie nouvelle à une époque lointaine. Il avait espéré fermer pour toujours le pont entre l'époque qu'il rejoignait et celle qu'il quittait. Hélas, le portail resterait ouvert. Et ils pourraient parcourir les ans à sa poursuite... et à celle de Laura.

· 9 ·

Laura et Chris passèrent Noël chez Jason Gaines, à Beverly Hills, dans une demeure de vingt-deux pièces, de style Tudor, située dans un parc de six acres, propriété impressionnante par sa superficie dans une zone où le prix du mètre carré atteignait des proportions insensées. Un producteur de comédies et de films de guerre l'avait fait construire dans les années quarante sans lésiner sur la qualité. Les pièces étaient ornées de fins travaux artistiques qui n'auraient pu être reproduits à dix fois leur coût originel. Les plafonds étaient couverts de coffrages élaborés, certains en chêne, d'autres en cuivre, et de moulures travaillées. Les fenêtres, aux vitres en biseau ou en vitrail, étaient si profondément renfoncées dans les murs que l'on pouvait s'asseoir confortablement sur les larges rebords. A l'intérieur, les linteaux de bois étaient gravés à la main : raisins et roses, chérubins avec leurs bannières, cerfs bondissants, oiseaux avec des traînes de rubans. A l'extérieur, les linteaux étaient en granit, et représentaient des fruits, dans le style des terres cuites des Della Robbia. Les allées de pierre du parc méticuleusement entretenu traversaient un paysage tropical de palmiers, de ficus, d'azalées rouge vif, d'impatiens, de fougères, d'oiseaux de paradis et de milliers de fleurs dont Laura ne connaissait pas même le nom. Quand ils arrivèrent, le samedi après-midi, la veille de Noël, Thelma leur fit faire le tour du propriétaire, puis les invita à boire du chocolat chaud et à manger des pâtisseries miniatures préparées par le cuisinier et servies par la bonne sous le porche donnant sur la piscine.

— Shane, tu ne crois pas que c'est dingue, tout ça ? Comment est-ce possible que ce soit la même fille que celle qui vivait à McIlroy et à Caswell Hall qui se retrouve ici sans s'être d'abord réincarnée en princesse ?

La demeure était si imposante qu'elle encourageait tous ceux qui y vivaient à se prendre pour des gens importants, avec un I majuscule, et il devait falloir faire des efforts pour éviter l'autosatisfaction et la prétention. Mais quand Jason Gaines arriva à quatre heures, il se révéla être un homme très simple, ce qui était d'autant plus surprenant qu'il avait passé dix-sept ans dans le milieu du cinéma. Il avait trente-huit ans, cinq ans de plus que Thelma, et on aurait dit Robert Vaughn en plus jeune, ce qui était nettement plus impressionnant que le « physique correct » que Thelma avait annoncé. A peine une demi-heure après son arrivée, il alla jouer avec Chris au train électrique, une immense plate-forme avec villages, paysages, moulins à vent, cascades, tunnels et ponts.

Cette nuit-là, Thelma vint rejoindre Laura qui dormait dans la chambre attenante à celle de Chris. En pyjama, elles s'assirent sur le lit, comme au temps de leur enfance, mais elles grignotaient des pistaches et buvaient du champagne au lieu de manger des bonbons et de boire du lait.

— Le plus étrange, c'est que je me sens chez moi ici, comme si j'y avais toujours vécu. Je ne me sens jamais déplacée.

Thelma n'avait d'ailleurs pas l'air déplacée. Bien qu'on reconnût toujours Thelma Ackerson, elle avait beaucoup changé au cours des derniers mois. Ses cheveux étaient mieux coupés ; pour la première fois de sa vie, elle était bronzée, et elle se conduisait

185

plus comme une femme et moins comme une actrice comique qui cherche à s'attirer les rires, et donc l'approbation, à chaque geste et à chaque parole. Elle portait un pyjama moins criard, et plus sexy que d'habitude, en soie pêche unie. Pourtant, elle avait toujours ses chaussons à tête de lapin.

— Les chaussons à tête de lapin, ça me rappelle qui je suis. Tu ne peux pas avoir les chevilles qui enflent dans des chaussons comme ça. Tu ne peux pas te conduire comme une star ou une riche. Et puis, ça me donne confiance en moi, parce que c'est mignon. Ils me rappellent tout le temps : « Personne ne pourra jamais me faire assez de mal pour que j'oublie d'être légère et frivole. » Même si je me retrouvais en enfer, j'arriverais à tout supporter avec eux.

Le jour de Noël se passa comme en rêve. Jason révéla des aspects d'enfant sans cesse émerveillé. Il insista pour qu'ils déballent leurs cadeaux sous le sapin de Noël, dans un grand vacarme de papiers déchirés et une orgie de rubans multicolores. Il voulut chanter des chants de Noël et renoncer au petit déjeuner traditionnel pour s'empiffrer de biscuits, de cacahuètes et de pop-corn. Il ne s'était pas seulement conduit en hôte poli la veille en passant la soirée devant le train électrique avec Chris ; en effet toute la journée, il entraîna le garçon dans un jeu ou un autre, à l'intérieur comme à l'extérieur. Visiblement, il aimait les enfants et avait de bons rapports avec eux. Au dîner, Laura s'aperçut que Chris avait plus ri au cours de cette seule journée que pendant les onze mois précédents.

— C'était une bonne journée, maman, lui dit-il quand elle le mit au lit.

— Une journée fantastique.

— Tout ce que je regrette, c'est que papa n'ait pas été avec nous, dit-il en sombrant peu à peu dans le sommeil.

— Moi aussi.

— Mais il était là quand même parce que j'ai pensé à lui tout le temps. Je me souviendrai toujours de lui ? Même dans des dizaines et des dizaines d'années ?

— Je t'aiderai à t'en souvenir, mon bébé.

— Des fois, il y a des choses que je ne me rappelle plus bien. Faut que j'y pense très fort pour m'en souvenir. Et je veux pas l'oublier, parce que c'était mon papa.

Quand il fut endormi, Laura rejoignit sa chambre. Elle fut

soulagée de voir Thelma arriver quelques minutes plus tard, car sinon, elle aurait passé des heures un peu tristes.

— Si j'avais des enfants, dit Thelma en se glissant dans le lit de Laura, tu crois qu'on les laisserait vivre avec les autres ou on les mettrait dans un genre d'hospice de lépreux pour les gens trop laids ?

— Ne sois pas idiote.

— Bien sûr, je pourrais leur offrir toutes les opérations de chirurgie esthétique possibles, et même si on n'est pas très sûr de leur race, ils finiraient plus ou moins par ressembler à des hommes.

— Tu m'énerves à toujours vouloir te rabaisser comme ça.

— Excuse-moi. C'est parce que je n'ai jamais eu de parents pour me soutenir. J'ai la confiance en soi et les doutes d'une orpheline.

Elle resta silencieuse pendant un instant avant d'éclater de rire.

— Tu sais quoi ? Jason veut m'épouser. Au début, j'ai cru qu'il était possédé du démon, mais il m'a assuré qu'il n'avait pas besoin d'exorciste. Alors, il a sûrement fait une crise cardiaque. Qu'est-ce que tu en penses ?

— Qu'est-ce que j'en pense, moi ? Quelle importance ? Enfin, si tu tiens à mon avis, c'est un type sensationnel. Tu vas sauter sur l'occasion, non ?

— J'ai peur qu'il soit trop bien pour moi.

— Personne n'est trop bien pour toi, Thelma.

— Et puis, si ça ne marche pas, je m'écroulerai complètement.

— Si tu n'essaies pas, ce sera encore pire, tu te retrouveras seule.

· 10 ·

Stefan éprouva le frisson familier mais désagréable qui accompagnait les voyages dans le temps, une vibration particulière qui traversait la peau, transperçait la moelle des os et ressortait rapidement par le même chemin. Dans une sorte de *pou-wooøush*, il quitta le portail et au même instant trébucha sur une pente escarpée couverte de neige dans les montagnes de Californie le 10 janvier 1989.

Il tomba sur son épaule blessée, roula le long de la pente et fut arrêté par une souche pourrie. Pour la première fois, il ressentit une douleur. Il poussa un cri et se retourna sur le dos, en se mordant les lèvres pour ne pas s'évanouir. Dans la lueur spectrale du paysage enneigé et des éclairs mordants, il s'aperçut qu'il était au milieu d'une clairière, dans la forêt. Les arbres noirs, dénudés, projetaient leurs membres vers le ciel en furie, tels des pèlerins fanatiques implorant un dieu vengeur. Les conifères croulaient sous la neige et se dressaient, rigides, pareils aux prêtres d'une religion plus digne.

Le passage dans une autre époque que la sienne troublait les forces naturelles d'une manière qui exigeait une grande dépense d'énergie. Quel que soit le temps au point d'arrivée, le déséquilibre provoqué était toujours corrigé par une explosion d'éclairs qui formait la voie éthérée que les voyageurs du temps nommaient la « route de l'Orage ». Pour certaines raisons que personne ne pouvait expliquer, le retour à l'institut ne déclenchait aucun feu céleste.

Les éclairs s'estompèrent, comme toujours, et passèrent d'une foudre digne de l'Apocalypse à un lointain scintillement. En une minute, la nuit retrouva son calme et son obscurité.

Au fur et à mesure que l'orage s'éloignait, sa douleur s'intensifiait. Il lui semblait que les éclairs qui avaient déchiré la voûte céleste étaient à présent emprisonnés dans sa poitrine, son épaule et son bras gauches..., pouvoir trop immense pour être contenu dans la chair humaine.

Il s'agenouilla et se leva en tremblant, craignant de ne pouvoir sortir du bois vivant. En dehors de la lueur phosphorescente du manteau de neige, le ciel nuageux offrait un noir d'encre, inquiétant. Bien qu'il ne fût pas troublé par le vent, l'air était d'un froid mordant, et Stefan ne portait que sa fine blouse de laboratoire sur sa chemise et son pantalon.

Pis encore, il se trouvait peut-être à des kilomètres d'une route ou d'une pancarte qui l'aiderait à déterminer sa position. Si l'on comparait le portail à un fusil, sa précision était satisfaisante en ce qui concernait la distance temporelle, mais il était loin d'être parfait d'un point de vue spatial. Le voyageur arrivait le plus souvent au moment prévu, à un quart d'heure près, mais pas toujours à l'endroit géographique désiré. Parfois, il tombait à quelques centaines de mètres de sa destination, parfois, à plus de quinze ou vingt kilomètres, comme le 10 janvier 1988, lorsqu'il était venu sauver Laura, Danny et Chris du camion fou des Robertson.

Au cours de tous ses précédents voyages, Stefan avait emporté une carte et une boussole au cas où il se serait retrouvé dans un endroit isolé, comme à présent. Mais cette fois, il avait dû laisser son manteau dans un coin du laboratoire et, complètement démuni, il ne pouvait pas même compter sur les étoiles pour se repérer et sortir de la forêt.

La neige lui arrivait jusqu'aux genoux, et, en chaussures de ville, il devait avancer immédiatement s'il ne voulait pas geler sur place. Il regarda tout autour de lui, dans l'espoir d'une inspiration, d'une intuition, mais finit par choisir une direction au hasard, sur sa gauche, à la recherche d'une piste de cerf qui lui permettrait de se frayer un passage dans les bois.

De la taille à l'épaule, la douleur lui déchirait le côté gauche. Il espérait que la balle n'avait traversé aucune artère et que le flot de sang était assez lent pour lui permettre d'atteindre Laura et de revoir son visage, le visage aimé, au moins une fois avant de mourir.

Le premier anniversaire de la mort de Danny tombait un mardi, et, bien que Chris ne mentionnât pas la signification particulière de cette journée, il en était conscient. L'enfant était exceptionnellement calme. Il passa une grande partie de la journée à jouer silencieusement avec ses personnages des Maîtres de l'Univers, jeu qu'il accompagnait habituellement d'imitations vocales de fusils laser, de croisements d'épées, de moteurs d'engins spatiaux. Plus tard, il lut des bandes dessinées allongé sur son lit. Il ne se laissa pas séduire par les tentatives de Laura qui cherchait à le sortir de son isolement. Sans doute avait-il raison, car la gaieté forcée de Laura n'aurait été que trop visible et aurait simplement prouvé qu'elle aussi luttait contre son chagrin.

Quelques jours auparavant, Thelma avait appelé pour annoncer son mariage avec Jason Gaines, et rappela ce soir-là vers cinq heures, comme si elle était consciente de l'importance de la date. Laura prit la communication dans son bureau, où elle travaillait toujours au roman noir de bile sur lequel elle s'acharnait depuis un an.

— Hé, Shane, devine ? J'ai rencontré Paul McCartney ! Il était à Los Angeles pour négocier un contrat, et on s'est retrouvés à la même soirée vendredi soir. Quand je l'ai vu pour la première fois, il enfournait un hors-d'œuvre dans sa bouche, il m'a dit bonjour, il avait des miettes sur les lèvres... Il était *somptueux* ! Il m'a dit qu'il avait vu mes films, et qu'il me trouvait très bonne, tu imagines ? On a bavardé pendant presque vingt minutes, et il s'est produit quelque chose d'incroyable.

— Tu l'as déshabillé rien qu'en le regardant ?

— Euh, il est toujours pas mal, tu sais. Le même visage de chérubin qui nous faisait pâmer il y a vingt ans, mais avec une nouvelle maturité, il est très sophistiqué, et il a une note de tristesse tout à fait charmante dans les yeux. Oui, au début, j'avais peut-être envie de lui arracher ses vêtements et de réaliser enfin mon fantasme. Mais plus on parlait, moins il m'apparaissait comme un dieu, plus il avait l'air d'une personne normale. Le mythe s'était évanoui, Shane, et ce n'était plus qu'un homme d'âge mûr, gentil, séduisant, drôle. Qu'est-ce que tu en penses ?

— Qu'est-ce que je devrais en penser ?

— Je ne sais pas. Je suis un peu perturbée. Une légende vivante ne devrait pas continuer à t'impressionner plus de vingt minutes après que tu l'as rencontrée ? Enfin, j'ai rencontré des tas de vedettes, et je ne les prends plus pour des dieux, mais lui, c'était Paul McCartney !

— Si tu veux mon avis, ça ne veut rien dire de négatif sur lui, mais ça dit beaucoup de choses positives sur toi. Tu as grandi, Ackerson.

— Est-ce que ça veut dire que je dois regarder une émission aussi débile que *Les Trois Stooges* tous les samedis matin à la télé ?

— Oh, si tu veux, mais pour toi, les combats pour la survie, ça fait partie du passé.

Quand Laura raccrocha, à huit heures moins dix, elle se sentait un peu mieux, si bien qu'elle abandonna son roman pour se consacrer à sir Thomas Crapaud. Elle avait à peine écrit deux phrases quand la nuit s'éclaira d'un éclair gigantesque digne d'un holocauste atomique. Le tonnerre fit vibrer la maison du toit aux fondations, comme si un obus avait traversé les murs. Laura se leva d'un bond, sans même songer à sauvegarder son texte. Un deuxième éclair déchira le ciel ; les vitres devinrent aussi lumineuses qu'un écran de télévision. Le coup de tonnerre fut encore plus assourdissant que le premier.

— Maman !

Chris apparut dans l'encadrement de la porte et se jeta dans ses bras. Laura s'assit dans le fauteuil noir et le prit sur ses genoux.

— Ce n'est rien. N'aie pas peur.

— Mais maman, il ne pleut pas. Pourquoi il y a des éclairs s'il ne pleut pas ?

Dehors, l'incroyable série d'éclairs superposés continua pendant plus d'une minute avant de se calmer peu à peu. Leur puissance était si effarante que Laura n'aurait pas été surprise de trouver le lendemain matin des morceaux de ciel brisé dans la pelouse, tels les fragments d'une immense coquille d'œuf.

Au bout de cinq minutes à peine, Stefan dut s'arrêter contre un pin dont les branches lui frôlaient la tête. La douleur le faisait transpirer à grands flots ; pourtant, il tremblait de froid dans l'air glacé de janvier. Il était trop étourdi pour se tenir debout mais il ne voulait pas s'asseoir, de peur de sombrer dans un sommeil sans fin. Sous les branches du pin géant, il lui semblait s'être réfugié sous le manteau noir de la mort dont il ne s'échapperait pas vivant.

Avant de coucher Chris, Laura prépara des glaces à la noix de coco. Ils les mangèrent dans la cuisine. Le garçon semblait avoir surmonté sa dépression. En marquant le triste anniversaire d'un événement aussi dramatique, le phénomène atmosphérique l'avait détourné des pensées morbides pour le plonger dans la contemplation des merveilles du monde. Il ne tarissait pas sur l'orage qui avait pourfendu le laboratoire du Dr Frankenstein dans le vieux film de James Whale, qu'il avait vu pour la première fois la semaine précédente, sur l'éclair qui avait terrifié Donald dans un dessin animé de Walt Disney, et sur les pluies diluviennes des *101 Dalmatiens,* la nuit où Cruella DeVille avait enlevé les charmants petits chiots.

Quand elle lui dit au revoir dans un dernier baiser, Chris

plongeait dans le sommeil avec un sourire, un demi-sourire au moins, et non plus le visage froncé qu'il avait arboré pendant toute la journée. Elle resta à côté de lui jusqu'à ce qu'il soit profondément endormi, bien qu'il n'ait plus peur et n'ait plus besoin de sa présence. Elle resta parce qu'elle avait envie de le protéger.

Elle retourna à son bureau à neuf heures et demie, mais avant de s'installer à son ordinateur, elle observa par la fenêtre la pelouse enneigée, le sombre ruban de l'allée de gravier qui conduisait à la route nationale, le ciel noir sans étoiles. Ces éclairs l'avaient perturbée, pas tant par leur soudaineté, leur potentialité destructrice que parce que leur puissance surnaturelle lui paraissait presque... familière. Il lui semblait avoir déjà assisté à un orage semblable, mais elle ne se souvenait pas quand. C'était un étrange sentiment de déjà vu, qui refusait de s'évanouir.

Elle alla dans sa chambre et vérifia le système d'alarme dissimulé dans un placard pour s'assurer qu'il était bien branché. Elle sortit l'Uzi de sous le lit, une arme originale, légère, à revêtement en alliage léger, munie d'un magasin de quatre cents coups. Elle l'emporta dans son bureau et le posa sur le sol.

Elle allait s'asseoir quand un nouvel éclair déchira la nuit, suivi d'un coup de tonnerre qui la fit trembler jusqu'aux os. Un autre éclair, puis un autre, et encore un autre illuminèrent les vitres, telle une série de silhouettes fantomatiques de lumière ectoplasmique.

Tandis que les cieux craquaient sous les secousses lumineuses, Laura se précipita dans la chambre de Chris. A sa grande surprise, bien que l'orage ait été beaucoup plus violent que le précédent, il ne s'était pas réveillé, peut-être parce qu'il rêvait d'une nouvelle aventure des dalmatiens sous un ciel agité.

Cette fois non plus, il ne pleuvait pas.

Les éclairs et le tonnerre s'estompèrent rapidement, mais la frayeur de Laura persista.

Il apercevait d'étranges figures d'ébène dans le noir, des silhouettes qui se faufilaient entre les arbres et l'observaient de leurs yeux plus noirs que leur corps mais, bien qu'il fût terrifié, il savait qu'elles n'étaient pas réelles — simples créations de son esprit de plus en plus troublé. Il avançait toujours malgré le froid mordant, malgré le feu qui le dévorait à l'intérieur, les aiguilles de pins piquantes, les épines, le sol glacé qui parfois se dérobait sous ses pieds et parfois tournait comme la platine d'un tourne-disque. La douleur était si intense qu'il imaginait des rats rongeant sa chair de l'intérieur, même si dans son délire il ne comprenait pas comment ils étaient entrés.

Après avoir erré pendant plus d'une heure — il lui semblait être là depuis des heures, voire des jours, mais cela ne pouvait pas être le cas car le soleil ne s'était pas levé —, il parvint à l'orée de la forêt, et, en bas d'une pelouse enneigée, il vit la maison. On percevait de vagues lumières par l'interstice des volets.

Il resta immobile, incrédule, persuadé que le chalet n'était pas plus réel que les silhouettes qui l'avaient accompagné dans la forêt, puis commença à s'approcher du mirage, au cas où cela ne serait pas qu'un produit de son délire.

Il avait à peine fait quelques pas qu'un éclair fendit le ciel. Le fouet claqua à plusieurs reprises, et à chaque fois semblait animé par un bras plus puissant.

L'ombre de Stefan sautillait sur la neige tout autour de lui, bien qu'il fût momentanément paralysé de terreur. Parfois, il avait deux ombres, car deux éclairs éclataient simultanément dans des directions différentes. Déjà, les chasseurs s'étaient lancés à sa poursuite sur la route de l'Orage, bien déterminés à l'arrêter avant qu'il puisse prévenir Laura.

Il se retourna vers le bois dont il venait de sortir. Sous le ciel stroboscopique, les arbres semblaient lui sauter au visage. Il ne vit aucun chasseur.

Tandis que les éclairs s'estompaient, il chancela vers la maison. Il tomba deux fois, mais lutta pour se redresser, pour avancer, craignant que la prochaine chute ne le cloue sur place et ne l'empêche de crier assez fort pour se faire entendre.

Devant son écran, essayant de réfléchir aux aventures de sire Thomas Crapaud, mais ne pensant qu'à l'orage, Laura se souvint soudain de la première fois où elle avait assisté à un tel déchaînement de la nature : le jour où son père lui avait parlé de sire Tommy, le jour où le junkie était entré à l'épicerie, le jour où elle avait vu son ange gardien, l'été de ses huit ans.

Elle se redressa sur sa chaise.

Son cœur se mit à tambouriner.

Ces éclairs-là, cela signifiait des ennuis, de graves ennuis. Elle ne se rappelait pas avoir vu des éclairs le jour de la mort de Danny, ni dans le cimetière, le jour de l'enterrement de son père. Pourtant, avec une certitude qu'elle ne pouvait s'expliquer, elle savait que le phénomène auquel elle venait d'assister était porteur d'une lourde signification, c'était un augure, et un mauvais augure.

Elle saisit l'Uzi et vérifia toutes les fenêtres du haut, elle regarda dans la chambre de Chris pour s'assurer que tout allait bien. Ensuite, elle descendit et procéda à la même inspection.

Quand elle entra dans la cuisine, elle perçut un choc contre la porte. Avec un cri de surprise et de peur, elle braqua l'Uzi dans cette direction et faillit ouvrir le feu.

Pourtant, ce n'était pas le bruit de quelqu'un qui essayait de forcer la porte, mais un bruit sourd à peine plus fort que si l'on frappait, un petit *toc-toc*. Il lui sembla entendre une voix, faible, qui l'appelait par son nom.

Le silence.

Elle alla vers la porte et écouta pendant près de trente secondes. Rien.

C'était une porte de sécurité, avec un cœur d'acier, pris entre deux panneaux de chêne de deux centimètres d'épaisseur, si bien qu'elle ne craignait pas qu'on lui tire dessus de l'autre côté. Pourtant, elle hésitait à regarder par le judas car elle redoutait d'y voir un œil collé, essayant de la regarder. Quand elle trouva enfin le courage d'affronter la réalité, elle aperçut un homme allongé sur le béton du patio, les bras le long du corps, comme s'il était tombé en arrière après avoir frappé.

Un piège, c'était un piège !

Elle alluma la lumière extérieure et rampa près de la fenêtre protégée par des volets métalliques. Avec précaution, elle souleva légèrement le rideau de fer. C'était son ange gardien. Son pantalon et ses chaussures étaient couverts de neige. Il portait une blouse blanche couverte de sang noir.

Aussi loin qu'elle voyait, il n'y avait pas d'hommes tapis sur le patio ou la pelouse alentour, mais elle devait envisager la

194

possibilité qu'on ait placé le corps ici pour l'attirer, pour la faire sortir de chez elle. Dans ces circonstances, il était idiot d'ouvrir.

Pourtant, elle ne pouvait pas le laisser là. Pas son ange gardien. Pas s'il était mourant.

Elle coupa l'alarme, désengagea les verrous, et, à contrecœur, avança dans la nuit, l'arme au poing. Personne ne tira. De la pelouse vaguement illuminée à la sombre forêt, rien ne bougea.

Elle alla près de son gardien, s'approcha de lui et lui tâta le pouls. Il était vivant. Elle souleva une de ses paupières. Il avait perdu connaissance. La blessure sur le côté gauche semblait assez grave ; pourtant, il ne saignait plus pour le moment.

Son entraînement avec Henry Takahami et ses exercices réguliers avaient beaucoup développé ses forces, pourtant, elle ne pouvait pas soulever un homme d'un seul bras. Elle appuya l'Uzi contre la porte et s'aperçut qu'elle ne pouvait toujours pas le porter, même avec les deux bras. Il lui semblait dangereux de déplacer un homme ainsi blessé, mais plus encore de le laisser dans la nuit glaciale, d'autant que quelqu'un semblait le poursuivre. Elle parvint malgré tout à le tirer vers la cuisine où elle l'étendit. Soulagée, elle reprit son Uzi, referma les verrous et rebrancha le système d'alarme.

Il était terriblement froid et pâle, il fallait au plus vite le débarrasser de ses chaussures et de ses chaussettes couvertes de neige. Alors qu'après avoir défait la chaussure gauche elle s'occupait du pied droit, il se mit à bredouiller dans une langue étrangère, mais les mots étaient trop confus pour qu'elle puisse l'identifier. En anglais, il raconta quelque chose sur des explosifs et des fantômes dans les arbres.

Bien qu'elle sût qu'il délirait et qu'il ne pouvait pas plus la comprendre qu'elle ne le comprenait, elle lui parla d'une voix rassurante.

— Chut, tout ira bien. Dès que je vous aurai sorti le pied de la glace, j'appelle le médecin.

La mention du médecin le fit sortir de sa torpeur. Il lui agrippa le bras et la regarda d'un regard intense et plein de frayeur.

— Non, pas de médecin. Partez d'ici. Partez vite.

— Vous n'êtes pas en état d'aller où que ce soit, à part à l'hôpital en ambulance.

— Partez ! Vite ! Ils arrivent...

— Qui ?

— Les tueurs. Ils veulent me tuer. Ils vous tueront. Ils tueront Chris. Ils arrivent.

A ce moment, il n'y avait plus trace de délire, ni dans sa voix ni dans ses yeux. Son visage ne semblait plus perdu mais tordu de terreur.

Son entraînement au tir et aux arts martiaux n'apparaissait plus comme une précaution inutile.

— D'accord. Nous partirons dès que j'aurai regardé votre blessure et que je vous aurai fait un pansement.

— Non, tout de suite.

— Mais...

— Maintenant, insista-t-il.

Il avait le regard si terrifié qu'il donnait à croire que les tueurs dont il parlait n'étaient pas des hommes ordinaires mais des créatures surnaturelles, d'horribles démons impitoyables et acharnés, des êtres sans âme.

— D'accord. On y va.

Il lui relâcha le bras. Ses yeux partirent dans le vide et il se mit à bredouiller des propos incohérents.

Tandis qu'elle traversait la cuisine pour aller réveiller Chris, elle entendit son gardien parler dans son rêve d'une énorme machine noire, « d'un tonneau, d'un tonneau de la mort », ce qui ne voulait pas dire grand-chose mais la terrorisa malgré tout.

DEUXIÈME PARTIE

LA FUITE

La longue habitude de vivre ne nous prédispose pas à la mort.

Sir Thomas Browne

CINQ

L'armée des ombres

1 ·

Laura alluma la lumière et secoua Chris.

— Habille-toi, mon chéri, vite.

— Qu'est-ce qui se passe ? demanda-t-il, ensommeillé, en se frottant les yeux de ses petits poings.

— Il y a des méchants messieurs qui vont venir et il faut partir avant qu'ils arrivent. Dépêche-toi.

Chris avait passé l'année en deuil de son père, mais il s'était préparé au moment où les événements faussement placides de la routine quotidienne éclateraient en une nouvelle explosion du chaos qui est au cœur de toute existence humaine, telle une soudaine éruption volcanique, comme cela s'était produit la nuit où son père s'était fait tuer. Chris avait vu sa mère se monter tout un arsenal, devenir une experte dans le maniement des armes, prendre des leçons d'autodéfense avec lui et, pendant ce temps, il avait gardé l'attitude et le point de vue d'un enfant, s'était conduit comme un enfant, éprouvant un chagrin normal à la mort de son père. Pourtant, dans les moments de crise tels que celui-ci, il ne réagissait plus comme un garçon de huit ans. Il ne protesta pas, ne posa pas de questions inutiles et obéit aussitôt sans faire de caprices. Il rejeta les couvertures, sortit du lit immédiatement et alla vers son placard.

— Rejoins-moi à la cuisine.

— Oui, maman.

Laura était fière de son attitude responsable et soulagée de voir

199

qu'il ne la retarderait pas, mais elle était triste qu'à huit ans son fils comprenne déjà assez la précarité et la dureté de la vie pour réagir avec la promptitude d'un adulte.

Laura portait un jean et une chemise de flanelle à carreaux, si bien qu'elle n'eut qu'à prendre un pull-over de laine, à enfiler des bottes de marche à lacets par-dessus ses chaussures.

Elle s'était débarrassée des vêtements de Danny, elle n'avait donc pas de manteau pour le blessé. Il ne manquait pas de couvertures dans la maison, elle en prit deux dans un placard.

Obéissant à une arrière-pensée, elle retourna à son bureau, ouvrit le coffre et prit l'étrange ceinture noire que son gardien lui avait confiée l'année précédente. Elle la fourra dans son sac à main.

En bas, elle décrocha un parka de ski et l'Uzi accroché à la porte du placard, tout en épiant les bruits dans la nuit, des voix, un moteur... Tout était silencieux.

Dans la cuisine, elle posa le pistolet mitrailleur à côté de l'autre sur la table et s'agenouilla près de son gardien toujours inconscient. Elle déboutonna la blouse de laboratoire toute mouillée par la neige ainsi que sa chemise et regarda la blessure. Il avait été touché à l'épaule, bien au-dessus du cœur, ce qui était bon signe, mais il avait perdu beaucoup de sang; ses vêtements étaient trempés.

— Maman? dit Chris dans l'entrebâillement de la porte, vêtu en tenue d'hiver.

— Prends un des Uzi, va chercher celui de la remise et mets-les dans la Jeep.

— C'est lui! s'exclama Chris, les yeux écarquillés de surprise.

— Oui. Il est arrivé comme ça, gravement blessé. Et avec les Uzi, prends aussi les revolvers, celui du tiroir et celui du salon. Et fais attention à ne pas...

— T'en fais pas, maman.

Aussi doucement que possible, elle fit rouler son gardien sur le côté pour voir si la balle était ressortie. Il gémit mais ne se réveilla pas. La balle était sortie sous l'omoplate. Il avait le dos tout couvert de sang, mais ne saignait plus. S'il y avait encore une hémorragie, elle était interne, et cela, Laura n'y pouvait rien.

Sous ses vêtements, il portait une ceinture noire. Elle la défit. Elle n'entrait plus dans le compartiment central de son sac à main, si bien qu'elle la fourra dans une poche de côté après avoir sorti le fatras qu'elle y mettait d'habitude.

Elle reboutonna la chemise et se demanda si elle devait lui enlever la blouse trempée. Finalement elle jugea qu'il serait trop difficile de se débattre avec les manches. En le roulant avec précaution, elle l'emballa dans une couverture.

Pendant ce temps, Chris faisait des voyages jusqu'à la Jeep avec les armes en passant par la porte intérieure qui reliait la buanderie au garage. Il revint avec un diable, d'un mètre de long sur cinquante centimètres de large, qu'un livreur d'ameublement avait oublié un an et demi auparavant. S'en servant comme d'un skate-board, il dit :

— Il faut prendre des munitions, mais c'est trop lourd pour moi, je les mettrai là-dessus.

— Nous avons douze coups dans les deux revolvers et douze cents coups dans les Uzi, alors, je crois que cela sera inutile, quoi qu'il arrive, répondit-elle, heureuse de son sens de l'initiative et de son intelligence. Apporte-moi le diable. Vite, je me demandais comment on allait le porter à la Jeep sans trop le secouer, je crois que c'est l'idéal.

Ils agissaient rapidement, comme s'ils s'étaient entraînés à ce genre d'exercices, pourtant, Laura pensait qu'ils perdaient trop de temps. Ses mains tremblaient et son ventre noué la torturait. Elle s'attendait à entendre quelqu'un marteler la porte d'un instant à l'autre.

Chris maintint le diable en place pendant que Laura y plaçait le blessé. Elle glissa la planche sous la tête et le torse, afin de pouvoir soulever les jambes et le pousser comme une brouette. Chris marchait accroupi, une main sur l'épaule de l'homme pour l'empêcher de glisser. Ils eurent un peu de mal à passer la porte de la buanderie mais parvinrent malgré tout jusqu'au garage à trois places.

La Mercedes était à gauche, la Jeep à droite, la place du milieu était libre. Chris ouvrit le hayon de la Jeep. Il avait déroulé un tapis de gym dans le fond de la voiture pour en faire un matelas.

— Tu es formidable ! lui dit Laura.

Ensemble, ils réussirent à transférer le blessé du diable à la voiture.

— Va chercher l'autre couverture et ses chaussures dans la cuisine.

Quand Chris revint, Laura avait déjà étendu son gardien sur le tapis de gym. Ils lui couvrirent les pieds avec la seconde couverture et posèrent les chaussures mouillées à côté de lui.

— Va à l'avant, et mets ta ceinture de sécurité.

Laura se précipita à l'intérieur. Elle prit son sac qui contenait toutes ses cartes de crédit et passa la bandoulière sur l'épaule. Elle saisit le troisième Uzi et se dirigea vers la buanderie, mais avant qu'elle ait fait trois pas, quelque chose heurta la porte arrière avec une force épouvantable.

Elle se retourna, arme au poing.

De nouveau, elle entendit du bruit contre la porte, mais le cœur d'acier était solide et ne cédait pas si facilement.

Ensuite, le cauchemar commença pour de vrai.

Un tir de mitraillette explosa, et Laura se jeta sur le côté du réfrigérateur pour s'abriter. Ils essayaient de faire sauter la porte, mais le cœur d'acier résista à l'assaut. Pourtant, la porte trembla et des balles s'enfoncèrent dans le mur de chaque côté du cadre renforcé.

Les fenêtres de la cuisine et de la salle à manger explosèrent tandis qu'une deuxième mitraillette ouvrait le feu. Les volets métalliques dansaient sur leur châssis. Les lattes de fer vibraient sous les balles qui se faufilaient dans les interstices, et certaines se plièrent ; mais le verre brisé pleuvait sur les rebords des fenêtres et le sol. Les portes des placards s'écaillaient sous les balles, et des éclats de brique volèrent d'un des murs ; les balles ricochaient sur le décor de cuivre et le dentelaient. Les casseroles et les pots suspendus aux crochets se balançaient dans un grand fracas de *clinc* et de *ponk*. Une des lampes du plafond s'éteignit. Finalement un des volets finit par céder et une douzaine de balles se fichèrent dans le réfrigérateur, à quelques centimètres d'elle.

Son cœur tambourinait, et une décharge d'adrénaline rendait tous ses sens presque douloureux. Elle songea à courir vers la Jeep et à essayer de s'enfuir avant que ses adversaires s'en aperçoivent, mais un instinct guerrier lui ordonnait de rester à son poste. Elle s'aplatit contre le réfrigérateur, hors de la ligne de tir, espérant ne pas être blessée par un ricochet.

Mais qui êtes-vous donc ? se demandait-elle.

Les coups de feu cessèrent, et son instinct se révéla justifié. Le tir de barrage fut suivi des hommes eux-mêmes. Ils entrèrent dans la maison. Le premier passa par la fenêtre au-dessus de la paillasse de la cuisine. Laura sortit de son abri et ouvrit le feu, le faisant s'écrouler sur le patio. Un deuxième homme, vêtu de noir comme le premier, entra par la porte de la salle à manger. Elle le vit sous l'arche une seconde avant qu'il ne la voie et tourna l'Uzi dans sa direction, transperçant la cafetière électrique, arrosant le mur de balles et lui coupant la route au moment où il visait. Elle s'était entraînée avec l'Uzi, mais pas récemment, et fut surprise de voir à quel point l'arme était maniable. Elle fut également surprise de voir à quel point elle avait horreur de tuer, même si ces hommes étaient venus les assassiner, elle et son enfant. Elle était prise de nausée, mais ravala la boule d'angoisse qui lui serrait la gorge. Un troisième homme avança ; Laura s'apprêtait à le tuer, elle en tuerait une centaine s'il le fallait, que cela la rende malade ou pas, mais il recula quand il vit ses compagnons sur le carreau.

La Jeep !

Elle ne savait pas combien ils étaient à l'extérieur, peut-être trois seulement, deux vivants et un mort, peut-être toute une armée, mais ils ne s'étaient sûrement pas attendus à un tel accueil de la part d'une femme et d'un jeune garçon. De plus, ils devaient savoir que son gardien était blessé et sans arme. Pour le moment, ils devaient donc se remettre de leur surprise, et s'abriter quelque part avant d'élaborer un nouveau plan. C'était peut-être sa première et dernière chance de s'enfuir. Elle se précipita au garage.

Chris avait mis le moteur en route dès qu'il avait entendu les coups de feu. Une fumée bleutée sortait du pot d'échappement. Tandis qu'elle allait vers la Jeep, la porte du garage se souleva. Chris avait utilisé la commande à distance en la voyant. Elle passa une vitesse.

— Baisse-toi !

Chris obéit instantanément et se glissa au-dessous du niveau des vitres. Laura desserra le frein à main, elle poussa l'accélérateur au plancher et démarra en faisant crisser les pneus sur le béton, se glissa à quelques centimètres de la porte qui n'avait pas fini de se relever si bien que l'antenne fut arrachée.

Bien qu'il n'y ait pas de chaînes, la Jeep était équipée de larges pneus neige. Ils s'enfonçaient dans l'allée gelée sans difficulté, faisant voler des éclats de glace et des graviers au passage.

A sa gauche, une silhouette sombre apparut, un homme en noir qui courait sur la pelouse enneigée à une quinzaine de mètres. Il paraissait si informe que cela aurait pu n'être qu'une ombre si, par-dessus le bruit du moteur, elle n'avait entendu le crépitement d'une mitraillette. Des douilles s'enfoncèrent dans la carrosserie et la vitre arrière explosa, mais la sienne resta intacte. La voiture prenait de la vitesse, dans quelques secondes, ils seraient hors de portée. Laura pria pour qu'aucun des pneus ne fût touché. Elle entendit d'autres coups de feu, à moins que ce ne fût les gravillons volant sous les roues.

Arrivée à l'embranchement de la route nationale, elle était sûre d'être en sécurité, mais en freinant pour tourner à gauche, elle vit deux phares dans le rétroviseur au niveau du garage. Les tueurs étaient arrivés sans véhicule... Dieu seul savait comment ils étaient venus... Et à présent il la poursuivaient dans sa Mercedes.

Elle avait l'intention de tourner à gauche et d'aller au-delà de Running Springs, vers la grand-route et la ville de San Bernardino, où elle trouverait la sécurité dans la foule, où des hommes en noir armés jusqu'aux dents ne passeraient pas inaperçus et où elle pourrait trouver un médecin pour son gardien. Pourtant, en voyant les hommes à sa poursuite, elle changea d'avis et tourna à droite, vers le lac de Big Bear.

Si elle avait tourné à gauche, elle serait passée sur la colline où Danny avait trouvé la mort un an auparavant; intuitivement, presque superstitieusement, Laura pensait que cette pente d'un kilomètre était l'endroit le plus dangereux au monde. Chris et elle avaient failli y mourir deux fois, une fois dans l'accident avec le camion des Robertson, la seconde sous les balles de Kokoschka. Parfois, il lui semblait que le sort réservait des événements heureux et malheureux, et, qu'une fois mis en échec, le destin luttait pour rétablir ce qui était prévu. Bien qu'elle n'ait aucune raison particulière pour penser qu'elle allait mourir sur la route de Running Springs, elle savait au fond de son cœur que la mort les y attendait.

Tandis qu'ils s'engageaient sur la route de Big Bear, bordée de sombres pins, Chris se redressa et regarda derrière.

— Ils sont là, dit Laura, mais on va les semer.

— C'est eux qui ont tué papa ?

— Oui, je crois. Mais à l'époque, nous ne savions rien sur eux, et nous n'étions pas prêts.

La Mercedes était sur la route elle aussi à présent, hors de vue la plupart du temps à cause des nombreux virages et des dénivellations. Elle devait se trouver à environ deux cents mètres, mais elle se rapprochait sans doute car le moteur était plus puissant que celui de la Jeep.

— Qui c'est ? demanda Chris.

— Je ne sais pas, mon chéri, mais je sais ce qu'ils sont : des salopards. J'en ai appris beaucoup sur eux il y a très longtemps à Caswell Hall, et la seule chose à faire avec des gens pareils, c'est de leur tenir tête, car la seule chose qu'ils respectent, c'est la violence.

— Tu as été formidable, maman !

— Tu t'es bien débrouillé, toi aussi. C'était fantastique de penser à faire démarrer la Jeep et d'ouvrir la porte au moment où je suis arrivée. Ça nous a sûrement sauvés.

Derrière eux, la Mercedes n'était plus qu'à une centaine de mètres, c'était une 420 SEL, une excellente routière, bien meilleure que la Jeep.

— Ils approchent.

— Je sais.

— Ils nous rattrapent.

Près de la pointe est du lac, Laura ralentit derrière un vieux camion Dodge avec un feu arrière brisé, et un pare-chocs rouillé qui semblait tenir grâce aux autocollants, qui se voulaient humoristiques : JE ROULE POUR LES BLONDES ; CAMION SPÉCIAL MAFIA. Il roulait à cinquante kilomètres-heure, bien en dessous de la limite de vitesse. Si Laura hésitait, la Mercedes comblerait l'espace qui les séparait. Quand ils seraient assez près, les tueurs risqueraient de se servir de leurs armes. Le dépassement était interdit dans cette zone, mais elle voyait assez loin pour risquer la manœuvre. Elle appuya sur l'accélérateur, doubla le camion et se rabattit sur la voie de droite. Devant eux, une Buick roulait à soixante à l'heure. Laura la dépassa aussi juste avant que la route ne devienne trop sinueuse pour que la Mercedes puisse en faire autant.

— Ils sont coincés, s'exclama Chris.

Laura conduisait à quatre-vingts kilomètres-heure, trop vite pour certains des virages, pourtant, elle s'accrochait au volant et commençait à retrouver l'espoir. Au niveau du lac, la route se séparait en deux et ni la Buick ni le camion ne la suivirent vers Big Bear City. Ils bifurquèrent vers Fawnskin, laissant vide l'espace entre la Jeep et la Mercedes qui se rapprocha immédiatement.

Il y avait des maisons partout, sur le côté surélevé ainsi qu'en contrebas près du lac. Certaines étaient plongées dans l'obscurité, des maisons de vacances sans doute, habitées surtout pendant les week-ends et pendant l'été, mais l'on discernait des lumières parmi les arbres.

Elle aurait pu suivre l'une des nombreuses allées et se faire accueillir à bras ouverts dans l'une des maisons. Les gens auraient ouvert sans hésiter. Ce n'était pas une ville, mais plutôt une bourgade de montagne où les habitants ne se méfiaient pas des visiteurs nocturnes.

De nouveau, la Mercedes n'était plus qu'à une centaine de mètres, et le chauffeur faisait des appels de phares comme pour dire joyeusement : *Coucou, nous voilà, Laura, le père fouettard est venu te chercher, personne ne peut nous échapper éternellement, nous voilà, on arrive !*

Pourtant, si elle s'abritait dans une des maisons, les assassins la tueraient sans aucun doute, les tueraient elle et Chris, mais aussi toute la maisonnée. Ces salauds hésiteraient peut-être à la poursuivre en plein cœur de la ville à San Bernardino ou Riverside, où ils risquaient de croiser la police, mais ils ne se laisseraient pas intimider par une poignée de badauds, car ils pourraient sans aucun doute s'évanouir à tout moment aussi facilement que son gardien, un an plus tôt. Elle n'avait aucune idée de l'endroit où ils iraient, mais elle soupçonnait qu'ils ne risqueraient pas d'y rencontrer la police. Pour ne pas risquer des vies innocentes, elle passa les maisons sans ralentir.

La Mercedes n'était plus qu'à cinquante mètres et se rapprochait rapidement.

— Maman...

— Je sais, je les vois.

Elle était au cœur de Big Bear City, mais malheureusement, l'endroit portait mal son nom. Ce n'était pas une ville, mais un village, presque un hameau. Il n'y avait pas assez de rues pour qu'elle puisse espérer semer ses poursuivants, et les forces de police locales n'étaient pas équipées pour lutter avec une bande de fanatiques armées de pistolets mitrailleurs.

De temps à autre, ils croisaient des voitures en sens inverse, et Laura se retrouva derrière une Volvo grise qu'elle doubla presque sans visibilité, mais elle n'avait pas le choix, car la Mercedes n'était qu'à quarante mètres. Les tueurs doublèrent sans plus de précaution.

— Comment va notre passager ? demanda Laura.

Sans enlever sa ceinture, Chris se retourna.

— Ça a l'air d'aller, mais il est secoué comme un prunier.

— Ça, je n'y peux rien.

— Qui c'est, maman ?

— Je ne sais pas grand-chose sur lui. Mais quand on sera sortis de là, je te dirai tout ce que je sais. Je ne t'en ai pas parlé avant parce que... parce que je ne comprenais pas très bien ce qui se passait. Et puis, j'avais peur que cela soit dangereux pour toi de savoir. A présent, cela ne peut pas être pire. Je te raconterai plus tard.

A condition qu'il y ait un plus tard.

Aux deux tiers de la rive sud du lac, roulant aussi vite que possible, avec la Mercedes à trente-cinq mètres derrière elle, elle aperçut l'embranchement de la route des crêtes, un chemin de campagne qui conduisait dans la montagne au-delà du col de Clark, coupait l'immense boucle de la nationale 38 et rejoignait une route à deux voies près de Barton Flats. Si Laura s'en souvenait bien, la route des crêtes était goudronnée pendant quelques kilomètres à chaque extrémité, mais n'était plus qu'un chemin de terre pendant une dizaine de kilomètres au milieu. Contrairement à la Jeep, la Mercedes n'était pas équipée de quatre roues motrices. Elle avait des pneus neige, mais pas de chaînes. Il y avait peu de chances pour que ses poursuivants sachent que la route allait céder la place à un chemin cabossé, couvert de verglas et de congères.

— Accroche-toi bien, dit-elle à Chris.

Elle ne freina qu'au dernier moment et prit si vite le tournant que la Jeep dérapa un peu dans un crissement de pneus. Elle toussa aussi, comme un vieux cheval qu'on force à sauter un obstacle effrayant.

La Mercedes négocia mieux la courbe, bien que le chauffeur n'ait rien su de ses intentions. Tandis qu'ils montaient, la Mercedes se rapprocha encore de quelques mètres.

Plus que vingt-cinq. Vingt.

Des éclairs zébrèrent soudain le ciel au sud. Ils n'étaient pas aussi proches que ceux qui avaient illuminé la maison, mais ils suffisaient malgré tout à transformer la nuit en jour. On entendait le grondement du tonnerre malgré le bruit du moteur.

— Maman, qu'est-ce qui se passe ?

— Je ne sais pas, dit-elle en criant pour se faire entendre par-dessus la cacophonie des cieux en furie.

Elle n'entendit pas le coup de feu, mais elle perçut le bruit des balles qui s'enfonçaient dans la carrosserie. Une douille perça la vitre arrière et se logea dans le dos du siège avant. Laura tourna le volant à droite et à gauche, pour que ses assaillants aient plus de mal à viser, ce qui l'étourdissait un peu dans la lumière vacillante. Ou les tueurs cessèrent de tirer, ou ils ratèrent la voiture à chaque fois, car on n'entendit plus d'impacts de balles. Pourtant, les zigzags de la route l'obligeaient à ralentir, et la Mercedes se rapprocha encore.

Elle devait regarder dans son rétroviseur de côté car la vitre du hayon était sillonnée d'un millier de petites craquelures qui brouillaient la visibilité.

Quinze mètres. Dix.

Au sud, les éclairs disparurent, comme après chaque explosion.

Laura passa une colline, le macadam se terminait au milieu de la descente. Elle reprit la conduite en ligne droite et accéléra. En quittant le goudron, la Jeep glissa pendant quelques instants, comme surprise par le changement de surface, puis retrouva son équilibre sur la croûte de terre gelée. Elle cahota sur une série de nids-de-poule et le long d'un creux sous la voûte des arbres, puis escalada la colline.

La Mercedes passa le terrain cabossé et entama la montée suivante. Mais tandis que Laura approchait du sommet, le second véhicule commença à déraper dans son sillage. Les phares quittèrent le champ du rétroviseur. Au lieu de contre-braquer, le chauffeur tenta de corriger le mouvement. Les roues tournèrent dans le vide. La voiture recula d'une vingtaine de mètres et la roue arrière bascula dans le fossé qui bordait la route. Les phares projetaient leurs rayons vers le ciel, à travers le chemin de terre.

— Ils sont bloqués ! s'exclama Chris.

— Il leur faudra au moins une demi-heure pour s'extirper de là.

Laura dépassa le sommet et plongea vers la pente suivante.

Elle aurait dû se réjouir, du moins se sentir soulagée, pourtant, ses craintes restaient les mêmes. Un pressentiment lui disait qu'ils n'étaient pas encore sortis d'affaire. Cela faisait plus de vingt ans qu'elle avait appris à se fier à son intuition, lorsqu'elle avait soupçonné l'Anguille de vouloir profiter d'elle le jour où elle s'était retrouvée seule dans une chambre à McIlroy, la nuit où il avait laissé une barre de chocolat sous son oreiller. Après tout, les pressentiments n'étaient que des messages du subconscient, qui travaille sans cesse et trie des informations auxquelles on ne pense pas consciemment.

Quelque chose clochait, mais quoi ?

Ils roulaient à moins de trente kilomètres-heure sur cette route étroite, sinueuse et cabossée. Perdant un moment, elle longeait une crête rocheuse et dénudée, puis entamait une déclivité dans la paroi de la montagne avant de rejoindre le fond du ravin, où les arbres étaient si denses que la lumière des phares rebondissait sur les troncs, phalanges de bois aussi solides que des murs.

A l'arrière, son gardien bredouilla des propos incompréhensibles dans son sommeil fiévreux. Elle s'inquiétait pour lui et aurait aimé aller plus vite, mais c'était impossible.

Après qu'ils eurent semé leurs poursuivants, Chris resta silencieux pendant trois kilomètres. Finalement, il demanda :

— A la maison... Tu en as tué ?

Laura hésita.

— Oui, deux.

— Tant mieux.

Troublée par la joie qui sous-tendait ces deux mots, Laura répondit :

— Non, Chris, ce n'est jamais une bonne chose de tuer. Ça m'a rendue malade.

— Mais ils le méritaient !

— Oui, bien sûr. Mais cela ne veut pas dire qu'on doit s'en réjouir. Ça n'apporte aucune satisfaction de tuer. Rien que du dégoût devant la nécessité de le faire. Et de la tristesse.

— J'aurais bien aimé en tuer un, dit-il dans une rage glacée, inquiétante pour un enfant de son âge.

Laura le regarda. Le visage sculpté par les ombres et la pâle lueur jaunâtre du tableau de bord, il paraissait plus vieux que son âge et donnait déjà une idée de l'homme qu'il deviendrait.

Là où le ravin devenait trop rocheux pour permettre le passage, la route montait à nouveau sur le flanc de la montagne.

— Mon chéri, il faudra reparler de cela plus tard, pour le moment, j'aimerais que tu m'écoutes et que tu comprennes quelque chose. Il y a beaucoup de mauvaises philosophies dans le monde. Tu sais ce que c'est la philosophie ?

— Euh, ouais... Pas vraiment.

— Disons que les gens croient à beaucoup de choses qui ne sont pas bonnes à croire. Mais il y a deux sortes de gens qui se trompent et qui sont les pires, qui sont même dangereux. Certains croient que le meilleur moyen de résoudre un problème, c'est la violence, qu'il faut combattre ou tuer tous ceux qui ne sont pas d'accord avec eux.

— Comme les types qui nous poursuivent ?

— Oui. Eux, ils sont comme ça. Et la violence ne fait qu'attirer la violence. Et puis, si l'on règle ses problèmes avec un fusil, il n'y a plus de justice, plus de paix, plus d'espoir. Tu comprends ?

— Je crois. Et la deuxième sorte, c'est quoi ?

— Le pacifisme. C'est exactement l'opposé des premiers. Les pacifistes croient qu'il ne faut jamais lever la main sur un être humain, quoi qu'il vous ait fait ou veuille vous faire. Si un pacifiste voit un homme qui vient tuer son frère, il dira à son frère de s'enfuir, mais il ne prendra jamais un fusil pour arrêter le meurtrier.

— Et il laissera le type tuer son frère ?

— Oui. Si les choses en arrivent au pire, il laissera tuer son frère plutôt que de violer ses propres principes et de devenir lui-même un assassin.

— C'est de la connerie.

Ils parvinrent au sommet de la crête, puis la route descendit vers une autre vallée. Les branches entrelacées des pins tombaient si bas qu'elles éraflaient le toit de la Jeep. Des mottes de neige tombaient sur le capot et le pare-brise.

Laura mit les essuie-glaces en marche et se pencha sur le volant, profitant de l'attention que demandait la route pour réfléchir à la façon de s'exprimer le plus clairement possible. Ils avaient enduré une bonne dose de violence au cours de l'heure précédente, et d'autres violences devaient les attendre encore. Il était essentiel que Chris développe une attitude appropriée face à ce problème. Elle ne voulait pas qu'il se mette à penser que les fusils et les muscles étaient un substitut adéquat à la raison. Elle ne voulait pas non plus qu'il se laisse traumatiser et apprenne la peur au prix de sa dignité et éventuellement de sa vie.

— Certains pacifistes ne sont que des lâches déguisés, mais certains pensent vraiment qu'il est préférable de laisser mourir une personne innocente plutôt que de tuer pour l'empêcher. Ils se trompent parce que en ne se battant pas contre le mal, ils aident le mal. Ils sont aussi coupables que le type qui appuie sur la détente. Tout ça est peut-être un peu difficile pour toi en ce moment, et il faudra sans doute que tu y réfléchisses beaucoup avant de comprendre, mais il faut que tu saches que l'on peut vivre entre les deux, entre les tueurs et les pacifistes. Essaie d'éviter la violence, ne commence jamais le premier, mais si quelqu'un t'attaque, défends-toi, défends tes amis, ta famille, tous ceux qui ont des ennuis. Quand j'ai dû tuer ces hommes, ça m'a fait mal au cœur, je ne suis pas un héros. Je ne suis pas fière de les avoir tués, mais je n'en ai pas honte non plus. Je ne veux pas que tu sois fier de moi pour ça, je ne veux pas que tu croies que cela m'a fait plaisir, ni que me venger me fait mieux supporter la mort de ton papa, parce que ce n'est pas vrai.

Chris garda le silence.

— Ce n'est pas trop dur pour toi ?

— Non. Il faut que je réfléchisse. Je crois que je ne pense pas comme il faut... Parce que je voudrais qu'ils soient tous morts, tous ceux qui sont pour quelque chose dans... ce qui est arrivé à papa. Mais je ferai des efforts. J'essaierai d'être meilleur.

— Je te fais confiance, Chris.

Pendant toute sa conversation avec Chris et les quelques minutes de silence qui s'ensuivirent, Laura continua à être hantée par la crainte d'un danger imminent. Ils avaient fait douze kilomètres sur la route des crêtes, il restait encore un kilomètre de chemin de terre et trois kilomètres goudronnés avant de parvenir à la nationale 38. Plus elle avançait, plus il lui semblait oublier un détail important qui annonçait d'autres ennuis.

Soudain, elle s'arrêta à un sommet avant que la route ne

descende, pour la dernière fois, vers la vallée. Elle coupa le moteur et les phares.

— Qu'est-ce qui ne va pas ? demanda Chris.

— Rien. J'ai besoin de réfléchir. Je vais jeter un coup d'œil sur notre passager.

Elle sortit et fit le tour de la Jeep. Elle ouvrit le hayon. Des morceaux de verre brisé tombèrent sur le sol à ses pieds. Elle monta à l'arrière, s'allongea près de son gardien et lui prit le pouls. Il était faible, peut-être plus faible qu'auparavant, mais régulier. Elle lui posa la main sur le front et s'aperçut qu'il n'avait plus froid, bien au contraire, on aurait dit qu'il brûlait de l'intérieur. Elle demanda à Chris de lui passer la lampe de poche de la boîte à gants. Elle souleva les couvertures pour voir si la blessure saignait de nouveau. Elle était profonde, mais il n'y avait pas de sang frais en dépit des secousses. Elle le recouvrit, redonna la lampe à Chris, sortit et referma le hayon.

Elle enleva les morceaux de verre encore accrochés à l'encadrement de la vitre et de la petite fenêtre arrière du côté du chauffeur. Une fois le verre parti, les dégâts se voyaient moins et risquaient moins d'attirer l'attention. Pendant un instant, elle resta immobile dans l'air froid, fixant le paysage sauvage, essayant de retrouver les liens entre instinct et raison : pourquoi était-elle si sûre d'aller au-devant du danger ?

Dans le ciel, très haut, le vent dispersait les nuages vers l'est, un vent qui n'avait pas encore atteint la terre, où tout était étrangement immobile. La lune brillait à travers les lambeaux de nuages et illuminait le paysage de collines enneigées, avec ses pins dépouillés de leur couleur et ses formations rocheuses.

Laura regarda vers le sud, là où la route donnait sur la nationale 38. Tout semblait serein. Elle se tourna vers l'est, l'ouest, puis de nouveau vers le nord. Pas de signes de vie humaine dans toutes les montagnes de San Bernardino, pas une lumière, pas une habitation, comme si l'homme n'avait jamais violé leur pureté et leur paix primitives.

Elle se reposa la même question, et retomba sur la même réponse, dans une sorte de dialogue intérieur qu'elle s'était tenu au cours de cette année. D'où venaient les hommes à la ceinture ? D'une autre planète, d'une autre galaxie ? Non, c'étaient des humains, comme elle. De Russie, alors ? Les ceintures agissaient peut-être comme des transmetteurs de matière, des systèmes de téléportage, un peu comme dans ce vieux film, *La Mouche*, première version. Cela expliquerait l'accent de son gardien... s'il venait de Russie. Mais cela n'expliquait pas pourquoi il n'avait pas vieilli en un quart de siècle. Et puis, elle ne croyait pas que l'Union soviétique ou tout autre pays travaillait à l'élaboration d'un système de transmission de la matière. Ce qui ne laissait plus que le voyage dans le temps.

Cela faisait déjà plusieurs mois qu'elle envisageait cette possibilité, mais elle n'était pas assez sûre d'elle pour en parler, même à Thelma. Pourtant, si son ange gardien était entré dans sa vie aux moments cruciaux par l'intermédiaire d'un voyage dans le temps, il pouvait avoir fait tous ces voyages en l'espace d'un seul mois, ou même d'une seule semaine, à l'époque où il vivait, bien qu'il se soit passé des années pour elle. Ainsi, lui n'aurait pas vieilli. Jusqu'à ce qu'elle puisse lui poser la question, le voyage dans le temps était la seule théorie sur laquelle elle pouvait s'appuyer. Son gardien venait d'un monde futur, et d'un monde peu alléchant de toute évidence, car en lui donnant la ceinture il lui avait dit : « Vous n'avez pas envie d'aller là où cela vous emmènerait » avec un regard anxieux. Elle ne comprenait pas pourquoi un homme d'un monde à venir la protégeait, elle parmi tant d'autres, pour lui éviter de se faire violer par un junkie et tuer par un camion, mais elle n'avait guère le temps d'y réfléchir.

La nuit était noire, silencieuse, glacée.

Ils couraient tout droit vers les ennuis.

Elle le *savait,* mais elle ne savait pas lesquels ni d'où ils viendraient.

— Qu'est-ce qui ne va pas ? demanda Chris quand elle entra dans la voiture.

— Dis, toi qui es un fanatique de *Star Trek, Star Wars*, des *Maîtres de l'Univers,* tu dois être le genre de spécialiste à qui je fais appel pour m'informer sur un sujet avant d'écrire un roman. Tu es mon documentaliste dans le domaine de l'étrange.

Le moteur était toujours coupé et l'intérieur n'était éclairé que par la lueur de la lune qui perçait les nuages, pourtant, elle voyait le visage de Chris car les quelques minutes passées dehors lui avaient permis de s'adapter à l'obscurité. Il fronça les sourcils et la regarda.

— De quoi tu parles, maman ?

— Chris, je t'ai dit que je te parlerais de l'homme qui est

derrière plus tard, des étranges apparitions qu'il a faites dans ma vie, mais je n'ai pas le temps maintenant, alors, ne me pose pas trop de questions, d'accord ? Supposons quand même que mon ange gardien... c'est comme ça que je pense à lui parce qu'il m'a protégée quand il pouvait... supposons que ce soit un voyageur du temps qui vienne de l'avenir. Supposons qu'il ne vienne pas dans une énorme machine, mais qu'il se déplace avec une ceinture qu'il cache sous ses vêtements et qu'il se matérialise comme ça, sorti de nulle part. Tu me suis ?

— C'est un voyageur du temps ?

— Peut-être.

Le garçon se libéra de sa ceinture de sécurité, s'agenouilla sur le siège et regarda derrière lui.

— Bordel de merde !

— Etant donné les circonstances, je pardonne le langage.

— Excuse-moi, mais un voyageur du *temps !* dit-il en la regardant d'un air timide.

Si elle avait été en colère, elle n'aurait pu rester longtemps de mauvaise humeur, car il était envahi d'un accès de joie enfantine, d'un émerveillement qu'il n'avait pas manifesté depuis un an, pas même à Noël quand il s'était tant amusé avec Jason Gaines. La perspective d'une rencontre avec un voyageur du temps l'emplit immédiatement du sens de l'aventure. C'est ce qui est merveilleux avec la vie : bien qu'elle soit cruelle, elle nous réserve toujours mystères et surprises, parfois même des miracles. Et, en étant le témoin de miracles, le déprimé découvre une raison de vivre, le cynique s'évade pour un instant de son ennui, et un enfant blessé trouve la volonté de guérir et un remède à la mélancolie.

— Supposons que pour quitter notre temps et retourner chez lui, il n'ait qu'à appuyer sur un bouton de sa ceinture.

— Je peux la voir ?

— Plus tard. N'oublie pas que tu as promis de ne pas poser de questions.

— Bon.

Il se retourna une fois encore vers le gardien avant de consacrer son attention à sa mère.

— Et quand il presse le bouton, qu'est-ce qui se passe ?

— Il disparaît.

— Ouaouh ! Et quand il arrive de l'avenir, il apparaît comme ça ?

— Je ne sais pas, je ne l'ai jamais vu arriver. Mais, je ne sais pas pourquoi, il me semble qu'il y a des éclairs et des coups de tonnerre.

— Comme l'orage ce soir !

— Oui, mais il n'y a pas toujours des éclairs. Bon, supposons qu'il arrive à temps pour nous aider, nous protéger d'un danger...

— Comme le camion fou.

— Je ne sais pas pourquoi il veut nous protéger, il faudra attendre qu'il nous le dise. Bon, supposons qu'il y ait d'autres gens qui ne veuillent pas qu'on soit protégés. Nous ne pouvons pas comprendre pourquoi, mais c'est sûrement le cas de Kokoschka, l'homme qui a tiré sur ton père.

— Et les types qui sont arrivés à la maison, ils viennent de l'avenir aussi ?

— Je crois. Ils voulaient tuer mon gardien, et toi et moi aussi. Mais on en a tué deux et on en a laissé deux autres dans la Mercedes. Alors, maintenant, qu'est-ce qu'ils vont faire, fiston ? C'est toi le spécialiste en la matière. Tu as une idée ?

— Laisse-moi réfléchir.

La lune se réfléchissait mornement sur le capot.

Il commençait à faire froid dans la voiture ; des volutes de buée sortaient de leur bouche, et les vitres commençaient à givrer. Laura alluma le chauffage, le dégivreur, mais pas les lumières.

— Bon, ils ont échoué dans leur mission, alors ils ne vont pas traîner sur place. Ils retourneront là d'où ils viennent.

— Les deux types de la Mercedes ?

— Oui, ils ont déjà probablement appuyé sur leur bouton et sur celui des deux cadavres à la maison pour renvoyer les corps chez eux. Il n'y aura aucune preuve que des voyageurs du temps sont passés par là, à part du sang, peut-être. Alors, quand les deux derniers sont tombés dans le ravin, ils ont sans doute abandonné et ils sont rentrés chez eux.

— Ils ne sont plus là ?

— Non, ça serait trop difficile. Enfin, ils ont un moyen plus simple de nous retrouver que de nous chercher partout au hasard, comme n'importe quel truand serait obligé de le faire.

— Quel moyen ?

Chris fronça le visage et regarda la neige et l'obscurité par le pare-brise.

— Tu vois, maman, dès qu'ils nous ont perdus, ils ont appuyé

215

sur le bouton de leur ceinture, ils sont retournés dans l'avenir, et après, ils feront un autre voyage pour nous tendre un piège. Ils savent qu'on a pris cette route. Alors, ils ont sans doute fait un autre voyage, mais un peu plus tôt ce soir, et ils nous attendent de l'autre côté de la route. Ouais, c'est ça, je suis sûr qu'ils sont là-bas.

— Mais pourquoi ne pourraient-ils pas venir encore plus tôt, avant la première fois, à la maison, et nous attaquer avant que mon gardien ait eu le temps de nous prévenir ?

— Paradoxe ! Tu sais ce que ça veut dire ?

Le mot lui semblait trop complexe pour un enfant de huit ans, mais elle répondit :

— Oui, je sais ce qu'est un paradoxe : quelque chose de contradictoire, mais néanmoins possible.

— Tu vois, maman, le truc avec les voyages dans le temps, c'est que c'est plein de possibilités de paradoxes. Des choses qui ne peuvent pas être vraies, qui ne devraient pas être vraies, mais qui sont quand même possibles.

Il parlait avec la voix animée avec laquelle il racontait les scènes de ses bandes dessinées ou de ses films fantastiques préférés, mais avec plus d'intensité encore, sans doute parce que cette fois la réalité dépassait la fiction.

— Suppose que tu retournes dans le temps, et que tu te maries avec ton grand-père. Si les voyages dans le temps sont possibles, ça pourrait arriver, mais comment tu serais née si ta grand-mère n'avait pas épousé ton grand-père ? Paradoxe ! Ou si tu rencontrais ta mère quand elle était enfant et que tu la tues par accident ? Tu n'existerais plus ! *Pop !* Ça serait comme si tu n'étais jamais née. Mais si tu n'existais plus, comment aurais-tu pu retourner dans le temps ? Paradoxe ! Paradoxe !

En le regardant dans l'obscurité baignée de lune de la Jeep, Laura avait l'impression de se trouver face à un enfant différent de celui qu'elle avait toujours connu. Bien sûr, elle le savait fasciné par la science-fiction, comme la plupart des enfants de son âge, mais jusqu'à présent, elle n'avait jamais eu l'occasion de constater l'influence que cette fascination exerçait sur sa forme d'esprit. De toute évidence les enfants américains de la fin du XXe siècle avaient une vie imaginaire plus riche que ceux des époques antérieures, mais en tiraient quelque chose que les contes de fées, les elfes et les fantômes des générations précédentes n'avaient jamais pu apporter : la faculté de réfléchir sur des concepts abstraits, comme l'espace et le temps, d'une manière qui dépassait largement les facultés intellectuelles et émotionnelles de leur âge. Elle avait l'impression de s'adresser à la fois à un petit garçon et à un spécialiste de la navigation spatiale.

— Bon, dit-elle, un peu déconcertée, alors, pourquoi n'ont-ils pas pu faire le second voyage *avant* le premier et nous tuer avant que mon ange gardien ne nous prévienne ?

— Voyons, ton ange gardien était déjà arrivé. Alors, s'ils étaient revenus *avant* qu'il nous prévienne, comment aurait-il pu nous prévenir, et comment pourrions-nous être sur cette route, ici, et vivants ? Paradoxe !

Il rit et battit des mains comme un gnome ricanant devant un effet secondaire d'un tour de magie particulièrement amusant.

Malgré cette bonne humeur, Laura avait mal à la tête à force de réfléchir aux complexités de l'affaire.

— Il y a des gens qui croient que le voyage dans le temps n'est pas possible à cause des paradoxes. Mais il y en a d'autres qui pensent que si, à condition que l'on ne crée pas de paradoxes. Alors, si c'est eux qui ont raison, les tueurs ne pouvaient pas revenir plus tôt, parce qu'il y en a deux qui se sont fait tuer au cours du premier voyage. Ils auraient été déjà morts, et ça aurait créé un paradoxe. Mais ceux que tu n'as pas tués et peut-être d'autres peuvent faire un autre voyage pour nous barrer la route.

Il se pencha en avant et regarda à travers le pare-brise.

— C'est pour ça qu'il y a eu des éclairs vers le sud, quand on zigzaguait pour ne pas qu'ils nous tirent dessus. Il y avait des types qui arrivaient par là. Je parierais qu'ils nous attendent, là, dans le noir.

— Et si on fait demi-tour, demanda Laura en se frottant les tempes, si on ne va pas vers le piège qu'ils nous tendent, ils s'apercevront qu'on s'est sauvés, alors, ils feront un troisième voyage et retourneront à la Mercedes pour nous tirer dessus quand on passera. Ils nous auront, quoi qu'on fasse.

Chris secoua la tête.

— Non, parce que quand ils s'apercevront qu'on les a doublés, disons dans une demi-heure, on aura déjà dépassé la Mercedes. Tout excité, Chris sautillait sur son siège.

— Alors, s'ils essaient de faire un troisième voyage pour revenir au début de la route et nous piéger, ce ne sera pas possible, parce qu'on sera déjà en sécurité. Paradoxe ! Tu vois, ils sont obligés de respecter les règles. Ils n'ont pas de pouvoirs magiques. Ils doivent observer les règles et ils ne sont pas imbattables !

En trente-trois ans, elle n'avait jamais eu de migraine qui soit passée aussi rapidement de la douleur sourde à un martèlement explosif. Plus elle essayait de réfléchir aux moyens d'éviter une armée de tueurs venus d'une autre époque, plus le mal s'aggravait.

— Je donne ma démission. Je crois que j'aurais dû regarder *Star Trek* et lire Robert Heinlein pendant toutes ces années, au lieu de faire des choses sérieuses, parce que je ne sais pas quoi faire. Alors, voilà, je vais compter sur toi pour leur filer entre les pattes. Il faut que tu aies toujours un pas d'avance sur eux. Ils veulent notre mort. Alors comment peuvent-ils essayer de nous tuer sans créer de paradoxes ? Où vont-ils nous attendre la prochaine fois ?... Et la suivante ? Pour le moment, on va faire demi-tour, passer devant la Mercedes, et si tu as raison, personne ne nous y attendra. Mais après ? Tu crois qu'on les reverra cette nuit ? Réfléchis, et quand tu auras une idée de l'endroit où ils seront, dis-le-moi.

— Oui, maman.

Il s'enfonça dans son siège avec un large sourire, puis, se mordant les lèvres, il plongea un peu plus profond dans le jeu.

Mais ce n'était pas un jeu. Leur vie était en danger. Ils devaient échapper aux tueurs avec une intelligence surhumaine, et ils fondaient tous leurs espoirs de survie sur l'imagination d'un enfant de huit ans.

Laura mit le moteur, passa la marche arrière et recula pendant une centaine de mètres jusqu'à ce qu'elle trouve un espace assez large pour faire demi-tour. Ils se dirigèrent vers la Mercedes accidentée.

Laura était au-delà de la peur. Leur situation offrait de telles inconnues, de tels impondérables, que la terreur ne pouvait persister. Contrairement à la joie ou à la dépression, c'est un sentiment très violent qui, de par sa nature même, ne saurait durer longtemps. La terreur se dissipe vite. Ou alors, elle augmente jusqu'à ce qu'on s'évanouisse ou qu'on meure, qu'on meure de peur. On hurle jusqu'à ce qu'un vaisseau éclate dans le cerveau. Elle ne criait pas, et, malgré son mal de tête, elle ne croyait pas que sa cervelle allait exploser. Elle sombrait dans une peur banale, chronique, à peine plus forte qu'une légère anxiété.

Quelle journée ! Quelle année ! Quelle vie !

Des nouvelles exotiques !

· 2 ·

Ils passèrent devant la Mercedes et arrivèrent à l'autre bout de la route sans rencontrer d'hommes armés de mitraillettes. A l'intersection avec la route du lac, Laura s'arrêta et regarda Chris.

— Alors ?

— Tant qu'on roule et tant qu'on va à des endroits où on n'est jamais allés et où on ne va pas en général, c'est assez sûr. Ils ne nous retrouveront pas s'ils n'ont aucune idée de là où on peut être. Comme les flics classiques.

Les flics ? Est-ce un mélange de H. G. Wells et de *Hill Street Blues* ?

— Maintenant qu'on s'est sauvés, ils vont retourner dans l'avenir et regarder tout ce qu'ils ont sur toi, sur ton passé, et ils vont essayer de prévoir ce que tu vas faire, comme retourner à la maison, par exemple. Ou bien si tu écris un autre livre, et que tu fais une tournée de signatures, ils viendront dans une librairie, parce qu'ils auront une trace de l'événement dans l'avenir et ils sauront où et quand te trouver.

— Tu veux dire que le seul moyen de les éviter pour le reste de mes jours, c'est de changer de nom et de rester en cavale tout le temps sans laisser de trace ? Disparaître de l'histoire d'un seul coup ?

— Ouais, c'est peut-être ce qu'il va falloir faire, dit-il tout excité.

Il était assez intelligent pour avoir trouvé un moyen de déjouer les voyageurs du temps, mais pas assez adulte pour se rendre compte à quel point cela serait difficile de tout oublier et de recommencer à zéro, rien qu'avec l'argent qu'ils avaient dans leurs poches. C'était une sorte de savant idiot, plein d'intuition et de talent dans un domaine, mais extrêmement limité sur les autres plans. En ce qui concernait la théorie du voyage dans le temps, il avait mille ans, mais ailleurs, il allait sur ses neuf ans.

— Je ne pourrai plus jamais écrire de livres, car je serai obligée d'avoir des contacts avec des éditeurs, ne serait-ce qu'au télé-phone, et on peut garder des traces des conversations téléphoni-ques. Je ne pourrai plus toucher mes droits d'auteur, parce que même si je prends des précautions et que j'ai plusieurs comptes en banque, tôt ou tard, il faudra que j'aille chercher de l'argent moi-même, et il y aura une trace. Bientôt, ils retrouveront les dossiers dans l'avenir, et ils viendront à la banque pour m'assassiner. Et comment je vais faire pour mettre la main sur l'argent que j'ai déjà ? Comment je vais faire pour encaisser des chèques sans qu'il y ait de traces dans l'avenir ? Mon Dieu, Chris, nous sommes dans une impasse.

A présent, c'était au tour du garçon d'être désorienté. Il la regarda, ne comprenant pas très bien d'où venait l'argent, ni pourquoi il était si difficile de l'obtenir.

— Pendant quelques jours, on peut rouler et habiter dans des motels.

— Oui, si je paie en liquide. Si j'utilise une carte de crédit, c'est peut-être suffisant pour qu'ils nous retrouvent.

— Eh bien, tu paieras en liquide, et on mangera tout le temps dans des McDonald's, c'est vachement bon.

Ils quittèrent les montagnes et parvinrent à San Bernardino, une ville de trente mille habitants, sans rencontrer d'assassins. Il fallait qu'elle trouve un médecin, non seulement parce qu'elle devait la vie à son gardien, mais aussi parce que c'était le seul moyen d'en apprendre plus et de trouver peut-être une issue à l'impasse dans laquelle ils se trouvaient.

Elle ne pouvait pas l'emmener à l'hôpital, sinon il y aurait une trace qui aiderait ses ennemis à les retrouver. Elle le ferait soigner secrètement par quelqu'un qui ne savait rien d'elle ni du patient.

Un peu avant minuit, elle s'arrêta à une cabine téléphonique près d'une station-service Shell. Le téléphone était un peu à l'écart du garage, endroit idéal car personne ne pourrait remar-quer les vitres brisées ni le blessé.

Malgré l'heure de sommeil qu'il avait déjà eue dans la nuit et son excitation, Chris s'était endormi. A l'arrière, son gardien dormait lui aussi, mais son sommeil n'était pas naturel. Il ne bredouillait plus, mais pendant de longues minutes d'affilée, il inspirait dans un sifflement rauque effrayant.

Elle gara la Jeep sur le parking, laissa le moteur en marche, et alla consulter l'annuaire dans la cabine. Elle déchira la page jaune correspondant aux médecins.

Après avoir acheté un plan de la ville à la station-service, elle se mit en quête d'un médecin qui travaillait dans un cabinet attenant à sa maison, le cas le plus courant autrefois dans les petites villes, bien que cela commence à se faire plus rare. Elle savait que plus elle tarderait, moins son gardien aurait de chances de survie.

A une heure et quart, dans un paisible quartier résidentiel assez ancien, elle s'arrêta devant une demeure de deux étages de style victorien, construite avant que le stuc ait remplacé tout autre matériau. Elle était située à un coin de rue, avec un garage à deux places abrité sous des aulnes dénudés en ce milieu d'hiver, ce qui faisait ressembler l'endroit à un paysage transporté de la côte Est. Selon la page de l'annuaire déchirée, c'était l'adresse du Dr Carter Brenkshaw, et une pancarte près de l'allée suspendue entre deux poteaux métalliques rouillés confirmait les informations du bottin.

Elle alla se garer le long du trottoir au bout du pâté de maisons. Elle sortit de la Jeep, prit une poignée de terre humide dans une plate-bande d'une maison voisine et salit le plus possible la plaque minéralogique pour dissimuler le numéro.

Tandis qu'elle se frottait les mains en montant dans la voiture, Chris se réveilla, encore tout groggy après ses deux heures de sommeil. Elle lui caressa le visage, repoussa une mèche de cheveux sur son front et lui parla pour qu'il se réveille complètement. L'air glacé qui s'engouffrait par la fenêtre brisée paracheva le travail.

— Bon, écoute-moi, j'ai trouvé un médecin. Tu peux faire semblant d'être malade ?

— Fastoche !

Il fit une grimace comme s'il avait envie de vomir et gémit.

— N'en rajoute pas.

Elle lui expliqua son plan.

— C'est génial !

— Non, c'est stupide, mais je ne vois rien d'autre.

Elle fit demi-tour et retourna devant chez Brenkshaw où elle s'arrêta devant le garage à l'arrière de la maison. Chris sortit par la porte du chauffeur, elle le prit dans ses bras et il appuya sa tête contre l'épaule de sa mère. Il s'accrochait à elle, si bien qu'elle n'avait besoin que de son bras gauche pour le tenir bien qu'il soit assez lourd. Son bébé n'était plus un bébé. Dans sa main droite, elle prit le revolver.

En portant Chris dans l'allée obscure, à peine baignée de la faible lueur violacée des lampes au mercure sagement espacées de la rue, elle espérait que personne ne la verrait. De toute façon, ce ne devait pas être si étrange que le médecin reçoive une visite en plein milieu de la nuit.

Elle monta les marches du porche et sonna trois fois, rapidement, comme pourrait le faire une mère anxieuse. Elle n'attendit que quelques secondes avant de resonner trois fois.

Quelques minutes après la deuxième série de coups de sonnette, alors qu'elle commençait à croire qu'il n'y avait personne, les lumières du perron s'allumèrent. Elle vit un homme l'observer par la fenêtre du troisième étage.

— S'il vous plaît, dit-elle, des accents d'angoisse dans la voix, en tenant son revolver bien caché, mon fils s'est empoisonné, il a bu du poison !

L'homme ouvrit la porte intérieure, mais comme il y avait une double porte vitrée qui s'ouvrait vers l'extérieur, Laura recula d'un pas.

De type irlandais, à part le nez fort et les yeux noirs, les cheveux grisonnants, il avait environ soixante-cinq ans. Il portait une robe de chambre marron sur un pyjama blanc.

— Qu'est-ce qui se passe ? demanda-t-il en la regardant par-dessus ses lunettes en écaille.

— J'habite tout près d'ici, et mon garçon a bu du poison...

Au bord de la crise de nerfs simulée, elle lâcha Chris et pointa le canon de son .38 contre le ventre de l'homme.

Elle n'avait aucune intention de le tuer, mais elle devait paraître convaincante car il hocha la tête sans rien dire.

— Vous êtes bien le Dr Brenkshaw ? Vous êtes seul ?

— Oui.

— Votre femme ?

— Je suis veuf.

— Des enfants ?

— Ils sont grands. Ils ne vivent plus ici.

— Ne me racontez pas de bobards !

— J'ai pour habitude de ne jamais mentir. Ça m'a attiré des ennuis plusieurs fois, mais dire la vérité, ça simplifie généralement la vie. Ecoutez, il fait froid. Et vous pourrez aussi bien m'intimider à l'intérieur.

Elle franchit le seuil, tout en pointant toujours son arme sur le ventre du médecin et en le forçant à reculer. Chris la suivit.

— Mon chéri, va en haut, vérifie toutes les pièces, sans en oublier une. Si tu rencontres quelqu'un, tu diras que le docteur a une urgence et qu'il a besoin d'aide.

Chris alla vers l'escalier et Laura resta dans le vestibule, surveillant toujours le médecin. Une grande horloge à balancier marquait doucement les secondes.

— Vous savez, dit-il, j'adore les thrillers.

— Qu'est-ce que vous racontez ?

— J'ai souvent lu des scènes où une splendide héroïne retenait le héros contre son gré. La plupart du temps, quand il finit par se rebiffer et par lui renverser la table sur la tête, elle capitule devant la puissance de sa virilité et ils font sauvagement l'amour. Pourquoi faut-il que cela m'arrive quand je suis trop vieux pour la deuxième partie de cette petite aventure !

Laura retint son sourire, car elle ne pouvait pas soutenir son image de femme dangereuse si elle souriait.

— La ferme !

— Je suis sûr que vous pouvez faire mieux que ça !

— Taisez-vous, c'est compris ?

Il ne devenait pas plus pâle, il ne tremblait pas. Il souriait.

— Y a personne en haut, maman, dit Chris.

— Je me demande s'il y a beaucoup de dangereux bandits qui ont des complices hauts comme trois pommes qui les appellent « maman ».

Chris disparut dans les pièces du bas.

— Il y a un blessé dans ma voiture.

— Blessure par balle, je parie ?

— Je veux que vous le soigniez et que vous n'en parliez à personne. Sinon, je reviendrai moi-même vous faire sauter la cervelle.

— Personne, maman, dit Chris en éteignant les lumières qu'il venait d'allumer.

— Vous avez un brancard ? demanda Laura.

— Ah bon, parce que c'est vrai cette histoire de blessé ?

— Pourquoi je serais ici, autrement ?

— Comme c'est bizarre ! Il saigne beaucoup ?

— Il a beaucoup saigné, mais c'est terminé. Il a perdu connaissance.

— S'il ne saigne plus, on peut l'amener jusqu'ici. J'ai un fauteuil roulant dans mon cabinet. Je peux prendre mon manteau ? A moins que les petites loubardes dans votre genre ne s'amusent à voir les hommes trembler de froid en pyjama ?

— Allez chercher votre manteau, docteur. Mais ne me sous-estimez pas.

— Ouais, elle a déjà tué deux types cette nuit, dit Chris en imitant le crépitement d'une mitraillette. Ils ont même pas eu le temps de riposter.

L'enfant parlait d'un ton si sincère que Brenkshaw regarda Laura d'un air inquiet.

— Il n'y a que des manteaux dans le placard, et des parapluies, et des bottes en caoutchouc. Je ne suis pas armé.

— Faites attention, docteur, pas de gestes brusques.

— Pas de gestes brusques. J'étais sûr que vous diriez ça.

Bien qu'il semblât toujours trouver la situation amusante, il ne parlait plus d'un ton aussi léger qu'auparavant.

Quand le médecin eut enfilé son manteau, ils le suivirent. Sans allumer la lumière, se fiant à la faible lueur de la rue et à sa familiarité avec les lieux, le Dr Brenkshaw les conduisit dans la salle d'attente, équipée de quelques chaises et de petites tables, puis dans son cabinet. Un bureau, trois chaises, des livres de médecine. Une autre porte donnait sur la salle d'examen.

Laura s'attendait à voir une vieille table, parfaitement entretenue depuis une bonne trentaine d'années, une sorte de cabinet sorti tout droit d'une toile de Norman Rockwell, mais tout paraissait neuf. Il y avait même un appareil de radiographie et un panneau au fond de la pièce avertissait : DANGER. RAYONS X.

— Vous avez un appareil de radiographie !

— Bien sûr. Ce n'est pas si cher qu'autrefois. Toutes les cliniques en ont.

— Les cliniques, oui, mais vous êtes tout seul.

— Je ressemble peut-être à Barry Fitzgerald dans un rôle de médecin d'un vieux film, mais je ne pratique pas une médecine périmée dans le seul but d'avoir l'air d'un original. En fait, je suis sûrement plus consciencieux dans mon rôle de médecin que vous dans celui de desperado !

— A votre place, je ne parierais pas là-dessus, dit-elle durement, bien qu'elle fût un peu lasse de feindre le sang-froid.

— Ne vous inquiétez pas, je jouerai le jeu. Je trouve ça amusant. Quand on est passés dans mon bureau, dit-il à Chris, tu as remarqué la jarre de céramique rouge ? Elle est pleine de bonbons et de sucettes, tu peux en prendre si tu veux.

— Oh, merci ! Euh…, maman, je peux en prendre ?

— Un ou deux, mais ne te rends pas malade.

— Quand il s'agit de donner des bonbons aux enfants, je suis plutôt vieux jeu. Pas de chewing-gums sans sucre. D'ailleurs à quoi ça sert ? On dirait du plastique. S'ils ont les dents pourries en sortant d'ici, c'est leur dentiste que cela regarde.

Tout en parlant, il sortit un fauteuil roulant, le déplia et le fit rouler au milieu de la pièce.

— Mon chéri, reste ici pendant que je retourne à la Jeep.

— D'accord, dit Chris de la pièce d'à côté où il choisissait ses friandises.

— Votre Jeep est dans l'allée ? Alors sortons par-derrière, c'est plus discret.

Se trouvant stupide de toujours pointer son revolver, Laura le suivit par une porte de côté qui donnait sur une rampe.

— L'entrée des handicapés, dit Brenkshaw, tout en poussant le fauteuil le long d'une allée qui donnait sur l'arrière de la maison.

Le parc du médecin était vaste, si bien qu'aucun voisin ne plongeait directement chez lui. Sur le côté, poussaient des ficus et des pins, verts toute l'année. Mais malgré l'écran des branches et l'obscurité, Laura apercevait les fenêtres des maisons voisines, si bien qu'elle supposait qu'on pouvait la voir aussi.

La nuit était plongée dans le silence qui n'existe qu'entre minuit et l'aube. Même si elle n'avait pas su qu'il n'était pas loin de deux heures, elle aurait pu le deviner à une demi-heure près. Les faibles rumeurs de la ville s'entendaient dans le lointain mais, dans cette tranquillité mortuaire, Laura aurait eu l'impression d'être en mission secrète même si elle s'était contentée de sortir les poubelles.

Brenkshaw s'arrêta à l'arrière de la Jeep.

— Ah, de la boue sur la plaque d'immatriculation, très convaincant !

Laura descendit le hayon et il monta voir le « blessé ».

Laura observait la rue. Tout était calme et silencieux.

Mais si une patrouille de police passait par là, les policiers de service ne manqueraient pas de ralentir pour voir ce qui se passait chez ce bon vieux Dr Brenkshaw.

— Nom d'un chien, dit-il en descendant, vous avez vraiment un blessé !

— Il n'y pas de quoi avoir l'air étonné. Vous croyez que j'ai un revolver pour m'amuser ?

— Il faut l'emmener à l'intérieur, vite, dit Brenkshaw.

Il ne pouvait pas déplacer son gardien tout seul. Pour pouvoir l'aider, Laura glissa son .38 dans la ceinture de son jean.

Brenkshaw ne chercha pas à se sauver ni à lui prendre son arme. Dès qu'ils eurent placé l'homme dans le fauteuil, il le poussa lui-même vers la porte des handicapés.

Laura prit un des Uzi sur le siège avant et le suivit. Elle ne pensait pas avoir besoin de cette arme, mais cela la rassurait de l'avoir en main.

Un quart d'heure plus tard, Brenkshaw se détourna de la radio qu'il venait de prendre.

— La balle ne s'est pas fragmentée, elle est sortie proprement Pas d'os brisés, alors, inutile de s'inquiéter pour les éclats.

— Fantastique ! dit Chris, qui léchait joyeusement sa sucette

Malgré la chaleur de la maison, Laura l'avait obligé à garder sa veste car elle voulait pouvoir partir rapidement s'il le fallait.

— Il est dans le coma ? demanda Laura.

— Oui, dans un état comateux. Mais il n'y a pas de fièvre due à l'infection. Il est encore trop tôt pour ça. Et maintenant qu'on l'a soigné, il n'y aura sans doute pas d'infection. C'est un coma traumatique, dû au choc et à la perte de sang. Vous n'auriez pas dû le bouger, vous savez.

— Je n'avais pas le choix. Il s'en sortira ?

— Probablement. Dans ce cas, le coma, c'est pour le corps le moyen d'économiser son énergie et de faciliter la guérison. Il n'a pas perdu autant de sang qu'il y paraît. Le pouls est bon, donc ça n'a pas dû durer trop longtemps. Quand on voit sa chemise et sa blouse, on croirait qu'il a perdu des litres de sang, mais ce n'est pas le cas. Il ne s'agit pas d'une simple cuillerée pour autant, mais aucun vaisseau important n'est atteint, sinon, il serait en plus mauvaise condition. Il faudrait l'hospitaliser.

— C'est impossible, je vous l'ai déjà dit, répondit Laura d'un ton impatient.

— Vous avez attaqué une banque ? demanda le médecin, d'un ton moins enjoué que lors de ses précédentes plaisanteries.

En attendant que le cliché se développe, il avait nettoyé la blessure et avait fait un pansement. Il sortit une aiguille et un autre instrument que Laura ne put pas identifier, et les posa sur un plateau d'acier inoxydable. Le blessé était étendu sur la table d'examen, allongé sur le côté droit, la tête surélevée par des oreillers.

— Qu'est-ce que vous faites ?

— Les plaies sont plutôt béantes, surtout le trou de sortie de la balle. Si vous tenez absolument à le mettre en danger en ne le conduisant pas à l'hôpital, le moins que je puisse faire, c'est quelques points de suture.

— Bon, d'accord, dépêchez-vous.

— Vous attendez un escadron du FBI ?

— Pire que ça. Bien pire que ça.

Depuis leur arrivée chez le médecin, elle s'attendait à une explosion d'éclairs et de coups de tonnerre, pareils aux sabots géants des chevaux de l'Apocalypse, et à l'arrivée d'une armada de voyageurs du temps. Un quart d'heure plus tôt, tandis que le médecin prenait une radio de son gardien, elle avait cru entendre de lointains grondements, à peine perceptibles. Elle s'était précipitée vers la fenêtre mais n'avait rien vu, peut-être à cause de la lueur rougeâtre des lumières de San Bernardino, peut-être parce qu'elle avait été victime d'une illusion auditive. Elle avait pensé qu'il s'agissait sans doute d'un avion qu'elle avait confondu avec un bruit plus lointain.

Brenkshaw recousit son patient, coupa les fils et fixa le pansement avec du sparadrap dont il entoura plusieurs fois la poitrine du malade.

L'air avait une odeur de produits pharmaceutiques qui incommodait Laura, mais Chris ne semblait pas en souffrir. Il léchait tranquillement une autre sucette.

Brenkshaw fit une injection de pénicilline. Il se dirigea vers une armoire et mit quelques cachets dans une petite bouteille.

— J'ai toujours quelques médicaments chez moi, pour que les patients les moins fortunés ne soient pas obligés de dévaliser une pharmacie.

— Qu'est-ce que c'est ? demanda Laura.

— De la pénicilline. Trois par jour, au moment des repas, s'il peut manger. Je crois que cela lui sera bientôt possible. Sinon, il va se déshydrater, et il faudra le mettre sous perfusion. On ne peut pas lui mettre du liquide dans la bouche tant qu'il est dans le coma. Il s'étoufferait. Et ça, c'est un analgésique. A la demande seulement, et pas plus de deux par jour.

— Donnez-m'en plus. Donnez-moi tout votre stock, dit-elle en indiquant les pots de médicaments.

— Il n'en aura pas besoin. Il...

— Oui, sans doute. Mais je ne sais pas quels autres problèmes nous attendent. Je risque d'avoir besoin de pénicilline pour moi, ou pour mon fils...

Brenkshaw l'observa longuement.

— Mais dans quelle histoire vous avez bien pu vous fourrer ? On se croirait dans une scène d'un de vos livres !

— Donnez-moi...

Laura s'arrêta, abasourdie par ce qu'elle venait d'entendre.

— Dans un de mes livres ! Oh, mon Dieu ! vous savez qui je suis !

— Bien sûr. Je vous ai reconnue dès que je vous ai vue. Je vous l'ai dit, je suis un fana de thrillers, et même si on ne peut pas classer vos romans exactement dans ce genre, il y a beaucoup de suspense, je les ai lus aussi. Et puis, il y a votre photographie au dos de la jaquette, et croyez-moi, madame Shane, vous n'êtes pas du genre qu'on oublie, même si on ne vous connaît qu'en photo, et même si on n'est qu'un vieux rogaton comme moi.

— Mais pourquoi vous ne l'avez pas dit...

— Au début, je croyais que c'était une blague. Après tout, vos airs mélodramatiques devant chez moi, en plein milieu de la nuit, le revolver, le dialogue stéréotypé — j'ai des amis qui auraient pu imaginer une blague dans ce genre et vous convaincre de vous mettre dans le coup.

— Mais quand vous l'avez vu, lui...

— Alors, j'ai su que ce n'était pas une blague.

— Maman, dit Chris en se précipitant vers sa mère et en sortant sa sucette de la bouche, s'il dit que...

Laura avait retiré le .38 de sa ceinture. Elle commença à le lever, puis baissa sa main comme si elle avait compris que l'arme ne pouvait plus effrayer Brenkshaw. En fait, il n'en avait jamais eu peur. Elle comprenait qu'il n'était pas du genre à se laisser intimider et ne pouvait plus se comporter en femme sans foi ni loi à présent qu'il savait qui elle était.

Sur la table, son gardien gémit et tenta de bouger dans son sommeil comateux, mais Brenkshaw lui posa la main sur la poitrine pour le calmer.

— Docteur, si vous racontez à qui que ce soit ce qui s'est passé cette nuit, si vous ne pouvez pas garder le secret pendant le restant de vos jours, c'est la mort, pour moi et mon fils.

— Vous savez que la loi oblige les médecins à signaler les blessures par balle.

— Oui, mais ce n'est pas un cas comme les autres, dit Laura d'une voix pressante. Je ne suis pas une hors-la-loi, docteur.

— Alors, qu'est-ce que vous fuyez ?

— En un sens, les hommes qui ont tué mon mari, le père de Chris.

— Votre mari a été tué ? demanda-t-il d'une voix peinée.

— Vous avez dû le lire dans les journaux, dit-elle amèrement. Ça a fait sensation, c'est le genre d'histoire dont la presse raffole.

— Je ne lis guère les journaux et je ne regarde pas la télévision, dit Brenkshaw. C'est plein de meurtres, d'accidents, d'histoires de terroristes. Je suis désolé pour votre mari, mais si quelqu'un veut vous tuer, vous devriez aller voir la police.

Laura aimait bien cet homme et pensait qu'ils avaient beaucoup de choses en commun. Il semblait avoir le sens des responsabilités, pourtant, elle n'avait guère de chances de le persuader de garder le silence.

— La police ne peut rien pour moi, docteur. Personne ne peut rien pour moi, à part *moi* et peut-être cet homme que vous venez de soigner. Ils sont impitoyables, implacables et ils sont au-delà des lois.

— Personne n'est au-delà des lois, dit le médecin en secouant la tête.

— Si, eux. Cela me prendrait une heure pour vous expliquer qui c'est et vous refuseriez sans doute de me croire, mais je vous supplie, je vous supplie de garder le silence, à moins que vous ne vouliez notre mort. Pas seulement pour quelques jours, mais pour toujours...

— Euh...

Elle savait ses efforts inutiles. Elle se souvenait de ce qu'il avait dit dans le vestibule quand elle lui avait dit de ne pas mentir. Il ne mentait pas, parce que c'était plus simple de dire la vérité. Dire la vérité faisait partie de lui depuis longtemps. Quarante-cinq minutes après l'avoir rencontré, elle savait qu'il était digne de confiance, et même à présent qu'elle le suppliait, il était incapable de mentir pour avoir la paix. Il la regardait d'un air coupable et ne pouvait se résoudre à proférer un mensonge. Il ferait son devoir dès qu'elle serait partie. Il signalerait sa présence. La police se rendrait à sa maison de Big Bear et découvrirait les traces de sang, sinon les corps des voyageurs du temps, ainsi que des centaines de douilles. Le lendemain ou le surlendemain au plus tard, la nouvelle serait étalée dans toute la presse...

Finalement, l'avion qu'elle avait entendu une demi-heure plus tôt n'en était peut-être pas un, mais bien un coup de tonnerre comme elle l'avait pensé au début, à une vingtaine ou une trentaine de kilomètres de là...

D'autres éclairs dans une nuit sans pluie...

— Docteur, aidez-moi à l'habiller, dit-elle en indiquant son gardien. Faites au moins ça pour moi, puisque vous allez me trahir.

Il sourcilla en entendant ce mot.

Un peu plus tôt, elle avait envoyé Chris en haut pour aller chercher une chemise, un pull-over, une veste, des chaussettes et une paire de chaussures. Le médecin n'était pas aussi musclé que son gardien, mais il avait à peu près la même taille.

Pour le moment, le blessé ne portait que son pantalon taché de sang, mais il ne restait pas assez de temps pour l'habiller complètement.

— Aidez-moi à lui enfiler sa veste. Je prends le reste, je le lui mettrai plus tard. Ça suffira pour le protéger du froid.

A contrecœur, il souleva l'homme inconscient et l'assit sur la table.

— Il ne faudrait pas le bouger.

Ignorant la remarque de Brenkshaw, elle passa la manche droite de la veste en velours sur le bras du blessé en disant :

— Chris, va dans la salle d'attente. N'allume pas les lumières. Regarde par la fenêtre, et surtout, ne te montre pas !

— Tu crois qu'ils sont là ? demanda le garçon, d'une voix terrifiée.

— S'ils ne sont pas encore arrivés, ils ne vont plus tarder.

— De quoi parlez-vous ? demanda Brenkshaw tandis que Chris se précipitait dans la pièce d'à côté.

Laura ne répondit pas.

— Vite, il faut le remettre dans le fauteuil.

Ensemble, ils soulevèrent le blessé et l'attachèrent avec la ceinture de sécurité.

Tandis que Laura rassemblait les vêtements et les médicaments et en faisait un paquet, Chris revint en courant.

— Maman ! Ils arrivent ! C'est sûrement eux, il y a deux voitures. Ils sont au moins sept ou huit. Qu'est-ce qu'on va faire ?

— Merde ! On ne peut plus aller vers la Jeep. Et on ne peut pas sortir par le côté. Ils risqueraient de nous voir.

Brenkshaw se dirigea vers son bureau.

— J'appelle la police.

— Non !

Elle mit le tas de vêtements et son sac sur le fauteuil roulant et attrapa son Uzi.

— C'est trop tard. Ils vont arriver d'une minute à l'autre et ils vont nous tuer. Il faut que vous m'aidiez à le conduire par la porte arrière.

Apparemment, le médecin était enfin pris de panique, car il n'hésita pas et n'essaya plus de la contrer. Il poussa le fauteuil rapidement et l'emmena vers la porte qui reliait le cabinet au couloir du bas. Chris et Laura le suivirent dans la cuisine seulement éclairée par l'horloge digitale du four à micro-ondes. Le fauteuil cahota sur le palier entre la cuisine et le perron, mais le blessé en avait vu d'autres.

Elle passa la courroie de son pistolet mitrailleur sur son épaule, glissa le revolver dans son pantalon et dégringola les marches du perron. Elle aida le médecin à pousser le fauteuil le long de l'allée bétonnée.

Elle regarda la zone entre la maison et le garage, s'attendant à voir un homme armé venir vers elle et murmura :

— Il faut que vous veniez avec nous. Ils vous tueront si vous restez là.

Cette fois non plus, Brenkshaw ne lui opposa aucun argument et suivit Chris qui ouvrait le chemin menant au portail au fond du parc. Laura arriva derrière lui, son arme dégagée de son épaule, prête à tirer au moindre bruit.

Chris atteignit la porte et l'ouvrit. Un homme en noir, plus sombre que la nuit, à part son visage pâle éclairé par la lune, surgit dans l'allée, l'air surpris. Il était venu de la rue pour bloquer l'arrière de la maison. Une mitraillette scintillait à son poignet, mais il n'était pas en position de tir. Il leva son arme. Laura ne pouvait pas tirer sans risquer d'atteindre son fils, mais Chris réagit avec les réflexes que Takahami avait mis des mois à lui inculquer. Il s'élança et décocha un coup de pied dans le bras droit de l'adversaire, lui faisant lâcher son arme qui retomba sur la pelouse dans un bruit de métal sourd, puis assena un autre coup dans les parties génitales de l'homme qui tomba contre les piquets de la clôture dans un cri de douleur.

Laura avait fait le tour du fauteuil et s'interposa entre Chris et le tueur. Elle retourna son Uzi et, de toutes ses forces, frappa l'homme sur le crâne. Il tomba sur la pelouse avant d'avoir eu le temps de crier.

Tout allait vite, trop vite. Le chemin descendait, déjà Chris franchissait la porte. Laura le suivit. Ils surprirent un deuxième homme en noir, avec des trous à la place des yeux, véritable silhouette de vampire. Comme il était hors de portée d'un coup de pied, Laura dut tirer avant qu'il n'ouvre le feu le premier. Elle visa par-dessus la tête de Chris, et arrosa la tête, la poitrine et la gorge de son agresseur, le décapitant littéralement tandis qu'il retombait sur le macadam.

Brenkshaw les avait suivis en poussant le fauteuil. Laura se sentait coupable de l'avoir entraîné dans cette histoire, mais il n'y avait aucun moyen de reculer. La rue arrière, étroite, bordée de chaque côté par les clôtures de jardin, avec quelques garages et quelques poubelles, était à peine éclairée par les lampes du carrefour voisin car il n'y avait aucun lampadaire.

— Poussez-le un peu plus loin. Trouvez un jardin ouvert et cachez-vous. Chris, va avec eux.

— Et toi, maman ?

— Je vous rejoins dans une seconde.

— Maman...

— Vas-y, Chris, dit-elle, car le médecin était déjà à une vingtaine de mètres.

A contrecœur, Chris suivit Brenkshaw, et Laura retourna vers la porte de séquoia à l'arrière du parc. Elle aperçut deux silhouettes sombres qui rampaient dans l'obscurité entre la maison et le garage à une trentaine de mètres, démasquées par leurs seuls mouvements. Les hommes couraient accroupis, l'un se dirigeant vers le porche, l'autre vers la pelouse. Ils ne savaient pas exactement d'où étaient venus les coups de feu.

Elle franchit la porte, retourna dans l'allée et ouvrit le feu avant qu'ils aient eu le temps de la voir. Bien qu'ils n'offrent pas une cible facile, ils étaient à portée de tir, et ils cherchèrent à se couvrir. Elle ne savait pas si elle les avait touchés ou non, mais elle ne continua pas à tirer, car avec un magasin de seulement quatre cents coups, en tirant par rafales, elle serait vite à court de munitions, et l'Uzi était la seule arme automatique dont elle disposait. Elle courut pour rejoindre Brenkshaw et Chris.

Ils franchissaient une porte de fer forgé à l'arrière d'une autre propriété, deux maisons plus loin. Quand elle entra dans le jardin, elle s'aperçut que les troènes plantés le long de la clôture les dissimulaient aux regards, à moins que l'on ne se trouve directement devant la porte.

Le médecin avait poussé le fauteuil derrière la maison de style Tudor, construite, comme celle de Brenkshaw, au moins quarante ans plus tôt. Le médecin observait devant lui l'allée qui conduisait à la rue principale.

Dans les environs, des lumières s'allumaient. Les visages devaient se coller aux fenêtres, même là où il n'y avait pas de lumière, mais les gens ne devaient pas voir grand-chose.

Elle rattrapa Chris et Brenkshaw devant la maison et les fit arrêter à l'ombre d'un buisson.

— Docteur, j'aimerais que vous attendiez ici avec votre patient, murmura-t-elle.

Il tremblait, elle redoutait qu'il n'ait une crise cardiaque, mais il semblait tenir le coup.

— D'accord.

Elle emmena Chris vers la rue où une vingtaine de voitures étaient stationnées le long du trottoir. Dans la lumière bleutée des lampadaires, l'enfant semblait terrifié, pas autant que le médecin pourtant. Il s'habituait à la terreur.

— Bon, on va essayer d'ouvrir les portes. Pars de ce côté, je vais de l'autre. Si tu trouves une porte ouverte, regarde en dessous du siège du chauffeur et derrière le pare-soleil pour voir s'il y a les clés de contact.

— Pigé !

A l'occasion de recherches pour un livre où l'un des personnages était un voleur de voitures, elle avait découvert qu'une personne sur dix-sept laisse les clés à l'intérieur de son véhicule. La proportion devait être plus élevée ici : après tout, à New York, Chicago ou Los Angeles, il fallait être masochiste pour laisser ses clés dans sa voiture, alors pour que la moyenne soit de un sur dix-sept, il fallait bien qu'il y ait des gens plus confiants que les habitants des grandes villes.

Elle essayait de veiller sur Chris tout en forçant les portes, mais vite, elle le perdit de vue. Sur les huit premiers véhicules, quatre étaient ouverts, mais il n'y avait pas de clés.

Au loin, on percevait le gémissement des sirènes.

Cela ferait sans doute fuir les hommes en noir. De toute façon, ils devaient continuer à chercher derrière chez Brenkshaw, avançant prudemment, s'attendant à des coups de feu d'un instant à l'autre.

Laura avançait hardiment, sans prendre de précaution, sans se soucier qu'on la voie d'une des maisons avoisinantes. Des palmiers aux branches basses abritaient la rue. Et puis, si quelqu'un s'était réveillé à cette heure de la nuit, il devait plus songer à regarder du côté de chez Brenkshaw, là où il y avait eu les coups de feu, que dans sa propre rue.

Dans le neuvième véhicule, une Oldsmobile Cutlass, les clés se trouvaient sous le siège. Au moment où elle mettait le contact, Chris ouvrit la porte du passager en brandissant un trousseau de clés.

— Une Toyota toute neuve.

— Celle-ci ira très bien.

Les sirènes se rapprochaient.

Chris jeta les clés de la Toyota et monta dans la voiture. Ils allèrent rejoindre le médecin qui les attendait toujours dans le jardin d'une maison où aucune lumière ne s'était allumée. Avec un peu de chance, il n'y avait peut-être personne dans la maison. Ils soulevèrent le blessé et l'allongèrent sur le siège arrière.

Les sirènes étaient très proches à présent. Une voiture de police passa même près d'eux, à l'intersection d'une rue adjacente, mais elle se dirigeait vers la demeure de Brenkshaw.

— Ça ira, docteur ? demanda Laura en se tournant vers lui.

Il s'était écroulé sur le fauteuil.

— Je ne vais pas faire une crise d'apoplexie, si c'est de ça que vous avez peur. Qu'est-ce qui vous arrive, ma fille ?

— Je n'ai pas le temps, doc. Il faut que je parte.

— Ecoutez-moi. Peut-être que je ne dirai rien.

— Oh, que si, vous ne le croyez peut-être pas, mais vous parlerez. Si vous n'étiez pas prêt à tout raconter, il n'y aurait pas eu de rapport de police dans les journaux et, sans traces dans l'avenir, les tueurs n'auraient pas pu nous retrouver.

— Qu'est-ce que c'est que ces histoires ?

Elle se pencha et l'embrassa sur la joue.

— Je n'ai pas le temps de vous expliquer. Merci de votre aide. Excusez-moi, mais je crois que je ferais mieux de prendre aussi le fauteuil.

Il replia le fauteuil et le mit dans le coffre.

La nuit s'emplissait de hurlements de sirènes.

Laura s'installa au volant et claqua sa porte.

— Attache ta ceinture, Chris.

— Ceinture bouclée !

Elle tourna à gauche au bout de l'allée et se dirigea dans la direction opposée à celle de la maison de Brenkshaw, vers le carrefour où une voiture de patrouille était passée quelques instants auparavant. Si la police s'attendait à être accueillie par des tirs de mitraillettes, les voitures convergeraient de toutes les directions possibles. Avec un peu de chance, aucun véhicule ne reprendrait la même route. L'avenue était presque déserte, et les rares voitures qu'elle croisa n'étaient pas équipées de gyrophares. Elle tourna à droite et traversa San Bernardino en se demandant où elle pourrait trouver un refuge.

· 3 ·

Laura arriva à Riverside à trois heures et quart du matin. Elle vola une Buick dans un quartier résidentiel, y transporta son gardien à l'aide du fauteuil roulant et abandonna la Cutlass. Chris continua de dormir pendant toutes ces opérations, et elle dut le porter d'une voiture à l'autre.

Une demi-heure plus tard, dans une autre banlieue, épuisée, elle dévissa les plaques minéralogiques d'une Nissan à l'aide d'un tournevis qu'elle trouva dans la boîte à gants. Elle les fixa sur la Buick et rangea les anciennes dans le coffre car, tôt ou tard, elles finiraient par être connues de la police.

Il pouvait se passer quelques jours avant que le propriétaire de la Nissan s'aperçoive qu'il n'avait plus ses plaques, et quand il irait porter plainte, la police n'y prêterait que peu d'attention, mettant le forfait sur le compte de vandales ou de mauvais plaisants. D'ailleurs, elle avait d'autres chats à fouetter, encore une chose que Laura avait apprise grâce à son personnage de voleur de voitures.

Elle prit le temps de vêtir son gardien de chaussettes de laine et d'un pull-over pour lui éviter d'attraper froid. Il ouvrit les yeux, cligna des paupières et murmura son nom, mais reglissa immédiatement dans l'inconscience. Il bredouilla des mots dans une langue qu'elle ne reconnut pas tant les syllabes se chevauchaient.

Elle reprit la route pour aller à Yorba Linda, dans le comté d'Orange, et s'arrêta sur le parking d'un supermarché à cinq heures et demie. Elle coupa le moteur, éteignit les phares et déboucla sa ceinture. Chris était toujours attaché et dormait profondément. Bien que sa respiration soit un peu moins sifflante que dans le cabinet de Carter Brenkshaw, son gardien était toujours inconscient. Laura ne pensait pas pouvoir dormir, elle voulait simplement calmer ses esprits et reposer ses yeux, mais en moins d'une minute, elle sombra dans un profond sommeil.

Après s'être trouvée sous le feu des balles, après avoir tué au moins trois hommes et volé deux voitures, après avoir survécu à une course poursuite qui lui avait fait traverser trois comtés, elle aurait pu redouter d'horribles cauchemars sanglants, au son du crépitement des mitraillettes. Elle aurait pu rêver de la mort de Chris, la seule lueur qui restait dans ses ténèbres personnelles, avec Thelma, mais elle rêva de Danny et ce fut un rêve charmant. Il était vivant, et ils fêtaient la vente de *Shadrach* à plus d'un milliard de dollars. Chris était là lui aussi. Il avait huit ans bien qu'il ne fût pas né à l'époque. Ils passaient la journée à Disneyland, et s'étaient fait photographier tous les trois à côté de Mickey Mouse. Danny lui disait qu'il l'aimerait toujours et Chris faisait semblant de parler le langage des cochons, dans une série de grognements que Carl Dockweiler lui avait appris à imiter. Carl était à côté d'eux avec Nina et le père de Laura. A une autre table, les fantastiques jumelles Ackerson mangeaient des glaces à la fraise...

Elle se réveilla trois heures plus tard, à huit heures vingt-six, reposée, beaucoup plus par la grâce de cette communion familiale accordée par son inconscient que par le sommeil lui-même. Dans le ciel sans nuages, le soleil étincelait sur les chromes et inondait la vitre arrière. Chris dormait toujours. A l'arrière, le blessé n'avait pas repris connaissance.

Elle prit le risque de se rendre à une cabine téléphonique près du magasin. Elle appela Ida Palomar, la preceptrice de Chris, pour lui annoncer qu'elle était absente pour une semaine. Elle ne voulait pas que la pauvre femme voie la scène de carnage de la maison de Big Bear où la police s'était sans doute déjà mise au travail. Elle ne dit pas d'où elle appelait, de toute façon, elle n'avait pas l'intention de rester à Yorba Linda beaucoup plus longtemps.

Elle retourna à la voiture, s'étira en bâillant et se massa la nuque tout en regardant les premiers clients entrer dans le magasin, à une centaine de mètres plus loin. Les yeux engourdis, l'haleine pâteuse, Chris se réveilla dix minutes plus tard. Elle lui donna de l'argent pour acheter des friandises et des jus d'orange — pas le déjeuner le plus sain dont on puisse rêver, mais nourrissant néanmoins.

— Et lui ? demanda Chris.

Elle se souvenait des avertissements du Dr Brenkshaw sur les risques de déshydratation. Mais on ne pouvait pas le forcer à boire tant qu'il était dans le coma : il s'étoufferait.

— Euh... achète trois jus d'orange. On arrivera peut-être à le réveiller. Pendant que tu y es, tu ferais aussi bien de prendre quelque chose pour midi, dit-elle alors que Chris était déjà sorti de la voiture. Quelque chose qui se garde, du pain et du beurre de cacahuète, par exemple. Et puis, achète du déodorant et du shampooing.

— Pourquoi tu ne me laisses jamais manger de beurre de cacahuète à la maison ? demanda Chris avec une grimace.

— Parce que si tu ne te nourris pas correctement, tu vas avoir l'esprit encore plus tordu que maintenant, fiston.

— Même avec une bande d'assassins aux trousses, je me demande comment ça se fait que tu n'as pas emmené le four à micro-ondes, des légumes et un flacon de vitamines !

— Dis donc, est-ce que tu insinues que je suis une enquiquineuse ? Bon, je note le compliment. Allez, dépêche-toi.

Il referma la porte.

— Et...

— Je sais. Fais attention, dit Chris.

Pendant l'absence de Chris, elle mit le moteur en marche et alluma la radio pour écouter les informations de neuf heures. On parlait d'elle. La scène à Big Bear, la tuerie de San Bernardino. Comme la plupart des informations, le récit était inexact et n'avait ni queue ni tête. Ce qui était sûr, c'est que la police la recherchait dans toute la Californie du Sud. Selon le commentateur, on espérait la retrouver bientôt, car son visage était largement connu.

La nuit précédente, elle avait été troublée de voir que Carter Brenkshaw avait reconnu en elle le célèbre écrivain. Elle ne s'était jamais considérée comme une vedette : c'était une romancière, elle tissait des récits sur un métier de mots pour en faire une trame. Une seule fois, elle avait fait une tournée d'autographes, mais cette expérience lui avait énormément déplu et elle ne l'avait jamais renouvelée. Elle n'était que rarement invitée à la télévision, elle n'avait jamais tourné de spots publicitaires, n'avait jamais soutenu officiellement aucun politicien, et en général évitait de participer au grand cirque des médias. Elle obéissait néanmoins à la tradition et sa photo était publiée au dos de la jaquette, car cela lui paraissait inoffensif et puis, elle devait bien admettre, sans fausse modestie, qu'à trente-trois ans, elle était d'une beauté exceptionnelle. Pourtant elle n'aurait jamais pensé que son « visage était largement connu », comme le disait la police.

Soudain, elle fut effrayée, pas seulement à cause de la perte de son anonymat, mais aussi parce que devenir une célébrité dans l'Amérique contemporaine, cela signifiait perdre toute faculté d'autocritique et tout talent littéraire. Quelques individus parvenaient à être des figures publiques tout en conservant leur plume, mais la plupart semblaient vite corrompus par l'attention des médias. Elle redoutait autant cette perspective qu'une éventuelle arrestation.

Soudain, elle se rendit compte que si elle se souciait encore de ces choses, c'est qu'il lui restait un espoir d'écrire d'autres romans. Parfois, pendant la nuit, elle s'était juré de mener un combat sanglant contre la mort pour protéger son fils, tout en pensant que sa situation était sans espoir, que leur ennemi était trop fort et indestructible. Quelque chose avait changé et lui avait apporté une nouvelle vague d'optimisme.

Le rêve de cette nuit-là, peut-être ?

Chris revint avec un gros paquet de biscuits à la cannelle, trois demi-litres de jus d'orange et autres victuailles. Ils mangèrent les biscuits et burent le jus d'orange. Rien ne leur avait jamais paru aussi bon.

Quand elle eut terminé, Laura essaya de réveiller son gardien à l'arrière, en vain.

— Garde-le pour lui, dit-elle en donnant le carton de jus d'orange à Chris. Il va sans doute bientôt se réveiller.

— S'il ne peut pas boire, il ne pourra pas prendre ses médicaments, dit Chris.

— Il n'en a pas besoin avant quelques heures Le Dr Brenk-shaw lui a fait une piqûre hier soir, l'effet dure encore.

Pourtant, Laura était inquiète. Si son gardien ne revenait pas à lui, ils ne connaîtraient jamais la vraie nature du labyrinthe de mort dans lequel ils s'étaient perdus et n'en trouveraient sans doute jamais la sortie.

— Et maintenant ? demanda Chris.

— Nous allons chercher une station-service avec des toilettes et puis on s'arrêtera chez un armurier pour acheter des munitions pour l'Uzi et le revolver. Ensuite, on cherchera un motel, un endroit pour se cacher.

Ils s'installeraient à plus de quatre-vingts kilomètres de la demeure du Dr Brenkshaw où leurs ennemis les avaient démasqués. Mais que signifiait la distance pour des hommes qui ne mesuraient leurs voyages qu'en jours et en années ?

La banlieue de Santa Ana, au sud d'Anaheim, offrait de nombreux motels du type de celui qu'elle recherchait. Elle ne voulait pas d'hôtel luxueux avec télévision couleur, tapis profonds et piscine chauffée, car ce genre d'établissement exigeait des cartes d'identité et des cartes de crédit. Inutile de prendre le risque de laisser une trace de son passage qui attirerait ou la police ou ses assassins. Au contraire, elle recherchait un endroit un peu délabré, plus assez propre pour attirer les touristes, un lieu sordide où on ne serait que trop content de voir des clients et d'encaisser l'argent sans poser de questions indiscrètes.

Elle s'attendait à ce que ce ne soit pas facile et ne fut pas surprise de voir que les douze premiers motels ne pouvaient ou ne voulaient pas lui offrir de chambre. Les seules personnes qui y entraient ou en sortaient étaient des jeunes femmes mexicaines, avec des bébés plein les bras et des enfants dans leurs jupes, et des jeunes hommes en chemise de flanelle, tennis et pantalon de toile, portant parfois des chapeaux de cow-boy en paille ou des casquettes de base-ball. Ils avaient tous l'air aux aguets et soupçonneux. Les motels de troisième catégorie n'étaient plus en fait que des sortes de garnis pour immigrants clandestins, des centaines de milliers d'immigrants qui s'étaient installés dans le comté d'Orange, et vraiment pas dans le plus grand secret ! Des familles entières vivaient à six ou sept dans une pièce unique, partageaient un antique lit, deux chaises et une salle de bains rudimentaire, pour laquelle elles payaient cent cinquante dollars par mois ou plus, sans draps de rechange, mais avec des cafards par milliers. Pourtant, les Chicanos préféraient se laisser exploiter ainsi plutôt que de retourner dans leur pays, sous la loi du « gouvernement révolutionnaire populaire », qui depuis des dizaines d'années ne leur fournissait comme solidarité que celle du désespoir.

Dans le treizième motel, l'Oiseau Bleu du Bonheur, le directeur s'arrangeait pour accueillir les touristes les moins fortunés et n'avait pas encore succombé à la tentation de s'enrichir sur le dos des pauvres immigrants. Quelques-unes des vingt-quatre chambres étaient visiblement louées à des clandestins, mais il y avait malgré tout des draps propres tous les jours, des télévisions et des oreillers de rechange dans les armoires. Pourtant, que le directeur accepte si facilement son argent sans lui demander de papiers d'identité prouvait assez que l'Oiseau Bleu allait devenir un nouveau monument à la gloire de la stupidité politique et de l'avarice humaine dans un monde où ceux-ci fleurissaient aussi facilement que les tombes dans un cimetière.

Le motel était constitué de trois ailes en U, avec un parking au centre. On les logea dans un angle de l'aile arrière. Un grand palmier, pas encore atteint par le smog ni envahi par le béton, abritait leur porte et, même en plein cœur de l'hiver, de nouvelles pousses pointaient, comme si la nature profitait de l'occasion pour envahir le moindre espace libre en attendant de reprendre tout le terrain quand l'homme aurait disparu de la terre.

Laura et Chris déplièrent le fauteuil et transportèrent le blessé sans se cacher, comme s'ils poussaient un simple handicapé. En fait, habillé, son gardien aurait pu passer pour un paraplégique si sa tête ne retombait pas de manière inquiétante sur son épaule.

La chambre était petite mais assez propre. Le tapis râpé avait été nettoyé récemment, et les deux chatons de poussière dans le coin étaient loin d'avoir la taille de balles de coton. Le dessin bigarré du dessus-de-lit marron effiloché sur les bords ne suffisait pas à dissimuler deux raccommodages, mais les draps étaient frais et sentaient bon la lessive. Ils allongèrent le gardien sur le lit et lui glissèrent deux oreillers sous la tête.

La vieille télévision était solidement fixée sur une table en formica, elle-même vissée au sol. Chris s'installa sur une des chaises et alluma le poste pour regarder un dessin animé ou un vieux feuilleton. Très vite il se plaignit que l'émission était trop bête pour être drôle et Laura se demanda quel enfant de son âge aurait eu la même réaction.

— Si tu allais te doucher ?

— Et remettre les mêmes vêtements, dit-il, d'un ton incrédule.

— Je sais que ça paraît stupide, mais essaie quand même. Tu verras, tu te sentiras plus frais, même sans vêtements propres.

— Je vois pas pourquoi s'embêter à prendre une douche pour remettre des vêtements froissés !

— Dis donc, depuis quand tu es snob au point de ne pas supporter quelques faux plis ?

Il fit la grimace, se leva et se traîna à la salle de bains, en se donnant des airs de dandy invétéré.

— Le roi et la reine vont être outrés de me voir tout chiffonné.

— On leur mettra un foulard sur les yeux quand ils viendront.

Il revint quelques secondes plus tard.

— Il y a un insecte dans les toilettes. Je crois que c'est un cafard, mais j'en suis pas sûr.

— Ah, parce que l'espèce a de l'importance ? Il faudra faire un rapport à la famille ?

Chris se mit à rire. Oh, Dieu ! comme elle aimait l'entendre rire !

— Qu'est-ce que je dois faire ? Tirer la chasse ?

— A moins que tu préfères le pêcher, le mettre dans une boîte d'allumettes et l'enterrer en bonne et due forme dans les plates-bandes.

Il rit de nouveau.

— Non, il sera inhumé en mer.

Il retourna à la salle de bains et tira la chasse d'eau.

Pendant qu'il se douchait, le feuilleton se termina pour laisser place à un film sur les Harlem Globetrotters. Laura ne regardait pas, mais elle laissa la télé allumée pour avoir un fond sonore, pourtant comme il y a des limites à ce qu'une femme en cavale peut endurer, elle changea de chaîne et mit un magazine d'information.

Elle observa son gardien pendant un instant, mais son sommeil artificiel la désespérait. Elle s'approcha de la fenêtre et souleva les rideaux pour observer le parking. Personne ne pouvait encore savoir où elle se trouvait, il n'y avait aucun danger immédiat. Sans s'y intéresser, elle se tourna vers l'écran et se laissa à demi hypnotiser par l'image. On interviewait un jeune acteur qui parlait complaisamment de lui-même, dans un discours qui n'avait pas beaucoup de sens. Elle avait vaguement conscience de l'entendre parler d'eau, mais elle commençait à sommeiller et ses paroles lui semblaient aussi ennuyeuses qu'hypnotisantes.

— Maman ?

Elle cligna des yeux, se redressa et vit Chris dans l'encadrement de la porte. Il avait les cheveux mouillés et ne portait que son caleçon. La vision de son fils maigrichon, tout en côtes, genoux et coudes, lui fit mal au cœur, tant il paraissait vulnérable. Il semblait si fragile qu'elle se demanda comment elle pourrait jamais le protéger. Une nouvelle crainte l'envahit.

— Maman, il parle... Tu ne l'entends pas ? Il parle.

— De l'eau, dit son gardien d'une voix pâteuse. De l'eau.

Elle s'approcha du lit et se pencha vers lui. Il était sorti du coma. Il essayait de se redresser mais n'en avait pas la force. Il avait les yeux grands ouverts, et bien qu'ils fussent injectés de sang, ils la regardaient.

— J'ai soif.

— Chris...

242

Mais déjà le garçon revenait avec un verre d'eau.

Laura s'assit près du blessé, lui soutint la tête et l'aida à boire par petites gorgées pour qu'il ne s'étouffe pas. Il avait encore les lèvres gonflées de fièvre et sa langue était recouverte d'une pellicule blanche, comme s'il avait avalé des cendres. Il but un tiers du verre et fit un signe pour dire qu'il n'en voulait plus.

Laura posa une main sur son front.

— Il n'est pas aussi brûlant qu'hier.

Son gardien tourna la tête pour observer les lieux. Malgré ce qu'il venait de boire, il avait une voix sèche.

— Où sommes-nous ?

— En sécurité.

— Non... pas en sécurité.

— Nous avons peut-être mieux compris la situation que vous ne l'imaginez.

— Ouais, dit Chris en s'asseyant près de sa mère. On sait que vous êtes un voyageur du temps !

L'homme le regarda, sourit faiblement et grimaça de douleur.

— J'ai des médicaments, dit Laura.

— Non, pas maintenant. Plus tard. De l'eau ?

Laura le souleva de nouveau, et cette fois il finit presque le verre. Elle se souvint de la pénicilline et la lui fit avaler avec les deux dernières gorgées.

— De quand vous venez ? demanda Chris, d'un ton passionné, sans prendre garde aux gouttelettes qui lui ruisselaient sur la nuque. De quand ?

— Mon lapin, dit Laura, il est très faible, je crois que ce n'est pas encore le moment de l'ennuyer avec ça.

— Il peut quand même nous dire au moins ça ! De quand vous venez ? demanda-t-il encore au blessé. 2100 ? 3000 ?

L'homme observa Chris puis Laura d'un regard terrifié.

— 1944, dit-il d'une voix sèche.

Déjà, il semblait fatigué, car ses paupières s'alourdissaient et sa voix était encore plus faible qu'au début, si bien que Laura crut qu'il sombrait à nouveau dans le délire.

— De quand ? demanda Chris, abasourdi par la réponse qu'il venait d'entendre.

— 1944.

— C'est impossible !

— Berlin.

— Il délire, dit Laura.

Sa voix se brouillait de plus en plus, mais il répéta de manière compréhensible :

— Berlin.

— Berlin ? Berlin en Allemagne ? dit Chris.

Le blessé glissait dans le sommeil, non plus le sommeil artificiel du coma, mais un véritable sommeil de repos. Avant de fermer complètement les yeux, il murmura :

— L'Allemagne nazie.

· 4 ·

Une pièce de boulevard passait à la télé, mais ni Chris ni Laura n'y prêtaient attention. Ils avaient approché leurs chaises du lit et observaient le blessé. Chris s'était habillé. Ses cheveux étaient presque secs, bien qu'encore humides sur la nuque. Laura se sentait sale et avait envie de se laver, mais elle ne voulait pas quitter son gardien au cas où il se réveillerait et parlerait.

— Chris, chuchota-t-elle, je viens de penser, si ces gens viennent de l'avenir, pourquoi ils n'ont pas de fusils laser ou des armes ultra-modernes ?

— Ils ne veulent pas qu'on sache d'où ils viennent. Ils ont des armes et des vêtements qui ne risquent pas de paraître déplacés. Mais maman, il a dit qu'il...

— Je sais ce qu'il a dit, mais cela ne tient pas debout. Si on avait inventé les voyages dans le temps en 1944, on serait au courant, maintenant.

A une heure et demie, son gardien s'éveilla à nouveau et sembla ne pas savoir où il était. Il demanda de l'eau, et Laura l'aida à boire. Il disait se sentir mieux mais avoir sommeil. Il demanda qu'on le soulève un peu plus et Chris alla chercher les deux oreillers du placard.

— Qui êtes-vous ?

— Stefan. Stefan Krieger.

Elle répéta doucement le nom. Ça pouvait aller, ce n'était pas très mélodieux, mais cela sonnait bien, cela faisait viril. Simplement, ce n'était guère un nom pour un ange gardien et cela l'amusait un peu de voir qu'après toutes ces années, après avoir

244

prétendu pendant vingt ans qu'elle ne croyait plus en lui, elle s'attendait toujours à ce qu'il ait un nom angélique et irréel.

— Et vous venez vraiment...

— De 1944, répéta-t-il.

L'effort de s'asseoir lui avait fait perler des petites gouttes de sueur sur le front, à moins que ce ne fût le souvenir de sa véritable époque.

— Berlin. Il y avait un savant polonais, Vladimir Penlovski, souvent considéré comme un fou... Et d'une certaine manière, il l'était, mais c'était aussi un génie. Il a élaboré des théories sur la nature du temps à Varsovie pendant plus de vingt-cinq ans avant que l'Allemagne envahisse la Pologne en 1939.

Selon Stefan Krieger, Penlovski, sympathisant nazi, s'était réjoui de l'arrivée des forces hitlériennes. Il savait peut-être qu'il obtiendrait ainsi des financements qu'il ne pouvait espérer d'individus plus rationnels. Sous le patronage de Hitler en personne, Penlovski et son assistant, Wladyslaw Januskaya, se rendirent à Berlin pour créer un institut de recherches temporelles, qui était si secret qu'on ne lui avait pas donné de nom. On l'appelait simplement « l'institut ». Là, avec l'aide de savants germaniques aussi impliqués que lui et qui voyaient loin, grâce aux fonds quasi inépuisables du Troisième Reich, Penlovski avait trouvé un moyen de percer les artères du temps et de se déplacer à volonté dans le flot vital des mois et des années.

— *Blitzstrasse*, dit Stefan.

— *Blitz*, ça veut pas dire éclair ? demanda Chris. Comme dans *Blitzkrieg*, la guerre éclair, dans tous ces vieux films ?

— Oui, la route de l'Eclair, la route de l'Orage, parce que ce n'est pas la rapidité qui compte — cet éclair n'annonce rien de bon, dit Stefan. La route du Temps.

En fait, on aurait dû l'appeler *Zukunftstrasse*, la route de l'Avenir, car Vladimir Penlovski n'avait jamais trouvé le moyen d'envoyer des hommes dans le passé à travers la porte du temps qu'il avait inventée. On ne pouvait aller que vers l'avant et revenir à sa propre époque.

— On dirait qu'il y a un mécanisme cosmique qui empêche les voyageurs du temps de se mêler à leur propre passé et de modifier les conditions de leur présent. S'ils pouvaient voyager dans leur passé ils risqueraient de créer certains...

— Paradoxes ! s'exclama Chris.

Stefan sembla surpris d'entendre le garçon prononcer ce mot.

— Comme je vous l'ai dit, expliqua Laura en souriant, nous avons eu de longues discussions sur votre origine éventuelle, et le voyage dans le temps semblait l'explication la plus plausible. Et en Chris, vous voyez mon spécialiste dans le domaine de l'étrange.

— Oui, le paradoxe, poursuivit Stefan. C'est le même mot en anglais et en allemand. En français aussi, d'ailleurs. Si un voyageur du temps pouvait retourner dans son propre passé et y affecter les événements, cela aurait des ramifications incommensurables. Cela changerait l'avenir d'où il vient. Il ne serait donc pas autorisé à retourner dans le même monde que celui qu'il a quitté...

— Paradoxe ! s'écria Chris joyeusement.

— Paradoxe. Apparemment, la nature a horreur des paradoxes et interdit d'en créer. Encore une chance. Car... supposons par exemple que Hitler ait envoyé un assassin pour tuer Franklin Roosevelt, Winston Churchill bien avant qu'ils prennent des responsabilités, d'autres hommes auraient été élus aux Etats-Unis et en Angleterre, des hommes moins brillants et beaucoup plus maniables. Hitler aurait remporté la victoire en 1944, ou même avant.

Il parlait avec une passion qu'il ne pourrait pas soutenir longtemps, et on le voyait faire des efforts insurmontables mot après mot. La transpiration avait séché sur son front, mais bien qu'il ne fît aucun mouvement, l'humidité faisait à nouveau luire son visage. Les cernes sous ses yeux semblaient s'assombrir de minute en minute. Pourtant, elle ne pouvait pas l'arrêter, car elle avait besoin de savoir tout ce qu'il avait à dire, et de plus, il n'aurait sûrement pas voulu se reposer avant d'avoir fini.

— Supposons que le Führer ait pu faire tuer Dwight Eisenhower, George Patton, *Field Marshal* Montgomery dans leur berceau, il aurait éliminé ainsi les meilleurs atouts militaires des Alliés. En 1944, la plus grande partie du monde lui aurait déjà appartenu, ce qui signifie qu'il aurait envoyé des gens tuer *des hommes qui auraient été morts depuis longtemps et ne constituaient donc plus aucune menace.* Paradoxe, encore. Grâce à Dieu, la nature ne permet pas de telles aberrations. Pas moyen de modifier son passé, sinon Adolf Hitler aurait transformé le monde entier en camp de concentration et en fours crématoires.

Ils restèrent silencieux pendant un instant, comme si l'enfer allait déferler sur eux. Même Chris réagissait à l'image du monde que décrivait Stefan, car c'était un enfant des années quatre-vingt, dans lesquelles les méchants des films télévisés étaient soit des étrangers venus d'autres galaxies, soit des anciens criminels nazis. Il était terrifié par ces fanatiques avec leur petite moustache car ils faisaient partie de la mythologie dans laquelle il avait baigné, et que, pour les enfants, les personnages réels, une fois devenus des mythes, sont encore plus réels que le pain qu'ils mangent.

— De l'institut, poursuivit Stefan, on ne pouvait donc aller que vers l'avenir, mais cela avait son utilité aussi. On pouvait sauter quelques dizaines d'années plus loin pour voir si l'Allemagne avait survécu à la guerre et avait réussi à changer le cours de l'histoire. Bien sûr, nous avons découvert que le Troisième Reich avait été vaincu. Mais avec toutes les connaissances que nous pouvions récupérer dans les temps futurs, est-ce qu'on ne pourrait pas renverser le cours de l'histoire, après tout ? Sûrement. Même en 1944, Hitler pouvait réussir à sauver le Reich. Et puis, on pouvait ramener des choses de l'avenir, des armes pour gagner la guerre...

— Comme la bombe atomique ! s'écria Chris.

— Ou bien des connaissances sur la façon dont on les fabrique, dit Stefan. Le Troisième Reich avait déjà un programme de recherches nucléaires, et si l'Allemagne avait réussi la fission de l'atome...

— Elle aurait gagné la guerre !

Stefan demanda un verre d'eau et en but la moitié. Il voulait tenir le verre dans sa bonne main, mais il tremblait trop et Laura dut encore l'aider.

Il reprit la parole d'une voix chancelante :

— Comme le voyageur sort à l'extérieur du temps, il peut se déplacer temporellement et spatialement. Imaginez qu'il est suspendu au-dessus de la terre, immobile, avec le globe qui tourne au-dessous de lui. Ce n'est pas comme ça que cela se passe, mais c'est plus facile de se le représenter ainsi que de le voir planer dans une autre dimension. Bon, il est donc suspendu au-dessus du monde qui tourne et si son voyage est bien mesuré, il peut se retrouver à Berlin à l'endroit qu'il vient de quitter des années auparavant. Mais s'il voyage pendant quelques heures de plus ou de moins, il atterrit à un endroit différent. A mon époque, les calculs pour arriver à un endroit précis sont assez difficiles...

— Ce serait plus facile aujourd'hui avec les ordinateurs !

Stefan changea de position sur l'oreiller et posa sa main droite tremblante sur son épaule gauche comme pour apaiser la douleur.

— Des équipes de physiciens accompagnées par la Gestapo ont été envoyées en Europe et aux Etats-Unis en 1985 pour recueillir des informations vitales sur l'armement nucléaire. Ils ne cherchaient pas des informations secrètes, ils pouvaient savoir ce qu'ils voulaient dans les manuels universitaires et les publications scientifiques qu'on trouve dans toutes les grandes bibliothèques. Cinq jours avant que je quitte l'institut pour la dernière fois, elles venaient d'arriver en mars 1944 avec le matériel nécessaire pour donner la bombe atomique à l'Allemagne avant l'automne de la même année. Ils devaient passer quelques semaines à étudier les documents à l'institut avant de faire part de ces connaissances au département de recherches nucléaires sans avoir à divulguer la manière dont ils les avaient obtenues. C'est à ce moment-là que j'ai compris qu'il fallait que je détruise l'institut et tout ce qu'il contenait, personnel clé et dossiers, si je voulais éviter un avenir dessiné par Adolf Hitler.

Tandis que Chris et Laura l'écoutaient, fascinés, Stefan raconta comment il avait installé des explosifs, tué Penlovski, Januskaya et Volkaw, et avait programmé la porte pour revenir à l'époque de Laura.

Mais à la dernière minute, tout avait été gâché. Il y avait eu une panne d'électricité. La RAF avait bombardé Berlin pour la première fois en janvier de cette année-là et les bombardiers américains avaient fait le premier raid de jour le 6 mars, si bien qu'il y avait souvent des pannes de courant dues aux bombes, mais aussi au travail des saboteurs. C'était pour se préserver de telles interruptions que le portail était alimenté par un générateur de secours. Stefan n'avait pas entendu de bombes le jour où, blessé par Kokoschka, il avait rampé dans le portail, cela devait être des saboteurs qui avaient coupé le courant.

— Et la minuterie du détonateur s'est arrêtée. Le portail n'est pas détruit. Il est toujours ouvert, et ils peuvent nous poursuivre... et ils peuvent encore gagner la guerre...

Laura, qui avait de nouveau mal à la tête, se massa les tempes.

— Mais... Hitler ne peut avoir construit de bombes atomiques ni avoir gagné la guerre, parce que nous ne vivons pas dans un monde où cela s'est produit. Ne vous inquiétez pas. D'une manière ou d'une autre, malgré les informations qu'ils ont rapportées, ils ont dû échouer.

— Non. Ils ont échoué jusque-là, mais on ne peut pas être sûr que cela va continuer ainsi. Pour les hommes qui sont à Berlin en 1944, le passé est immuable, ils ne peuvent pas retourner en arrière pour le modifier, mais ils peuvent modifier leur avenir et le nôtre, car l'avenir d'un voyageur du temps est malléable. On peut le changer.

— Oui, mais son avenir, c'est *mon* passé, dit Laura. Et si on ne peut pas changer le passé, comment peut-il changer le mien ?

— Oui, dit Chris. Paradoxe !

— Ecoutez, je n'ai pas passé les trente-quatre dernières années dans un monde dirigé par Adolf Hitler et ses héritiers, donc, malgré la porte, Hitler a échoué.

Stefan avait l'air accablé.

— Si les voyages dans le temps étaient inventés maintenant, en 1989, le passé dont vous parlez, la Seconde Guerre mondiale et tout ce qui s'est produit depuis, serait inaltérable. On ne pourrait pas le changer, car la nature interdit le voyage contre le temps et les paradoxes qui s'appliqueraient à vous. Mais le voyage dans le temps n'a pas été découvert, ni redécouvert. Les voyageurs de l'institut de Berlin en 1944 sont libres de modifier leur avenir, apparemment, et, par la même occasion, ils changeront votre passé, rien dans les lois de la nature ne les en empêche. C'est le plus grand paradoxe qui soit, et pourtant, je ne sais pourquoi, la nature semble l'autoriser.

— Vous dites qu'ils peuvent toujours construire des armes nucléaires avec les informations qu'ils ont obtenues en 1985 ?

— Oui, à moins que l'institut ne soit détruit avant.

— Et après ? Tout d'un coup, tout autour de nous, tout aura changé ? On se retrouvera dans un monde nazi ?

— Oui, et vous ne saurez même pas ce qui s'est passé, car vous serez une personne différente de celle que vous êtes maintenant. Votre passé ne se sera jamais produit. Vous aurez vécu un passé complètement différent et vous ne vous souviendrez de rien d'autre, de rien de ce que vous avez vécu dans cette vie, parce que en fait, elle n'aura jamais existé. Vous penserez que le monde a toujours été tel qu'il est, qu'il n'y a jamais eu de monde dans lequel Hitler a perdu la guerre.

Ce qu'elle entendait la terrifiait, car sa vie lui semblait encore plus fragile qu'elle ne l'avait jamais imaginé. Soudain le monde ne lui paraissait pas plus réel qu'en rêve : il pouvait se dissoudre sans prévenir et l'entraîner dans un immense et noir néant.

— S'ils changent le monde dans lequel je suis née, dit-elle, de plus en plus horrifiée, je n'aurais peut-être jamais rencontré Danny.

— Je ne serais peut-être jamais né, dit Chris.

Laura posa la main sur le bras de Chris, pas tant pour le rassurer que pour se réconforter elle-même en vérifiant qu'il était bien réel.

— Tout ce que j'ai vu, le bien et le mal, depuis 1944... tout s'écroulerait comme un château de sable et il y aurait une autre réalité à la place...

— Oui, et une réalité bien pire, dit Stefan, visiblement exténué par l'effort qu'il avait fait pour expliquer les enjeux du voyage dans le temps.

— Et dans ce nouveau monde, je n'aurais peut-être jamais été écrivain.

— Ou bien, vous auriez écrit d'autres romans. Des romans grotesques produits par un artiste qui travaille sous le joug d'un gouvernement répressif, sous le talon de fer de la censure nazie.

— Si ces types construisent la bombe atomique en 1944, alors on tombera en poussière, et on s'évanouira.

— Pas au sens propre, mais oui, en poussière. Partis sans laisser de trace.

— Il faut les arrêter, dit Chris.

— Si on y arrive. Mais d'abord, il faut rester en vie dans cette réalité, et ça risque de ne pas être facile.

Stefan eut besoin d'aller se soulager, et Laura l'aida à se rendre à la salle de bains, comme si elle avait été une infirmière accoutumée à ce travail. Quand elle revint le mettre au lit, elle se sentait de nouveau inquiète à son sujet. Bien que musclé, son corps semblait désarticulé, et terriblement faible.

Elle lui raconta brièvement la tuerie chez Brenkshaw, pendant laquelle il était resté dans le coma.

— Si ces assassins viennent du passé, comment font-ils pour nous trouver ? Comment ont-ils su en 1944 que je suis allée chez Brenkshaw quarante-quatre ans plus tard ?

— Pour ça, dit Stefan, ils font deux voyages. D'abord, ils vont un peu plus loin dans l'avenir, quelques jours, ce week-end par exemple, pour savoir si vous vous êtes montrée quelque part. S'ils ne trouvent rien, ils cherchent dans les journaux. Ils ont lu les articles sur la tuerie de Big Bear, et ils ont appris que vous aviez emmené un blessé chez Brenkshaw à San Bernardino. Ensuite, ils retournent en 1944 et ils font un deuxième voyage, cette fois chez Brenkshaw, en pleine nuit, le 11 janvier.

— Ils peuvent nous devancer par bonds, expliqua Chris à Laura, comme ça, ils savent ce qu'on fait, et ils choisissent le moment le plus facile pour nous tendre un piège. C'est comme si c'étaient des Indiens et qu'ils étaient tous télépathes.

— Qui était Kokoschka ? demanda Chris. Qui c'était, l'homme qui a tué papa ?

— Le chef de la sécurité à l'institut. Il prétendait être de la famille d'Oskar Kokoschka, le peintre expressionniste autrichien, mais ça m'étonnerait, car notre Kokoschka, lui, n'a pas la moindre sensibilité artistique. *Standartenführer...*, colonel. Heinrich Kokoschka était un tueur de la Gestapo très efficace.

— La Gestapo ? La police secrète ?

— La police d'Etat, répondit Stefan. Tout le monde sait qu'elle existe, mais elle peut conduire des opérations secrètes. En le voyant sur cette route de montagne, j'ai été aussi surpris que vous. Il n'y avait pas eu d'éclair, il a dû atterrir beaucoup plus loin, à une bonne vingtaine de kilomètres, dans une autre vallée.

Les éclairs associés au voyage dans le temps n'étaient toujours qu'un phénomène ponctuel.

— Quand j'ai compris que Kokoschka m'avait suivi, j'ai cru que tous mes collègues seraient au courant de ma trahison et m'attendraient à l'institut. Mais quand je suis rentré, personne n'a fait attention à moi. J'étais troublé. Ensuite j'ai tué Penlovski et les autres, je suis allé au laboratoire pour préparer mon saut, et c'est là que Heinrich Kokoschka m'a tiré dessus. Il n'était pas mort ! Il n'était pas mort sur cette route en 1988. J'ai compris qu'il venait juste d'apprendre ma trahison en découvrant les cadavres. C'est à ce moment seulement qu'il a entrepris le voyage en 1988 pour essayer de me tuer. Cela signifiait qu'il avait besoin que la porte reste ouverte pour me suivre, et que la destruction de l'institut était vouée à l'échec. Du moins, pour cette fois.

— Ouh, là, j'ai mal à la tête, dit Laura.

Chris ne semblait éprouver aucune difficulté à comprendre les intrications du voyage dans le temps.

— Alors, vous êtes venu chez nous la nuit dernière, et Kokoschka est allé en 1988 pour tuer mon papa ! Mon Dieu ! En fait, monsieur Krieger, vous avez tué Kokoschka quarante-trois ans après qu'il a eu tiré sur vous au labo, et en même temps, vous l'avez tué avant qu'il vous tire dessus ! C'est fantastique ! Maman, tu ne trouves pas que c'est fantastique ?

— Oui, c'est quelque chose, et comment Kokoschka vous a-t-il retrouvé dans les montagnes de San Bernardino ?

— Quand il s'est aperçu que j'avais tué Penlovski, il a dû découvrir les explosifs dans le grenier et le sous-sol. Alors ils ont exploré la mémoire du portail qui garde une trace de tous les voyages. Ce système, c'est un peu moi qui en suis responsable. Avant cela, personne n'avait jamais remarqué que j'étais inter-venu dans votre vie, Laura. De toute façon, Kokoschka a dû faire beaucoup de voyages, lui aussi, pour vérifier ce que j'avais fait, il m'a vu veiller sur vous, il m'a vu modifier votre destin pour le mieux. Il devait être là, le jour où je suis allé au cimetière. Il m'a sans doute vu frapper Sheener, mais je ne me suis rendu compte de rien. Chaque fois que je venais pour vous observer, il était là, lui aussi, et quand j'ai essayé de vous sauver, il a choisi son moment pour nous tuer. Moi, il voulait me tuer parce que j'étais un traître, et vous et votre famille... parce qu'il avait compris que vous comptiez beaucoup pour moi.

Pourquoi ? pensa-t-elle. Pourquoi est-ce que je compte tant pour vous, Stefan Krieger ? Pourquoi êtes-vous venu modifier mon destin pour que j'aie une vie meilleure ?

Elle aurait aimé lui poser ces questions, mais il avait encore beaucoup de choses à dire sur Kokoschka. Ses forces le quittaient vite, et il éprouvait certaines difficultés à maintenir le fil de sa pensée. Elle ne voulait pas le troubler en l'interrompant.

— En observant l'horloge et les réglages de la porte, Kokoschka a découvert ma destination finale, hier soir, chez vous. En fait, j'avais l'intention de revenir le soir de la mort de Danny, comme je vous l'avais promis, mais je me suis trompé en entrant les données que j'avais calculées, et je ne suis arrivé qu'un an plus tard. Après mon départ, Kokoschka a retrouvé mes calculs, il s'est rendu compte que j'avais commis une erreur, et il savait où me trouver non seulement la nuit dernière, mais aussi la nuit où Danny est mort. En venant vous sauver du camion fou, j'ai amené l'assassin de Danny avec moi. Je me sens responsable ; pourtant, Danny serait mort dans l'accident. Au moins, vous et Chris êtes encore vivants. Pour le moment.

— Pourquoi Kokoschka ne vous a pas suivi en 1989 ? Il savait que vous étiez blessé, que vous étiez une proie facile.

— Oui, mais il savait aussi que je m'attendais à ce qu'il me suive, et il avait peur que je sois armé et que je l'attende. Alors, il est venu en 1988, à un moment où il avait la surprise de son côté. Et puis, il s'est probablement imaginé que s'il me tuait sur la route de montagne, je ne pourrais pas retourner à l'institut et je n'aurais pas l'occasion de tuer Penlovski. Il a voulu *défaire* ces deux morts et sauver par là la tête du projet. Mais bien sûr, c'était impossible, car alors, il serait intervenu dans son *propre* passé. Penlovski et les autres étaient déjà morts, on n'y pouvait rien changer. Si Kokoschka avait mieux compris les règles du voyage dans le temps, il aurait su que j'allais le tuer en 1988 quand il m'a suivi, parce que, lorsqu'il a entrepris ce saut pour venger Penlovski, j'étais déjà rentré à l'institut, sain et sauf !

— Maman ? Ça va ? demanda Chris.

— Ils font des cachets d'aspirine d'un kilo ?

— Je sais que c'est difficile à comprendre, mais voilà qui est Heinrich Kokoschka, ou plutôt qui il était. Il a déconnecté les explosifs que j'avais installés. Et à cause de lui, et de cette imbécile de coupure de courant qui a arrêté le détonateur, l'institut est toujours là, et le portail reste ouvert. Les agents de la Gestapo nous poursuivront jusqu'ici et essaieront de nous tuer.

— Pourquoi ? demanda Laura.

— Pour se venger.

— Ils vont parcourir quarante-cinq ans simplement pour se venger ? Il y a sûrement autre chose !

— Oui, dit Stefan. Ils veulent nous tuer car ils sont persuadés que nous sommes les seules personnes à pouvoir fermer le portail avant la fin de la guerre et les empêcher de modifier leur avenir. Et en fait, ils ont raison.

— Mais comment ? Comment pourrait-on détruire le portail, il y a quarante-cinq ans ?

— Je ne sais pas encore, mais je vais y réfléchir.

Laura posa d'autres questions, mais Stefan secoua la tête en disant qu'il était exténué et replongea aussitôt dans le sommeil.

Chris se prépara un déjeuner de sandwiches au beurre de cacahuète, mais Laura n'avait pas faim.

Comme Stefan allait visiblement dormir pendant quelques heures, elle en profita pour se doucher. Elle se sentit un peu mieux après, malgré ses vêtements froissés.

Pendant tout l'après-midi, des émissions plus stupides les unes que les autres se succédèrent à la télévision : feuilletons à l'eau de rose, jeux, autres feuilletons, reprises de vieux films mille fois programmés. Phil Donahue s'agitait devant le public pour l'exhorter à endosser la cause, ô combien originale, des dentistes travestis.

Laura rechargea son Uzi avec les munitions qu'elle avait achetées le matin même.

Dehors, au fur et à mesure que le jour déclinait, des nuages s'amoncelaient dans le ciel. Le palmier près de la Buick volée semblait resserrer ses feuilles, comme pour se protéger de l'orage imminent.

Elle s'assit sur une des chaises, posa les pieds sur le lit, ferma les yeux et somnola pendant un moment. Elle fut réveillée par un cauchemar où elle était transformée en sable et se dissolvait sous la pluie. Chris dormait sur l'autre chaise et Stefan ronflait toujours légèrement.

La pluie martelait le toit du motel, les gouttes rebondissaient dans les flaques d'eau du parking, dans un bruit d'huile qui frémit, bien que la journée fût fraîche. C'était un orage typique de la Californie du Sud, un orage quasi tropical, mais sans éclairs ni tonnerre. Il arrivait, même dans cette partie du monde, qu'un tel feu d'artifice accompagne la pluie, mais c'était beaucoup plus rare qu'ailleurs. Laura se réjouissait particulièrement de cette spécificité climatologique, car s'il y avait eu des éclairs elle n'aurait pas su s'ils avaient une origine naturelle ou s'ils étaient provoqués par l'arrivée d'agents de la Gestapo d'une autre époque.

Chris se réveilla à cinq heures et quart et Stefan ouvrit les yeux cinq minutes plus tard. Tous deux avaient faim, et en plus de son appétit, Stefan manifestait des signes de guérison. Ses yeux, injectés de sang et humides un moment plus tôt, étaient redevenus limpides. Il arrivait à se redresser sur le lit en s'appuyant sur son bras valide. Sa main gauche, molle et inutile, commençait à se dégourdir. Il pouvait fléchir les doigts et fermer un peu le poing.

Au lieu de dîner, Laura aurait préféré des réponses à ses questions, mais la vie lui avait appris, entre autres, la patience. Quand elle avait examiné les alentours du motel vers onze heures du matin, elle avait remarqué un restaurant chinois de l'autre côté de la rue. Abandonnant Chris et Stefan à contrecœur, elle sortit sous la pluie pour acheter des plats à emporter.

Elle dissimula le .38 sous sa veste et laissa l'Uzi à Stefan. L'arme était trop grande et trop puissante pour Chris, mais Stefan pourrait peut-être s'en servir d'un seul bras, bien que le recul risque de réveiller la douleur de sa blessure.

Quand elle revint, ruisselante de pluie, elle posa le carton de nourriture sur le lit, à part les deux soupes destinées à Stefan qu'elle plaça sur la table de nuit à côté de lui. En entrant dans le restaurant parfumé d'odeurs aromatiques, elle avait retrouvé l'appétit et commandé, bien entendu, beaucoup trop de plats : poulet à la citronnelle, bœuf à l'orange, porc sauté et riz cantonais, crevettes au poivre gris.

Laura et Chris goûtèrent de tous les plats avec leurs couverts en plastique en buvant du Coca-Cola acheté au distributeur de l'hôtel, tandis que Stefan mangeait sa soupe. Il croyait ne pas pouvoir supporter la nourriture solide mais, après sa soupe, il commença prudemment à essayer le poulet à la citronnelle.

A la demande de Laura, il leur parla de lui. Il était né en 1909 à Gittelde, si bien qu'il avait trente-cinq ans.

— Ouais, dit Chris, mais si on compte les quarante-cinq ans que vous avez sautés en voyageant de 1944 à 1989, cela vous fait quatre-vingts ans ! Ben dites donc, vous êtes pas mal conservé pour un vieillard ! dit Chris.

255

Sa famille s'était installée à Munich après la Première Guerre mondiale, et le père de Stefan, Franz Krieger, avait été l'un des premiers à soutenir Hitler en 1919. Il avait adhéré au Parti ouvrier allemand la semaine même où Hitler avait commencé sa carrière politique au sein de cette organisation. Il avait même collaboré avec Hitler et Anton Drexler pour établir la plate-forme de ce qui allait devenir le Parti national-socialiste des ouvriers allemands.

— J'ai été un des premiers membres des Jeunesses hitlériennes en 1926, quand j'avais dix-sept ans. Moins d'un an plus tard, j'ai rejoint les *Sturmabteilung,* les SA, les chemises brunes, qui constituaient presque une armée privée. En 1928, je suis entré chez les *Schutztaffel*...

— Les SS ! s'exclama Chris, avec le même ton de terreur et de fascination que s'il avait parlé de vampires ou de loups-garous. Vous étiez dans les SS ? Vous portiez l'uniforme noir et la tête de mort, vous aviez une épée ?

— Oui, mais il n'y a pas de quoi se vanter. Oh, à l'époque, j'en étais très fier, bien sûr. Je n'étais qu'un imbécile. Le digne fils de mon père. Au début, les SS étaient un petit groupe, fondé sur le sens de l'élitisme, et nous avions pour but de protéger le Führer au prix de notre vie, si nécessaire. Nous avions entre dix-huit et vingt-deux ans, nous étions tous des têtes brûlées. Pour ma défense, je peux dire que je n'étais pas particulièrement enthousiaste, je m'investissais moins que les autres. Je faisais ce que mon père voulait, mais surtout par ignorance. Et je dois admettre que, en ce qui concerne l'ignorance, j'avais plus que ma part !

La pluie et le vent frappaient bruyamment aux carreaux de la fenêtre près du lit.

Depuis qu'il s'était réveillé de sa sieste, Stefan paraissait en meilleure forme et son état s'était encore amélioré après la soupe. Mais à présent, en parlant de sa jeunesse passée dans un foyer de haine et de mort, il pâlit et ses yeux semblèrent s'enfoncer sous ses sombres sourcils.

— Je n'ai jamais quitté les SS parce que c'était une position enviable et qu'il n'y avait aucun moyen de démissionner sans éveiller les soupçons. Mais année après année, mois après mois, jour après jour, j'étais de plus en plus écœuré par ce que je voyais, par la folie du meurtre et de la terreur.

Les crevettes au poivre gris et le poulet à la citronnelle avaient perdu leur saveur et Laura avait la bouche si sèche que le riz lui collait au palais. Elle repoussa son assiette et but une gorgée de Coca.

— Mais si vous n'avez jamais quitté les SS... quand avez-vous fait vos études pour être engagé dans un tel programme de recherches ?

— Oh, je n'étais pas chercheur à l'institut. Je ne suis jamais allé à l'université. Sauf pendant deux ans, pour des cours intensifs d'anglais... où on essayait de me donner un accent américain. Je devais faire partie d'une équipe d'espions envoyés aux Etats-Unis et en Angleterre, mais je n'ai jamais pu me débarrasser de mon accent et je n'ai jamais été envoyé outre-mer. Mais comme mon père était un des premiers à avoir soutenu Hitler, les gens avaient confiance en moi et on m'a trouvé d'autres emplois. On me chargeait des tâches délicates, comme les liaisons entre les factions dissidentes et le gouvernement. J'étais en excellente position pour obtenir des informations utiles aux Britanniques, ce que j'ai fait à partir de 1938.

— Vous étiez un espion ! s'exclama Chris tout excité.

— En quelque sorte. J'essayais, dans la mesure de mes moyens, de contribuer à l'anéantissement du Reich, pour me racheter de l'avoir soutenu volontairement. Bien sûr, je n'étais pas pardonnable. Et en août 1943, quand Penlovski a commencé à remporter ses premiers succès avec sa porte du temps, en envoyant des animaux Dieu sait où qui revenaient toujours, on m'a muté à l'institut, comme observateur, comme représentant personnel du Führer. Et comme cobaye aussi. Quand ils ont été prêts à envoyer un homme, ils ne voulaient pas risquer Penlovski, ni Januskaya ou Volkaw, ni aucun des scientifiques qui jouaient un rôle important dans le projet. Personne ne savait si un homme en reviendrait sain et sauf, comme les animaux.

— Hum, hum, dit Chris en hochant solennellement la tête. Il aurait été possible que le voyage dans le temps rende fou, ou quelque chose comme ça. Qui pouvait savoir ?

Oui, qui pouvait savoir ? pensa Laura.

— Ils voulaient aussi que le premier à faire le voyage soit capable de garder le secret pour eux, j'étais l'homme idéal.

— Un officier SS, un espion, et le premier chrononaute ! Ouaouh, quelle vie trépidante ! s'écria Chris.

— J'espère que Dieu t'en donnera une plus paisible, répondit Stefan Krieger.

Il regarda Laura. Ses yeux d'un bleu profond et pur révélaient une âme torturée.

— Laura, qu'est-ce que vous pensez de votre gardien, maintenant ? Ce n'est pas un ange, mais un suppôt de Hitler, un salaud de SS.

— Non, pas un salaud. Votre père, votre époque, votre société ont peut-être essayé de faire de vous un salaud, mais ils n'ont pas pu vous pourrir jusqu'au cœur. Non, pas un salaud, Stefan Krieger. Pas vous.

— Pas un ange non plus. Non, pas un ange. A sa mort, quand celui qui trônera sur le fauteuil du Jugement verra les souillures de mon âme, il me réservera une petite place en enfer.

La pluie qui martelait le toit semblait marquer les secondes, les millions de minutes précieuses qui ruisselaient dans les gouttières et se perdaient, gâchées à jamais.

Laura débarrassa les restes de nourriture qu'elle alla jeter dans une poubelle. Elle alla prendre trois autres Coca et posa enfin la question qu'elle avait envie de poser à son gardien depuis qu'il était sorti du coma :

— Pourquoi ? Pourquoi moi ? Pourquoi m'avez-vous sauvé la vie ? En quoi mon destin est lié à celui des nazis, des voyageurs du temps, à l'avenir du monde ?

Lors de son troisième voyage dans l'avenir, expliqua-t-il, il était allé en Californie, en 1984, car ses précédents sauts, quinze jours en 1954, quinze jours en 1964, lui avaient laissé supposer que la Californie deviendrait le plus grand centre culturel et technologique du monde entier. Il n'était plus le seul à franchir le portail, quatre autres personnes voyageaient aussi par ce moyen, à présent qu'on le savait sûr. Au cours de son troisième voyage, Stefan avait continué à observer l'avenir et à apprendre en détail de qui était arrivé au monde pendant et après la guerre. Il essayait de se renseigner aussi sur les inventions scientifiques qui seraient probablement emportées vers le Berlin de 1944 pour aider Hitler à gagner la guerre, non parce qu'il avait l'intention de participer à ce dessein, mais au contraire, pour apprendre comment le saborder. Il lisait les journaux, regardait la télévision et se promenait dans les rues, pour sentir l'atmosphère de la fin du XXe siècle.

Appuyé sur ses oreillers, avec une voix très différente de celle avec laquelle il avait parlé des horreurs de sa vie jusqu'en 1944, il raconta :

— Vous ne pouvez pas vous imaginer ce que c'était pour moi de me promener dans les rues de Los Angeles ! Si j'avais fait un saut de mille ans en avant au lieu de quarante, je ne crois pas que j'aurais été plus surpris. Les voitures ! Des voitures partout ! Et des tas de voitures allemandes, ce qui semblait indiquer qu'on avait pardonné la guerre. Ça m'émouvait.

— Nous, on a une Mercedes ! Ça roule bien, mais j'aime mieux la Jeep.

— Les voitures. Les modes, l'avancement technologique. Les montres digitales, les ordinateurs personnels, les magnétoscopes pour pouvoir regarder des films dans son salon ! Même après avoir passé cinq jours ici, j'étais toujours émerveillé, et je m'attendais à de nouvelles surprises tous les matins. Le sixième jour, je suis passé devant une librairie de Westwood, il y avait des gens qui faisaient la queue pour faire signer leur livre par l'auteur. Je suis entré pour voir quel livre était aussi populaire et mieux comprendre l'Amérique. Et je vous ai vue, vous, Laura, derrière une table, enterrée sous une pile de votre premier roman, *La Corniche.*

— *La Corniche ?* Mais je n'ai jamais écrit de roman qui s'appelle comme ça.

De nouveau, Chris comprit avant elle.

— C'est un livre que tu aurais écrit si M. Krieger n'était pas intervenu dans ta vie.

— Vous aviez vingt-neuf ans quand je vous ai vue pour la première fois à cette signature. Vous étiez dans un fauteuil roulant, vous aviez les jambes tordues, paralysées, inutiles. Le bras gauche aussi était partiellement paralysé.

— Infirme ? Maman était infirme ?

C'était incroyable, pourtant Laura sentait que son gardien disait la vérité. Profondément en elle, avec un réflexe plus puissant que l'instinct, elle se voyait dans un fauteuil roulant, les jambes mortes. Peut-être percevait-elle le faible écho de son destin détourné ?

— Vous étiez infirme de naissance.

— Pourquoi ?

— Je n'ai appris cela que beaucoup plus tard après avoir fait des recherches dans votre vie. Le docteur qui vous avait donné naissance à Denver en 1955... le Dr Markwell, était un alcoolique. L'accouchement avait été difficile...

— Ma mère est morte en couches.

— Oui, je sais, dans cette réalité, elle est morte aussi. Mais dans l'autre, Markwell avait raté l'accouchement. Vous aviez eu des lésions à la colonne vertébrale.

Un frisson la parcourut. Comme si elle voulait se prouver qu'elle avait bien échappé au sort qui lui était réservé, elle se leva et alla à la fenêtre, faisant fonctionner ses jambes, intactes, vivantes.

— Le jour où je l'ai vue dans ce fauteuil roulant, expliqua Stefan à Chris, ta mère était si belle. Vraiment très belle. Son visage... bien sûr, c'était le même qu'aujourd'hui. Mais ce n'était pas seulement ça qui la rendait belle. Il y avait un tel courage chez elle, et elle était si gaie, malgré son handicap. Tous ceux qui venaient avec un exemplaire de *La Corniche* repartaient avec une signature et un sourire, une plaisanterie. Ta maman était condamnée à vie à son fauteuil roulant, mais elle avait un tel sens de l'humour ! Je l'ai regardée de loin et j'étais ému comme jamais je ne l'avais été.

— Elle est formidable ! dit Chris. Maman, elle n'a peur de rien.

— Ta mère a peur de tout, dit Laura. Rien que cette conversation me fait mourir de peur.

— Tu ne te sauves jamais, tu ne te caches jamais, dit Chris en rougissant.

A son âge, les garçons étaient censés être froids et se demander s'ils n'étaient pas infiniment plus sages que leur propre mère. Dans une relation ordinaire, une telle admiration n'était que rarement exprimée avant le quarantième anniversaire de l'enfant ou la mort de la mère, selon l'événement qui se produisait en premier.

— Tu as peut-être peur, mais tu ne le laisses jamais voir.

Elle avait appris de bonne heure que ceux qui montrent leur peur sont considérés comme des proies faciles.

— J'ai acheté un exemplaire de *La Corniche* ce jour-là et je l'ai emmené à l'hôtel. Je l'ai lu pendant la nuit. C'était si beau que parfois, j'en pleurais... et si drôle aussi que par moments, je riais tout fort. Le lendemain, j'ai acheté vos deux autres livres, *Boucles d'argent* et *Les Chants de la nuit,* qui étaient aussi beaux et aussi émouvants que le roman qui vous avait rendue célèbre.

C'était étrange d'entendre des compliments sur des livres qu'elle n'avait jamais écrits. Mais elle s'inquiétait moins de connaître le scénario de ces histoires que d'entendre la réponse à une question qui la torturait :

— Et dans cette vie... dans cet autre 1984, j'étais... mariée ?

— Non.

— Mais j'ai rencontré Danny en...

— Non, vous n'aviez jamais rencontré Danny. Vous n'étiez pas mariée.

— Et moi, je n'étais pas né !

— Tout le reste ne s'est passé que parce que je suis retourné à Denver en 1955 et que j'ai empêché Markwell de se charger de l'accouchement. Le médecin qui l'a remplacé n'a pas pu sauver votre mère, mais il vous a mise au monde saine et sauve. Et à partir de ce moment-là, tout a changé. C'était votre passé, et je l'ai changé, c'est vrai, mais pour moi, c'était mon avenir, et donc, les événements étaient malléables. Une chance que les voyages dans le temps fonctionnent comme ça, car sinon je n'aurais pas pu vous éviter le fauteuil roulant.

Le vent soufflait en rafales, et un autre déluge de pluie vint frapper contre la vitre près de laquelle se tenait Laura.

De nouveau, elle avait l'impression que la pièce qui l'entourait, la terre sur laquelle elle vivait, l'univers lui-même n'étaient qu'une fumée sans consistance, sujette aux changements brutaux.

— Ensuite, j'ai veillé sur votre vie. Entre janvier 1944 et la mi-mars, j'ai fait une trentaine de voyages secrets. Au cours du quatrième, je suis allé en 1964 et j'ai découvert que vous étiez morts depuis un an, vous et votre père, tués par ce junkie lors du hold-up de l'épicerie. Alors, je suis allé en 1963 et je l'ai tué avant qu'il ne vous fasse du mal.

— Un junkie ? demanda Chris.

— Je t'expliquerai plus tard, mon lapin.

— Et jusqu'au jour où Kokoschka a débarqué sur cette route de montagne, j'ai assez bien réussi à vous rendre la vie plus facile. Par chance, mes interventions ne vous ont pas privée de votre talent et les livres que vous avez écrits sont aussi beaux que ceux que vous aviez écrits dans une autre vie. Ce ne sont pas les mêmes livres, mais ils ont gardé la même voix, le même ton.

Les jambes flageolantes, Laura retourna s'asseoir.

— Mais pourquoi ? Pourquoi tant d'efforts pour me faciliter l'existence ?

Stefan Krieger regarda Chris puis Laura et ferma les yeux pour parler.

— En vous voyant sur ce fauteuil roulant signer *La Corniche* et en lisant vos livres, je suis tombé amoureux de vous... follement amoureux.

Chris se tortilla sur sa chaise, gêné d'entendre de tels propos alors que l'objet de cette affection n'était autre que sa mère.

— Votre esprit était encore plus beau que votre visage, dit Stefan doucement, les yeux toujours fermés. Je suis tombé amoureux de votre courage, parce que je ne l'avais jamais rencontré chez les fanatiques en uniforme que je côtoyais. Ils commettaient des atrocités au nom du peuple et appelaient ça du courage. Ils étaient prêts à mourir pour un idéal de dictature sanglante, et ils appelaient ça du courage, alors que ce n'était que de la bêtise et de la folie. Je suis tombé amoureux de votre dignité, car moi je n'en avais pas, je n'avais aucun respect de moi-même, et chez vous, ce sentiment étincelait. Je suis tombé amoureux de votre compassion, qui tenait une si grande place dans vos livres, car dans le monde où je vivais, cela n'existait pas. Je suis tombé amoureux, Laura, et je me suis rendu compte que je pouvais faire pour vous tout ce que les hommes feraient pour ceux qu'ils aiment s'ils avaient la puissance des dieux ; j'ai fait de mon mieux pour vous épargner le pire du destin qui vous attendait.

Enfin, il ouvrit les yeux.

Ils étaient d'un bleu magnifique, mais tourmentés.

Elle lui était excessivement reconnaissante. Elle ne l'aimait pas, car elle le connaissait à peine. En lui confiant l'amour et la passion qui l'avaient poussé à voguer à travers le cours du temps pour être à ses côtés, il avait partiellement restauré l'aura magique à travers laquelle elle le voyait autrefois. De nouveau, il semblait hors du commun, un demi-dieu, sinon un dieu, par sa générosité envers elle.

Cette nuit-là, Chris partagea le lit aux ressorts grinçants avec Stefan Krieger. Laura essaya de dormir sur une chaise, les jambes allongées l'une sur l'autre.

La pluie tombait obstinément, son monocorde qui berça vite Chris. Laura l'entendait ronfler légèrement.

Après être restée une heure dans le noir, elle demanda à voix basse :

— Vous dormez ?

— Non, répondit Stefan immédiatement.

— Danny..., dit-elle, mon Danny...

— Oui ?

— Pourquoi vous n'avez pas...

— Fait un second voyage et tué Kokoschka avant qu'il le tue ?

— Oui.

— Parce que... Vous voyez, Kokoschka appartient à mon époque, si bien que le meurtre de Danny et sa propre mort faisaient partie de *mon* passé, sur lequel je ne pouvais pas intervenir. Si j'avais essayé de revenir plus tôt ce jour de 1988 et de tuer Kokoschka *avant* qu'il tue Danny, j'aurais immédiatement rebondi dans le portail et je serais retourné à l'institut sans être allé nulle part. Les lois de la nature interdisent ce genre de paradoxe et m'auraient empêché d'arriver.

Laura garda le silence.

— Vous comprenez ?

— Oui.

— Vous l'acceptez ?

— Je n'accepterai jamais sa mort.

— Mais vous... me croyez ?

— Oui, je vous crois.

— Laura, je sais à quel point vous aimiez Danny Packard. Si j'avais pu le sauver, même au prix de ma propre vie, je l'aurais fait sans hésiter.

— Je vous crois, parce que sans vous... je n'aurais jamais connu Danny.

— L'Anguille..., dit Laura.

— Le destin lutte pour rétablir ce qui était prévu, dit Stefan dans le noir. Quand vous aviez huit ans, je suis venu tuer ce junkie pour qu'il ne vous viole pas, mais inévitablement, le destin vous a mise face à un autre pédophile, un autre meurtrier potentiel : Willy Sheener. L'Anguille. Mais le destin avait aussi prévu que vous seriez un grand écrivain, que vous apporteriez le même message au monde, quoi que je fasse pour modifier votre vie. C'est une bonne chose. Il y a quelque chose d'effrayant et de très rassurant en même temps à voir que le destin tente toujours de rétablir les schémas primitifs... comme si l'univers avait un sens, comme si malgré la façon dont il s'acharne sur nous, il y avait quelque chose que l'on pourrait appeler Dieu...

Pendant un instant, ils écoutèrent la pluie nettoyer le monde extérieur.

— Mais pourquoi vous ne vous êtes pas chargé de l'Anguille à ma place ?

— Je l'ai attendu un soir dans son appartement.

— Oui, vous l'avez bien esquinté d'ailleurs. Je savais que c'était vous.

— Je lui ai dit de ne plus vous importuner, je lui ai dit que je le tuerais la prochaine fois.

— Oui, mais ensuite, il était encore plus décidé à m'avoir. Pourquoi ne l'avez-vous pas tué tout de suite ?

— J'aurais dû. Je ne sais pas pourquoi j'ai hésité. Peut-être parce que des meurtres, j'en avais vu trop. J'espérais que cela ne serait pas nécessaire.

Elle pensa à la guerre, aux camps de concentration, au génocide des juifs, et elle comprenait sa réaction bien que Sheener eût à peine mérité de vivre.

— Mais quand il est revenu m'attaquer chez les Dockweiler, pourquoi ne l'en avez-vous pas empêché ?

— Quand je suis revenu vérifier ce qui se passait dans votre vie, vous aviez treize ans et vous aviez déjà tué Sheener et survécu. Alors, j'ai décidé ne pas intervenir.

— Oui, j'ai survécu, mais Nina Dockweiler est morte. Peut-être que si elle n'avait pas vu tout ce sang...

— Peut-être, mais ce n'est pas sûr. Je vous l'ai dit, le destin lutte pour rétablir ce qui était prévu. Et puis, je ne pouvais pas vous protéger de tous les traumatismes, Laura, il m'aurait fallu des milliers de voyages pour ça. Et peut-être que cela n'aurait pas été si fructueux que cela pour vous. Vous ne seriez peut-être pas devenue la femme dont je suis tombé amoureux si vous n'aviez jamais dû faire face à l'adversité.

Le silence s'installa de nouveau.

Elle écoutait la pluie et le vent.

Elle écoutait battre son cœur.

— Je ne vous aime pas, finit-elle par dire.

— Je comprends très bien.

— Je devrais pourtant vous aimer... un peu.

— Vous ne me connaissez pas encore.

— Peut-être que je ne vous aimerai jamais.

— Je sais.

— Malgré tout ce que vous avez fait pour moi.

— Je sais. Mais si on survit à tout ça... on a tout le temps.

— Oui, sans doute, on a tout le temps.

SIX

Les compagnons de la nuit

· 1 ·

Le samedi 18 mars 1944, dans le laboratoire central du rez-de-chaussée, Erich Klietmann, *Obersturmführer* SS, et ses trois hommes bien entraînés s'apprêtaient à sauter dans l'avenir pour aller exécuter Krieger, la femme et l'enfant. Ils étaient déguisés en jeunes cadres californiens des années quatre-vingt, costume rayé Yves Saint-Laurent, chemise blanche, cravate sombre, mocassins Bally, chaussettes noires, et Ray-Ban si le temps l'exigeait. On leur avait dit que, dans l'avenir, on appellerait cette tenue le « look du pouvoir » et, bien que Klietmann ne comprît pas très bien ce que cela voulait dire, l'expression lui plaisait. Tous les vêtements avaient été achetés au cours de voyages antérieurs, et rien, pas même leurs sous-vêtements, n'était anachronique.

Tous les quatre portaient un attaché-case, un modèle de luxe en veau avec fermeture plaquée or. Les attachés-cases aussi avaient été ramenés de l'avenir, tout comme les Uzi modifiés et les magasins de rechange.

Une équipe de chercheurs se trouvait aux Etats-Unis au cours du mois où John Hinkkley avait tenté d'assassiner le président Ronald Reagan. En regardant les films à la télévision, ils avaient été surpris par les armes automatiques que les agents des services secrets avaient sorties de telles mallettes et installées en position de tir en une seconde ou deux. L'Uzi n'était pas seulement le pistolet automatique préféré des services secrets de 1989, c'était aussi celui qu'appréciaient le plus les voyageurs du temps des commandos SS.

266

Klietmann s'était entraîné au maniement de cette arme et la regardait avec plus de tendresse et d'affection qu'il n'en n'avait jamais éprouvé pour un être humain. Le seul problème, c'est que c'était une arme israélienne, conçue par une bande de juifs. Mais dans quelques jours, les nouveaux directeurs de l'institut approuveraient sans doute l'introduction de cette arme dans le monde de 1944 et, ainsi équipés, les soldats allemands seraient plus à même de mettre en déroute les hordes d'êtres inférieurs qui étaient censés détrôner le Führer.

Il regarda l'horloge du portail et vit qu'il s'était écoulé sept minutes depuis que l'équipe d'éclaireurs était partie pour la Californie du 15 février 1989. Ils devaient fouiller la documentation, essentiellement les vieux journaux, pour savoir si Krieger, la femme et l'enfant avaient été découverts et interrogés par la police dans le mois qui suivait les tueries de Big Bear et de San Bernardino. Ensuite, ils devaient revenir en 1944 et dire à Klietmann le jour, l'heure et le lieu où on pouvait les trouver. Comme les voyageurs du temps revenaient toujours onze minutes après leur départ, il n'y avait plus que quatre minutes à attendre.

· 2 ·

Ils passèrent le jeudi 12 janvier 1989, le jour de l'anniversaire des trente-quatre ans de Laura, dans la même chambre de l'Oiseau Bleu du Bonheur. Stefan avait encore besoin d'un jour de repos pour recouvrer ses forces et laisser agir la pénicilline. Il avait également besoin de temps pour réfléchir et élaborer un plan pour détruire l'institut. Ce problème épineux et compliqué nécessitait des heures et des heures de concentration.

La pluie avait cessé, mais le ciel était toujours lourd et gonflé. La météo prévoyait un orage avant minuit.

Ils regardèrent les informations locales de cinq heures à la télévision. On y parla de Laura et de Chris et du mystérieux blessé qu'elle avait emmené chez le Dr Brenkshaw. La police la recherchait toujours, et l'on pouvait supposer que les dealers qui avaient tué son mari les poursuivaient, elle et son fils, soit parce qu'ils craignaient d'être reconnus au cours d'une confrontation, soit parce qu'elle était elle-même impliquée dans le trafic de drogue.

— Maman un dealer ! Quelle bande de mabouls ! dit Chris, offusqué de cette insinuation.

Bien qu'on n'ait pas retrouvé de corps à Big Bear ni à San Bernardino, un élément attisait l'intérêt des médias. Un journaliste avait appris qu'il y avait beaucoup de sang sur les lieux et qu'une tête d'homme avait été découverte derrière chez Brenkshaw, entre deux poubelles.

Laura se souvint d'avoir vu le deuxième homme derrière la porte de séquoia et d'avoir ouvert le feu. Elle l'avait touché à la gorge et à la tête et, sur le moment, avait craint de l'avoir décapité.

— Les SS survivants ont pressé le bouton de la ceinture des morts, dit Stefan, et ont renvoyé son corps.

— Pourquoi pas la tête ? demanda Laura, horrifiée, mais trop curieuse pour ne pas poser la question.

— Elle a dû rouler quelque part entre les poubelles, et ils n'ont pas eu le temps de la chercher pendant les quelques secondes qu'il leur restait. S'ils l'avaient vue, ils l'auraient coincée dans les bras du cadavre. Tous les vêtements d'un voyageur du temps et tout ce qu'il porte s'en vont avec lui. Mais avec les sirènes qui approchaient et l'obscurité... ils n'ont pas eu le temps de s'occuper de la tête.

Chris, dont on aurait pu s'attendre à ce qu'il se délecte de ces étranges complications, s'enfonça dans sa chaise, les jambes repliées sous lui, et resta silencieux. Les images de la tête lui avaient fait davantage ressentir la présence de la mort que les balles dirigées contre lui.

Laura le serra dans ses bras et lui murmura d'un ton rassurant qu'ils allaient s'en sortir indemnes. Pourtant, ce geste était autant destiné à la rassurer elle-même, et son discours devait sonner faux car elle n'était pas du tout persuadée de gagner dans cet affreux combat.

Pour le déjeuner et le dîner, elle retourna acheter des plats au restaurant chinois. Personne ne l'avait reconnue la nuit précédente, si bien qu'elle se sentait en sécurité. Cela semblait idiot de prendre le risque d'aller ailleurs.

Le soir, tandis qu'elle débarrassait les cartons sales, Chris sortit deux petits gâteaux au chocolat avec une bougie jaune sur chacun d'eux. Il les avait achetés la veille au supermarché et les avait cachés jusque-là. En grande cérémonie, il les ramena de la salle de bains où il avait allumé les bougies et les flammes vacillantes scintillaient de lueurs dorées dans ses yeux. Il sourit en constatant la joie et la surprise de sa mère. En fait, Laura dut retenir ses larmes tant elle était émue de voir que, malgré le danger et la peur, il s'était souvenu de son anniversaire et avait tenu à lui faire plaisir. Pour elle, cela résumait toute la relation entre une mère et son enfant.

Ils mangèrent les gâteaux. Le restaurant chinois leur avait offert cinq beignets de la fortune avec le repas.

Perché sur ses oreillers, Stefan ouvrit le sien.

— Si seulement c'était vrai : « Vous vivrez dans la paix et l'abondance. »

— Ça se pourrait. (Elle déballa le sien et retira le papier de la fortune.) Oh non, ça j'en ai eu plus que ma part ! « L'aventure sera votre compagne. »

Chris ouvrit le sien, mais il n'y avait rien dedans, pas de bout de papier.

Un frisson de terreur parcourut Laura, comme si cela signifiait que Chris n'avait pas d'avenir. Superstition idiote. Pourtant, elle ne pouvait réprimer son anxiété.

— Tiens, dit-elle rapidement, comme tu n'as rien eu dans celui-là, tu as droit à deux autres.

Chris ouvrit la première, lut le billet pour lui seul et se mit à rire avant de le lire à voix haute.

— « Vous serez riche et célèbre. »

— Et quand tu seras riche, tu t'occuperas de ta vieille mère ?

— Oh oui... à condition que tu fasses toujours la cuisine.

— Il faudra que ta mère gagne sa vie, c'est ça ?

Souriant devant la complicité qui unissait Laura et Chris, Stefan dit :

— Ah, c'est un dur à cuire !

— Il va me faire frotter le sol jusqu'à quatre-vingt-dix ans ! dit Laura.

Chris déballa le second beignet :

— « Vous aurez une vie de petits plaisirs — livres et musique... »

Ni Chris ni Stefan ne remarquèrent que les deux prédictions se contredisaient et s'annulaient l'une l'autre, mais pour Laura cela ne fit que confirmer le présage du beignet vide.

Dis donc, Shane, pensa-t-elle, tu perds la tête ou quoi ? Cela ne veut rien dire. Ce ne sont que des beignets de la fortune !

Quelques heures plus tard, alors que les lumières étaient éteintes et que Chris était déjà endormi, Stefan se mit à parler.

— J'ai élaboré un plan.

— Un moyen de détruire l'institut ?

— Oui, mais c'est très compliqué. Et nous aurons besoin de matériel. Je ne suis pas sûr... mais je crois que les citoyens ordinaires peuvent acheter la plupart des choses qu'il nous faut.

— Je peux avoir tout ce que vous voulez, dit-elle, pleine de confiance, j'ai des contacts partout.

— Il nous faudra beaucoup d'argent.

— Ah ça, ça sera difficile. Il me reste quarante dollars, et je ne peux pas aller à la banque, ça laisserait une trace.

— Oui. Ils viendraient immédiatement. Il y a quelqu'un à qui vous pouvez faire confiance qui pourrait vous donner de l'argent sans rien dire à personne ?

— Vous savez tout sur moi, alors vous connaissez sûrement Thelma Ackerson. Mais je ne veux pas l'impliquer là-dedans. S'il lui arrivait quelque chose...

— On peut s'arranger pour qu'elle ne coure pas de risques, insista-t-il.

Dehors, la pluie tombait à verse.

— Non.

— C'est notre seul espoir.

— Non.

— Vous connaissez quelqu'un d'autre qui aurait beaucoup d'argent ?

— Il faut trouver un autre moyen qui ne demande pas trop d'argent.

— Qu'on élabore un autre plan ou non, on a besoin d'argent. Vos quarante dollars nous ferons à peine tenir jusqu'à demain. Et moi, je n'ai rien.

— Je ne veux pas faire courir de risques à Thelma.

— Je vous ai dit que...

270

— Non.

— Alors, nous sommes fichus !

Elle écouta la pluie qui pour elle évoquait les bombardiers de la Seconde Guerre mondiale et le grondement d'une foule en colère.

— Et si les SS la surveillaient ? Ils doivent savoir que c'est ma meilleure amie. Pourquoi n'enverraient-ils pas une équipe pour la suivre en espérant qu'elle les conduise jusqu'à moi.

— Parce que c'est trop fastidieux et inutile. Ils peuvent se contenter d'envoyer une équipe dans l'avenir lire les journaux en février, en mars ou en avril, mois après mois, et voir si on nous a vus. Le voyage ne prend que onze minutes de leur époque, n'oubliez pas. Et avec cette méthode, ils sont sûrs de tomber sur nous tôt ou tard parce qu'on ne pourra pas se cacher toute notre vie.

— Euh...

Il attendit un long moment avant de poursuivre :

— Vous et Thelma, vous êtes comme des sœurs. Et si vous ne pouvez pas vous tourner vers votre sœur à un moment comme ça, vers qui vous allez vous tourner, Laura ?

— Si on peut faire appel à elle sans la mettre en danger, il faut peut-être essayer.

— Dès demain matin.

Ce fut une pluie de nuit et de rêves, de rêves d'explosions et d'éclairs. Elle se réveilla, terrifiée, mais la pluie de Santa Ana n'était pas accompagnée de ces flamboyants augures de mort. Tout était paisible, pas d'orage, pas d'éclairs, pas de tonnerre ni de vent, pourtant, il n'en serait pas toujours ainsi.

· 3 ·

La machinerie bourdonnait et cliquetait.

Erich Klietmann regarda l'horloge. Dans moins de trois minutes, l'équipe de chercheurs serait de retour. Deux savants, héritiers de Penlovski, Januskaya et Volkaw, se tenaient devant la console de commande et étudiaient les myriades de cadrans et de voyants.

La pièce n'était éclairée que par la lumière artificielle, car les fenêtres n'étaient pas simplement obstruées, pour ne pas offrir de

271

cibles aux bombardiers ennemis, mais carrément murées, pour raisons de sécurité. L'atmosphère était étouffante.

Debout dans un coin du laboratoire, le lieutenant Klietmann brûlait d'impatience d'entreprendre ce voyage vers 1989, non seulement parce que l'avenir vous réservait des merveilles, mais aussi parce que cette mission lui donnerait la chance de servir le Führer d'une manière qui était offerte à peu d'hommes. S'il réussissait à tuer Krieger, la femme et l'enfant, il aurait le droit de rencontrer Hitler, de le voir en face à face, de lui serrer la main et, à travers ce geste, il sentirait le pouvoir, le pouvoir exceptionnel de l'Allemagne, de son peuple, de son histoire et de son destin. Le lieutenant aurait risqué dix fois sa vie pour se faire remarquer par le Führer, non pas comme un simple officier SS de plus, mais comme un individu, Erich Klietmann, l'homme qui a sauvé le Reich du destin fatal auquel il était condamné.

Klietmann était loin d'avoir le type aryen idéal, et il souffrait énormément de ses insuffisances physiques. Son grand-père maternel était polonais, horrible bâtard slave, si bien que Klietmann n'était qu'aux trois quarts allemand. De plus, bien que ses trois autres grands-parents et ses parents fussent blonds aux yeux bleus avec des traits nordiques, il avait les yeux noisette, les cheveux noirs et certains des traits barbares, lourds et sensuels de son grand-père. Il haïssait son physique et essayait de le racheter en se montrant le nazi le plus vigilant, le soldat le plus courageux, le défenseur de Hitler le plus acharné de tous les SS, ce qui n'était pas si simple car, pour cet honneur, la compétition était dure. Parfois, il désespérait d'avoir son heure de gloire. Pourtant, il n'abandonnait pas et là, il tenait l'acte d'héroïsme qui lui rapporterait le Walhalla.

Il tenait par-dessus tout à tuer personnellement Krieger, non seulement pour gagner le respect du Führer, mais aussi parce que Stefan Krieger était l'Aryen idéal : blond, les yeux bleus, le type nordique, une bonne famille. Et malgré cet avantage, cet horrible individu avait trahi le Führer, ce qui mettait en rage Klietmann qui, lui, devait lutter sous le fardeau de ses gènes de bâtard.

Un peu plus de deux minutes avant le retour de l'équipe de recherche, Klietmann regarda ses subordonnés, vêtus en jeunes cadres eux aussi, avec une sorte de fierté farouche et sentimentale qui faillit lui faire monter les larmes aux yeux.

Tous les trois sortaient d'un milieu humble.

L'*Unterscharführer*, Felix Hubatsch, le sergent de Klietmann et son second, était fils d'un tourneur alcoolique et d'une souillon qu'il méprisait tous deux. Le *Rottenführer*, Rudolph von Manstein, avait pour père un paysan pauvre dont les échecs répétés lui faisaient honte, et Martin Bracher était orphelin. Bien qu'ils viennent de régions différentes, les deux caporaux, le sergent et le lieutenant partageaient un point commun : ils avaient compris que les sentiments les plus profonds, les plus vrais, les plus chers n'étaient pas l'attachement à la famille, mais l'amour de la mère patrie et de son leader qui l'incarnait. Cette sagesse les élevait au-dessus du commun des mortels et en faisait les dignes pères de la race supérieure à venir.

Klietmann se frotta discrètement le coin des yeux pour chasser les larmes naissantes qu'il ne pouvait pas réprimer.

Dans une minute, l'équipe arriverait.

La machinerie bourdonnait et cliquetait.

· 4 ·

A trois heures, vendredi après-midi, 13 janvier, un camion blanc entra dans le parking balayé par la pluie, alla directement à l'arrière et se gara près de la Buick munie des plaques d'une Nissan. Il devait bien avoir cinq ou six ans. La porte du passager était cabossée et couverte de rouille. Le propriétaire avait visiblement l'intention de faire des retouches, car certaines taches avait été poncées et couvertes de minium, mais pas encore repeintes.

Laura observa le camion derrière les rideaux à peine entrouverts de la chambre, l'Uzi à la main.

Les phrases s'éteignirent, l'essuie-glace s'arrêta et, un instant plus tard, une femme aux cheveux blonds crépus sortit et se dirigea vers l'aile de Laura. Elle frappa trois fois.

Chris se tenait derrière la porte et regardait sa mère.

Laura lui fit un signe.

Chris ouvrit.

— Salut, tante Thelma, dit Chris. Ah, cette perruque, quelle horreur !

Thelma entra et serra farouchement Chris dans ses bras.

— Eh bien, je te remercie ! Qu'est-ce que tu penserais si je te disais que tu as un gros nez affreux. Toi tu ne peux pas t'en débarrasser, mais moi, ma perruque, je peux l'enlever. Hein, qu'est-ce que tu dirais ?

— Rien, répondit Chris en riant, parce que j'ai un joli petit nez !

— Un joli petit nez ? Bravo, tu es assez cabotin pour devenir acteur !

Elle le lâcha et jeta un coup d'œil vers Stefan qui était assis sur l'une des chaises près de la télévision et se tourna vers Laura.

— Shane, tu as vu comment je me suis arrangée ? Astucieux, non ? J'allais prendre la Mercedes, mais je me suis dit : « Thelma, je m'appelle toujours Thelma quand je me parle, Thelma, tu ne risques pas d'attirer l'attention dans ce motel sordide en débarquant avec une voiture de soixante-cinq mille dollars ? » Alors, j'ai essayé d'emprunter la voiture du majordome, mais tu sais dans quoi il roule ? Une Jaguar ! Imagine ! Il prend Beverly Hills pour le décor de *La Quatrième Dimension*, ou quoi ? Alors, il a fallu que je prenne le camion du jardinier. Et me voilà, qu'est-ce que tu penses de mon déguisement ?

Elle avait une perruque blond décoloré qui scintillait sous les gouttelettes de pluie, une paire de lunettes en écaille, et de fausses dents qui lui donnaient une mâchoire proéminente.

— Tu es beaucoup mieux comme ça, dit Laura en souriant.

Thelma cracha ses fausses dents.

— Ecoute, une fois que je me suis rendu compte que ma voiture attirerait l'attention, j'ai eu peur d'être reconnue moi aussi, puisque je suis une star maintenant. Et comme les médias ont déjà découvert que nous étions amies et qu'ils sont venus me poser des questions sur toi, la célèbre romancière aux fusils mitrailleurs, j'ai décidé de venir incognito.

Elle posa son sac et son dentier sur le lit.

— J'avais cet attirail pour un nouveau personnage que je voulais créer. Je l'ai essayé huit fois au Bally, à Las Vegas. Ça a fait un bide complet. Le public m'a craché dessus, Shane, le casino a fait venir les videurs et ils ont essayé de m'arrêter ! Ils disaient que je n'avais aucun droit de me trouver sur la même planète qu'eux ! Comme malotrus, je te jure que c'est quelque chose !

Soudain, elle s'arrêta et éclata en sanglots. Elle se précipita vers Laura qui la prit dans ses bras.

— Oh, mon Dieu, tu m'as fait peur ! Tu m'as fait vraiment peur. Quand j'ai entendu parler de San Bernardino et de ce qu'ils ont trouvé chez toi à Big Bear... les fusils mitrailleurs, j'ai cru que tu... ou que Chris... J'étais affreusement inquiète.

— Je vais tout t'expliquer, dit Laura en serrant Thelma dans ses bras. Mais tout va bien, et on a peut-être un moyen de s'en sortir.

— Pourquoi tu ne m'as pas appelée, espèce d'andouille ?

— Je t'ai appelée.

— Ce matin ! Deux jours après qu'on a entendu parler de toi dans tous les journaux ! Je devenais folle.

— Excuse-moi. Je voulais essayer de ne pas t'impliquer si je pouvais l'éviter.

À contrecœur, Thelma s'écarta d'elle.

— Idiote, impliquée, je l'étais jusqu'au cou, puisqu'il s'agissait de toi !

Elle sortit un Kleenex de la poche de sa veste de daim et se frotta les yeux.

— Tu en as un autre ? demanda Laura.

Thelma lui donna un mouchoir en papier et toutes deux se mouchèrent de concert.

— On était en cavale, tante Thelma, dit Chris. C'est difficile de rester en contact avec les gens quand tu es en cavale.

— Alors, Shane, dit Thelma en reprenant sa respiration, tu la caches où ta collection de têtes décapitées ? Dans la salle de bains ? Il paraît que tu en as oublié une à San Bernardino. Quelle bêtise ! C'est un nouveau hobby, ou bien tu as toujours secrètement admiré les têtes humaines débarrassées de leurs extrémités encombrantes ?

— Je voudrais te présenter quelqu'un. Thelma Ackerson. Stefan Krieger.

— Enchantée.

— Excusez-moi de ne pas me lever, mais je suis toujours en convalescence.

— Si vous pouvez me pardonner cette perruque, je peux tout pardonner. C'est la personne à laquelle je pense ?

— Oui.

— Ton ange gardien ?

— Oui.

Thelma s'approcha de Stefan et l'embrassa sur les joues.

275

— Je n'ai aucune idée de l'endroit d'où vous venez ni de qui vous êtes, Stefan Krieger, mais je vous aime, rien que parce que vous avez sauvé ma Laura, dit-elle en allant s'installer au pied du lit à côté de Chris. Shane, il est mignon à croquer ! Je parie que tu lui as tiré dessus pour qu'il ne s'en aille pas.

Stefan avait l'air gêné, mais Thelma ne s'arrêta pas là.

— Vous êtes adorable, je veux tout savoir sur vous. Mais d'abord, l'argent.

Elle ouvrit son sac volumineux et en tira une énorme liasse de billets de cent dollars.

— Thelma, je t'avais demandé mille dollars, il y a au moins le double.

— Dix, douze mille, je crois, dit Thelma en faisant un clin d'œil à Stefan. Quand mes amis sont en cavale, je tiens absolument à ce qu'ils voyagent en première classe.

Thelma écouta sans exprimer le moindre scepticisme. Stefan fut surpris par sa largeur d'esprit, mais elle lui expliqua :

— Une fois que vous avez vécu à McIlroy et à Caswell Hall, l'univers ne peut plus vous surprendre. Des voyageurs du temps venus de 1944 ? Pourquoi pas ? A McIlroy il y avait bien une bonne femme aussi grosse qu'un divan qui s'habillait avec des rideaux à fleurs et qui recevait un salaire honnête pour traiter les orphelins comme de la vermine. *Ça*, c'était surprenant !

Visiblement troublée par les origines de Stefan, elle était à la fois fascinée et terrifiée par l'impasse dans laquelle ils étaient piégés, mais même dans ces circonstances, elle restait Thelma Ackerson et trouvait toujours le moyen de plaisanter.

A six heures, elle remit ses fausses dents et alla dans un restaurant mexicain.

— Quand on est en cavale, il faut se mettre des haricots plein le ventre, ça, c'est une nourriture pour les durs.

Elle revint avec des cartons de tacos, d'enchiladas, de burritos. Elle installa les plats au pied du lit et s'installa à la tête avec Chris. Laura et Stefan étaient sur les chaises.

— Thelma, tu as apporté de la nourriture pour dix !

— Hé, il faut bien nourrir les cafards ! Quand ils sont affamés, ils deviennent méchants. Ils risqueraient de dévorer mon camion.

Vous avez bien des cafards, non ? Un endroit comme ça sans cafards, c'est comme un hôtel de Beverly Hills sans putes de luxe !

Au cours du dîner, Stefan parla des grandes lignes du plan qu'il avait mis au point pour détruire l'institut et fermer la porte. Thelma l'interrompit par quelques plaisanteries, mais quand il eut terminé, elle dit d'un air grave :

— C'est beaucoup trop dangereux, Stefan. C'est franchement téméraire.

— C'est notre seule chance.

— Bon, alors, qu'est-ce que je peux faire pour vous aider ?

— Il faut que tu achètes un ordinateur, dit Chris, une chip à la main.

— Oui, un IBM PC, le mieux que tu puisses trouver. C'est ce que j'ai à la maison, je connais déjà tous les logiciels, et je n'ai pas le temps de m'adapter à un nouveau système. J'ai marqué toutes les références pour toi. Je pourrais l'acheter moi-même, je suppose, avec tout l'argent que tu nous as donné, mais j'ai peur de me montrer.

— Et puis nous avons besoin d'un endroit pour nous cacher, dit Stefan.

— On ne peut pas rester ici, dit Chris, heureux de prendre part à la conversation. Pas si on a un ordinateur. La femme de ménage le verrait, même si on essayait de le cacher, et elle en parlerait. Ça lui semblerait bizarre, un ordinateur, dans un trou pareil.

— Laura m'a dit que vous et votre mari, vous aviez une maison à Palm Springs.

— Une maison à Palm Springs, un appartement à Monterey, un autre à Las Vegas, et ça ne m'étonnerait pas si on avait notre propre volcan à Hawaii, au moins en partie ! Mon mari est trop riche. Alors, choisissez. Mes maisons sont vos maisons. Simplement, évitez d'astiquer les enjoliveurs de votre voiture avec les serviettes de toilette et si vous tenez absolument à chiquer du tabac et cracher par terre, arrangez-vous pour que ce soit dans les coins.

— La maison de Palm Springs serait idéale, fit Laura. Je crois que c'est assez isolé ?

— C'est sur une grande propriété, avec beaucoup d'arbres. Il y a d'autres gens du show-biz dans le coin, mais ils sont toujours occupés, alors, ils évitent de venir prendre le café à l'improviste. Personne ne vous dérangera.

— Parfait, dit Laura. Bon, il nous faut aussi des vêtements de rechange, des chaussures et des produits de première nécessité. Je t'ai fait une liste, avec les tailles et tout ce qu'il faut. Bien sûr, quand ça sera terminé, je te rembourserai l'ordinateur et ce que tu m'as donné.

— Et un petit peu ! Avec quarante pour cent d'intérêts. Par semaine. Plus le gosse. Ton fils sera à moi.

— Tante Thelma, l'Ebouriffée ! s'exclama Chris en riant.

— Toi, tu ne feras plus le malin quand tu seras *mon* fils, Christopher Robbin. Ou au moins, il faudra que tu m'appelles maman l'Ebouriffée !

A huit heures et demie, Thelma se prépara à partir avec la liste que Laura lui avait donnée et toutes les informations nécessaires sur l'ordinateur.

— Je reviendrai demain après-midi, aussitôt que possible, dit Thelma en embrassant une dernière fois Chris et Laura. Tu crois que tu es en sécurité ici, Shane ?

— Oui, je crois. S'ils savaient qu'on étaient là, ils seraient venus plus tôt.

— N'oubliez pas, Thelma, ce sont des voyageurs du temps. Une fois qu'ils ont découvert notre cachette, ils peuvent sauter au moment de notre arrivée. En fait, ils auraient même pu nous attendre devant le motel dès mercredi. Qu'on soit restés si longtemps en sécurité, cela prouve simplement que personne n'a signalé notre présence ici.

— Oh, j'ai la tête qui tourne, dit Thelma. Et moi qui pensais que c'était compliqué de lire mes contrats !

Elle sortit dans la nuit, sous la pluie, avec sa perruque et ses lunettes, mais elle avait laissé son dentier dans sa poche.

Laura, Chris et Stefan la regardèrent partir derrière la fenêtre.

— C'est une personne extraordinaire, dit Stefan.

— Tout à fait extraordinaire. J'espère que je ne l'ai pas mise en danger, dit Laura.

— Ne t'inquiète pas, maman, tante Thelma est une dure, elle n'arrête pas de le répéter.

Cette nuit-là, à neuf heures, peu après le départ de Thelma, Laura alla chez Gros Jack à Anaheim. Il pleuvait un peu moins fort, mais une bruine persistante tombait. Le macadam luisait d'une lueur gris argenté, et les caniveaux inondés ressemblaient à des ruisselets d'huile sous l'étrange lumière des lampes au sodium. Le brouillard s'était levé et semblait ramper comme un serpent.

Elle n'était pas rassurée d'avoir laissé Stefan à l'hôtel, et n'avait pas voulu se séparer de Chris pendant qu'elle traitait avec Gros Jack pour obtenir des armes. L'enfant l'avait déjà accompagnée la première fois qu'elle avait acheté les Uzi modifiés, si bien qu'il ne serait pas surpris. Mécontent, sûrement, car il n'aimait pas les enfants, mais pas surpris.

Tout en conduisant, Laura regardait fréquemment dans ses rétroviseurs et observait les autres chauffeurs avec une diligence toute particulière qui donnait un autre sens à l'expression « conduire prudemment ». Elle ne pouvait pas se permettre d'avoir un accident avec un imbécile qui conduisait trop vite pour l'état de la route. La police viendrait, vérifierait l'immatriculation et ses papiers, et avant même qu'on l'ait arrêtée, un escadron armé de mitraillettes viendrait les tuer, elle et Chris.

Elle avait laissé l'Uzi à Stefan, bien qu'il ait protesté. Pourtant, elle ne pouvait pas l'abandonner sans arme. Elle avait pris son .38 Chief's Special et avait cinquante cartouches dans les poches de son parka.

Près de Disneyland, la fantasmagorie des néons de la pizzeria de Gros Jack surgirent du brouillard, tel le vaisseau spatial de *Rencontres du troisième type* descendant des nuages. Laura se sentit soulagée. Elle se gara dans le parking bondé et coupa le moteur. Les essuie-glaces arrêtés, la pluie ruissela sur les vitres. Des lueurs orange, rouges, bleues, jaunes, vertes, blanches, violettes et roses scintillaient dans les gouttelettes, si bien que Laura avait l'impression de se trouver à l'intérieur d'un juke-box criard des années cinquante.

— Gros Jack a rajouté des néons depuis la dernière fois, dit Chris.

— Je crois que tu as raison.

Ils sortirent de la voiture et regardèrent la façade grotesque et flamboyante de la pizzeria. Il n'y avait pas que l'enseigne qui était au néon, mais tout le pourtour du bâtiment, l'encadrement des fenêtres et des portes. Il y avait aussi une paire de lunettes de soleil géantes sur le toit, une fusée en position de décollage, avec des fumées de néon qui scintillaient perpétuellement à la base. L'enseigne de trois mètres était assez ancienne, mais on avait rajouté un énorme visage de clown flambant neuf.

Il y avait tant et tant de néons que les gouttes d'eau s'en trouvaient vivement colorées, comme si un arc-en-ciel avait explosé dans la nuit. Les flaques étincelaient de mille feux multicolores.

Le spectacle était troublant, mais il préparait le visiteur à ce qu'il allait voir chez Gros Jack, image du chaos préexistant à la formation de l'univers. Les serveurs et serveuses étaient déguisés en clowns, fantômes, pirates, astronautes, sorcières, gitans, vampires, et un trio de chanteurs travestis en ours allait de table en table, au ravissement des enfants tout barbouillés de pizza. Dans les alcôves, les plus grands jouaient avec des jeux vidéo, si bien qu'un concert de *beep! zing! zap! bang!* électroniques formait un accompagnement musical pour les trois chanteurs et les cris des enfants.

— C'est un vrai asile de fous ! dit Chris.

L'associé de Gros Jack, Dominick, vint les accueillir à la porte. C'était une sorte de fil de fer aux yeux de cadavre qui paraissait étrangement déplacé dans ce palais de l'hilarité.

En criant presque pour se faire entendre, Laura demanda Gros Jack en disant : « J'ai déjà appelé, je suis une vieille amie de sa mère », ce qui servait de code pour indiquer qu'on voulait acheter des armes.

— Vous êtes déjà venue, je crois.

— Bonne mémoire, oui, l'an dernier.

— Suivez-moi, dit Dominick d'une voix funèbre.

Par chance, ils n'eurent pas à traverser le cyclone de la salle à manger, car cela évitait à Laura d'être reconnue par les clients. Au bout du vestibule, une porte ouvrait sur un couloir qui longeait la cuisine et la remise conduisant au bureau de Gros Jack.

— Une vieille amie de votre mère, dit Dominick avant de les laisser avec le gros.

Gros Jack prenait son surnom au sérieux et faisait des efforts pour en être digne. Il mesurait un mètre soixante-quinze et pesait environ cent cinquante kilos. Il portait une tenue de jogging qui le moulait comme une gaine et ressemblait au gros bonhomme de la photo magnétisée que les obèses pouvaient acheter pour la fixer sur leur réfrigérateur afin de se couper l'envie de manger. En fait, il ressemblait au réfrigérateur lui-même.

Il était assis dans un fauteuil pivotant derrière un bureau à sa taille et ne se leva pas.

— Ecoutez-moi un peu ces sauvages, dit-il à Laura, sans accorder un regard à Chris. J'ai mis mon bureau à l'arrière et je l'ai fait insonoriser, mais on les entend quand même hurler. On se croirait en enfer.

— Ils s'amusent, dit Laura.

— Mieux vaut ne pas s'y fier, c'est de l'eau qui dort, répondit Gros Jack amèrement.

Il mangeait un Mars. Au loin, les cris des enfants, isolés par l'insonorisation, résonnaient comme un sourd bourdonnement.

— Ah, si vous pouviez vous étouffer ! ajouta-t-il comme s'il parlait à la foule.

— C'est une maison de fous, là-bas, dit Chris.

— On t'a demandé l'heure ?

— Non, monsieur.

Gros Jack avait une peau granuleuse et des petits yeux gris enfouis sous des bourrelets de graisse.

— Vous avez vu mes néons ?

— Le clown est tout neuf, non ?

— Oui. Il est superbe. C'est moi qui l'ai dessiné, et je l'ai fait installer au beau milieu de la nuit, comme ça, le lendemain matin, c'était trop tard pour m'en empêcher. Le conseil municipal est furax !

Depuis des années Gros Jack se battait contre la municipalité. Les autorités n'appréciaient guère son déploiement de néons, d'autant plus que la proximité de Disneyland faisait naître des espoirs de réhabilitation pour la ville. Gros Jack avait dépensé des dizaines, sinon des centaines de milliers de dollars en amendes, procès, contre-procès, appels, il avait même passé quelque temps en prison pour désobéissance civile. C'était un ancien libertaire qui se prétendait à présent anarchiste et il ne tolérait aucune entrave à ses droits, réels ou imaginaires.

Il installait des néons et vendait des armes pour les mêmes raisons : pour se dresser en champion de la liberté individuelle contre l'autorité. Pendant des heures et des heures, il pouvait parler des nuisances des gouvernements, de tous les types de gouvernements, et, la dernière fois que Laura était venue le voir avec Chris, elle avait eu droit à une longue diatribe expliquant pourquoi l'Etat n'avait pas à édicter des lois interdisant le meurtre.

Laura n'était pas une fanatique du pouvoir, qu'il fût de droite ou de gauche, mais elle n'éprouvait que peu de sympathie pour Gros Jack. Il ne respectait aucune autorité, pas même celle des institutions ou de la famille.

Après qu'elle lui eut donné sa liste et payé le prix qu'il demandait, il les conduisit à sa remise d'armes illicites, en bas d'un escalier si étroit qu'on aurait dit qu'il allait se refermer sur eux. Si le restaurant était une maison de fous, son arsenal était rangé avec un soin fétichiste. Les cartons étaient disposés sur des étagères métalliques, par calibre, marque et prix. Il y avait au moins une centaine d'armes dans le sous-sol de la pizzeria.

Il lui fournit deux Uzi modifiés, « une arme d'une immense popularité depuis l'attentat raté contre Reagan », dit-il, et un autre .38 Chief's Special. Stefan avait espéré se procurer un Colt Commander 9 mm Parabellum à neuf coups et un silencieux.

— Je n'en ai pas, dit Gros Jack, mais j'ai un .38 Colt Commander Mark IV, avec un magasin de neuf coups, et j'ai des silencieux, des tas.

Elle savait qu'il ne lui fournirait pas de munitions, mais quand il eut terminé son Mars, il expliqua néanmoins :

— Je n'ai jamais de munitions ni d'explosifs. Je n'ai aucun respect pour l'autorité, mais je ne suis pas complètement irresponsable, et avec un restaurant plein de sauvages boutonneux, je ne peux pas prendre le risque de faire tout sauter dans un coup de colère, même si le monde ne s'en porterait que mieux. Et puis, mes néons en prendraient un coup aussi.

— Bon, dit Laura, en passant le bras autour des épaules de Chris pour qu'il reste à côté d'elle. Et les gaz ?

— Vous ne voulez pas parler de gaz lacrymogènes ?

— Non. Du Vexxon, c'est ça que je veux.

Stefan lui avait donné le nom de ce gaz en disant que c'était l'une des armes chimiques que l'institut espérait ramener en 1944 pour l'introduire dans l'armée allemande. A présent, peut-être allait-il l'utiliser *contre* les nazis. « Il nous faudra quelque chose qui tue vite ! »

Gros Jack s'appuya sur la table de métal au milieu de la pièce sur laquelle il avait déposé les Uzi, les revolvers, les pistolets et les silencieux. La table grinça de manière menaçante.

— Ouais, mais là, il s'agit de matériel militaire très contrôlé.

— Vous pouvez en avoir ?

— Oh oui, sûrement, dit-il en s'écartant de la table, qui grinça de soulagement cette fois, et alla vers une étagère où il prit deux barres de Nuts dissimulées entre les cartons d'armes. Il n'en n'offrit pas à Chris, en mit une dans sa poche et commença à manger l'autre.

— Je n'ai pas ça ici. C'est aussi dangereux que des explosifs. Mais je peux vous avoir ça pour demain en fin de journée si vous n'y voyez pas d'inconvénient.

— Ce sera parfait.

— Ça va vous coûter gros.

— Je sais.

Gros Jack sourit. Il avait des miettes de chocolat collées entre les dents.

— Je n'ai pas beaucoup de commandes de ce genre de choses de la part de particuliers comme vous. Ça m'amuserait de savoir ce que vous allez en faire. Enfin, vous n'allez sûrement pas me le dire. Mais en général, ce sont des gros clients d'Amérique du Sud ou du Moyen-Orient qui veulent des neuro-actifs et des respi-actifs. L'Iran et l'Irak en ont utilisé des tas, ces dernières années.

— Neuro-actifs ? Respi-actifs ? Quelle est la différence ?

— Les respi-actifs, il faut les inhaler, ça tue quelques secondes après avoir pénétré dans les poumons en se propageant dans le sang. Quand on s'en sert, il faut mettre un masque. Les neuro-actifs tuent encore plus vite, par simple contact avec la peau, mais avec certains, comme le Vexxon, ce n'est pas la peine de porter un masque, il suffit de prendre un cachet d'antidote avant.

— Oui, il me faut aussi les cachets.

— Le Vexxon, c'est le gaz le plus simple à utiliser de tout le marché. Vous savez faire vos achats.

Il avait terminé son Nuts et semblait avoir sensiblement grossi depuis que Laura et Chris étaient entrés dans son bureau. Ses opinions politiques ne se reflétaient pas seulement dans l'atmosphère de la pizzeria, mais aussi dans son corps, car sa chair gonflait, sans tenir compte de considérations sociales ou médicales. Il semblait se délecter de son obésité et se caressait le ventre ou attrapait ses bourrelets qu'il triturait presque affectueusement.

Il marchait avec une arrogance belliqueuse, repoussant le monde entier de son ventre. Laura imagina Gros Jack devenant encore plus gros, dépassant les deux cents, trois cents kilos, sous une masse de néons de plus en plus élaborés qui finirait par faire s'écrouler le toit au moment où Gros Jack exploserait.

— J'aurai tout ça demain à cinq heures, dit-il en emballant les Uzi, le .38, le Colt Commander et les silencieux dans un carton marqué FARCES ET ATTRAPES qui avait sans doute contenu des chapeaux pointus et des sarbacanes pour le restaurant.

Il referma le couvercle et lui fit signe de le prendre avant de monter l'escalier : parmi bien d'autres choses, Gros Jack ne croyait pas à la galanterie.

De retour dans le bureau de Gros Jack, quand Chris ouvrit la porte du couloir devant elle, Laura fut heureuse d'entendre les rumeurs des enfants : c'était le premier bruit normal qu'elle entendait en une demi-heure.

— Ecoutez-moi ces petits crétins, dit-il, ce ne sont pas des enfants, ce sont des babouins qui essaient de se faire passer pour des gosses.

Il claqua la porte insonorisée derrière eux.

— Quand tout sera fini, dit Chris... qu'est-ce que tu feras avec Gros Jack ?

— Je le dénoncerai à la police. Anonymement.

— T'as raison, il est cinglé.

— Pire que ça, c'est un fanatique.

— C'est quoi, un fanatique ?

Elle réfléchit un instant.

— Un fou qui croit à quelque chose.

· 5 ·

Le lieutenant Erich Klietmann, SS, observait intensément la petite aiguille de l'horloge de la console, et quand elle approcha du douze, il se retourna vers le portail. A l'intérieur de l'immense cylindre sinistre, quelque chose scintilla, une tâche grisâtre et floue qui se transforma peu à peu en silhouette d'homme. Puis trois autres hommes apparurent, l'un derrière l'autre. L'équipe de chercheurs sortit, accueillie par les scientifiques qui s'occupaient du portail.

Ils revenaient de février 1989, le sourire aux lèvres, ce qui fit battre le cœur de Klietmann car ils n'auraient sans doute pas paru si satisfaits s'ils n'avaient pas trouvé Stefan Krieger, la femme et l'enfant. Les deux premières équipes de la Gestapo envoyées à Big Bear et à San Bernardino avaient échoué, si bien que le Führer avait insisté pour confier la mission aux SS. Pour Klietmann, le sourire de l'équipe de recherche signifiait qu'il aurait peut-être la chance de prouver la supériorité des SS sur la Gestapo.

Ces deux échecs n'étaient pas la seule tache qui ternissait la réputation de la Gestapo. Heinrich Kokoschka, chef de la sécurité à l'institut, était un officier de la Gestapo, et apparemment, il avait trahi. Deux jours plus tôt, le 16 mars, il était parti dans l'avenir avec l'aide de cinq autres membres du personnel.

Il avait entrepris le saut seul, dans l'intention d'éliminer Krieger dans l'avenir avant qu'il revienne en 1944 pour tuer Penlovski. Ainsi, il redonnerait la vie aux trois meilleurs serviteurs du projet. Mais Kokoschka n'était pas revenu. Certains prétendaient qu'il s'était fait tuer en 1988, lors de la confrontation avec Krieger, mais cela n'expliquait pas ce qui était arrivé aux autres membres de l'institut ce soir-là : les deux agents de la Gestapo qui attendaient Kokoschka et les trois ingénieurs qui s'occupaient du portail. Tous disparus ; de plus, il manquait cinq ceintures de retour. Tout tendait donc à prouver qu'un groupe de traîtres, convaincu de la défaite de Hitler malgré l'introduction d'armes futuristes dans l'armée, avait préféré s'évader plutôt que de rester dans un Berlin condamné.

Mais Berlin n'était pas condamné. Klietmann ne pouvait se résigner à cette éventualité. Berlin était la nouvelle Rome ; le Troisième Reich durerait au moins un millier d'années. A présent que les SS avaient la chance de tuer Krieger, le rêve du Führer se verrait enfin réalisé. Une fois qu'ils auraient éliminé Krieger, la seule menace sérieuse contre le portail, ils rechercheraient Kokoschka et les cinq autres traîtres. Où qu'ils soient, quelle que soit la lointaine époque où ces porcs s'étaient réfugiés, Klietmann et ses SS les extermineraient avec le plus grand plaisir.

Le Dr Theodore Juttner, directeur de l'institut depuis l'assassinat de Penlovski, Januskaya et Volkaw et les disparitions du 16 mars, s'approcha d'Erich et lui dit :

— Nous avons peut-être trouvé Krieger, *Obersturmführer* Klietmann. Que votre équipe se prépare.

— Nous sommes déjà prêts, dit Erich.

Prêts pour l'avenir, prêts pour Krieger, prêts pour la gloire.

· 6 ·

A trois heures et demie, le samedi après-midi 14 janvier, le lendemain de sa première visite, Thelma revint à l'Oiseau Bleu dans son camion déglingué. Elle avait deux tenues de rechange pour chacun d'eux, des valises, quelques milliers de cartouches pour les revolvers et l'Uzi. Elle avait aussi l'ordinateur dans le camion ainsi qu'une imprimante, plusieurs logiciels, des disquettes et tout ce qu'il fallait pour faire fonctionner le système.

Malgré sa blessure qui n'avait que quatre jours, Stefan récupérait vite, bien qu'il ne puisse toujours rien porter. Il resta dans la chambre avec Chris à préparer les valises tandis que Laura et Thelma installaient le matériel dans le coffre et sur le siège arrière de la Buick.

Pendant la nuit, l'orage s'était calmé. De gros nuages gris restaient suspendus dans le ciel, mais l'air s'était réchauffé et sentait bon le propre.

— Tu es allée faire les courses avec cette perruque et ces fausses dents ? demanda Laura en refermant le coffre.

— Non, répondit Thelma en enlevant ses dents car elle se coinçait les lèvres en parlant. De près, un vendeur aurait quand même pu me reconnaître, et mon déguisement aurait encore plus attiré l'attention que moi toute seule. Mais quand j'ai eu terminé, je suis allée en camion dans un coin désert du parking d'un autre centre commercial, et j'ai pris l'allure d'un croisement entre Harpo Marx et une ménagère. Tu sais, Shane, ça me plaît assez ce genre d'aventure. Je dois être une réincarnation de Mata Hari, car quand je pense à séduire un homme pour lui arracher ses secrets et les vendre à un gouvernement étranger, ça me donne des frissons de plaisir.

— C'est le côté séduction qui te donne des frissons, tu es une vamp, pas une espionne.

Thelma lui donna les clés de la maison de Palm Springs.

— Il n'y a pas de personnel à plein temps. On fait appel à un service de nettoyage pour tout mettre en ordre quelques jours avant d'y aller. Bien sûr, cette fois, je ne les ai pas appelés, ça risque d'être un peu poussiéreux, mais pas trop crasseux quand même. Et puis, il n'y a pas les têtes coupées dont tu raffoles.

— Tu es un amour.

— Il y a le jardinier. Il n'est pas là en permanence comme chez Jason à Beverly Hills, il vient tondre la pelouse tous les mardis, tailler les haies et piétiner les fleurs, comme ça, il nous fait payer pour en planter d'autres. Alors, ne vous approchez pas des fenêtres et ne vous faites pas remarquer ce jour-là.

— On se cachera sous les lits.

— Ah, tu verras, il y a des fouets et des chaînes sous le lit, mais ne t'imagine pas que Jason et moi on a de drôles d'idées. Ça appartenait à sa mère, et on les garde pour des raisons purement sentimentales.

Elles allèrent chercher les valises dans la chambre et les rangèrent sur le siège arrière avec les cartons qui n'entraient pas dans le coffre.

— Shane, dit Thelma après de longues embrassades, je passe dans des cabarets pendant les trois prochaines semaines, alors, si tu as besoin de moi, tu peux me joindre à Beverly Hills, nuit et jour. Je serai là.

Elle partit à contrecœur.

Laura fut soulagée de voir le camion disparaître au milieu de la circulation. Thelma était hors de danger. Laura alla rendre les clés à la réception et prit le volant de la Buick, avec Chris à l'avant et Stefan à l'arrière avec les bagages. Elle regrettait l'Oiseau Bleu du Bonheur, car ils y avaient été en sécurité pendant quatre jours, et rien ne prouvait qu'ils retrouveraient ces conditions ailleurs.

Ils s'arrêtèrent chez un armurier. Comme il valait mieux que Laura se montre le moins possible, Stefan et Chris allèrent acheter des munitions pour le pistolet. Ils ne les avaient pas mises sur la liste de Thelma, car ils ne savaient pas encore s'ils réussiraient à avoir le 9 mm Parabellum de Stefan. En fait, ils eurent un .38 Commander Mark IV à la place.

De là, ils se rendirent au Palais de la Pizza de Gros Jack pour aller chercher les cartouches de gaz. Stefan et Chris attendirent dans la voiture, sous les néons qui scintillaient déjà, même s'ils ne brilleraient pas dans toute leur horreur avant la nuit.

Les cartouches se trouvaient sur le bureau de Gros Jack. De la taille de petits extincteurs d'appartement, elles avaient une finition argentée et non rouge, avec un crâne et deux os en croix et cet avertissement : AÉROSOL VEXXON, GAZ MORTEL, TOUTE POSSESSION ILLICITE SERA PUNIE PAR LA LOI.

De son doigt boudiné comme une saucisse, Gros Jack lui indiqua le cadran au sommet de chaque bombe.

— Ce sont des minuteries, qui vont de cinq à soixante minutes. Si vous réglez la minuterie et que vous appuyez sur le bouton au centre, vous pouvez libérer le gaz de loin comme pour une bombe à retardement. Mais vous pouvez aussi l'actionner manuellement. Il faut tenir la bombe par le bas, d'une main, pousser sur la poignée de l'autre et diriger le jet dans la direction voulue. Cette cochonnerie est sous pression, ça se diffuse dans un bâtiment de cinq cents mètres carrés en une minute et demie, et ça va encore plus vite s'il y a du chauffage ou un système de climatisation. Il suffit de trois milligrammes sur la peau, et c'est la mort en trente secondes.

— L'antidote ?

Gros Jack sourit et tapota les petits sachets de plastique fixés sur les poignées des cylindres.

— Dix capsules dans chaque sachet. Il en faut deux pour protéger une personne. La notice est dans le sac, mais je vous l'ai déjà dit : il faut les prendre au moins une heure avant la dispersion des gaz. Leur effet dure de trois à cinq heures.

Il prit l'argent et mit les cylindres dans un carton marqué : MOZZARELLA — CONSERVER AU FRAIS. En replaçant le couvercle, il rit et secoua la tête.

— Qu'est-ce qu'il y a ?

— Rien, ça m'amuse de voir qu'une personne comme vous, avec une bonne éducation, un petit garçon... Si quelqu'un comme vous est impliqué dans une sale histoire comme ça, c'est que la société craque aux coutures bien plus vite que je le pense. Peut-être que je vivrai assez longtemps pour voir les gouvernements s'écrouler et laisser place à l'anarchie, où les seules lois seront celles que les individus passeront entre eux avec une poignée de main.

Obéissant à une arrière-pensée, il souleva le couvercle et glissa dans la boîte une petite liasse de papiers verts qu'il sortit du tiroir.

— Qu'est-ce que c'est ?

— Comme vous êtes bonne cliente, dit Gros Jack, je vous donne quelques coupons pour des pizzas gratuites.

La maison de Thelma et Jason était effectivement très isolée. Etrange mais agréable mélange entre une demeure espagnole et une architecture de torchis du Sud-Ouest, elle était située sur une propriété d'un acre entourée d'un mur de stuc, interrompu seulement par l'entrée et la sortie de l'allée circulaire. Le terrain était planté d'oliviers, de palmiers et de ficus, si bien qu'on ne voyait aucun voisin sur trois des côtés et que seule la façade était à découvert.

Ils n'arrivèrent qu'à huit heures, le samedi soir, mais la maison était bien visible, grâce à un éclairage habilement conçu, commandé par des cellules photo-électriques, qui servaient à la fois de système de sécurité et d'élément décoratif. Les palmiers et les fougères dessinaient des ombres impressionnantes sur les murs de stuc.

Thelma leur avait donné la télécommande du garage, si bien qu'ils y entrèrent directement et pénétrèrent dans la maison par la porte de la buanderie après avoir débranché le système de sécurité, grâce à un code spécial.

C'était beaucoup plus petit que la maison des Gaine à Beverly Hills, mais il y avait malgré tout dix pièces et quatre salles de bains. La signature de Steve Chase, le plus grand décorateur de Hollywood, se lisait dans toutes les pièces : des espaces impressionnants avec un éclairage remarquable ; des couleurs simples, abricot, saumon, avec quelques touches de turquoise ici et là ; des murs moquettés, des plafonds de cèdre, des tables de cuivre richement patinées, des tables de granit qui offraient un contraste intéressant, des meubles tapissés de tissus de textures différentes ; en un mot, une élégance confortable.

Le garde-manger de la cuisine était presque vide, à l'exception d'une étagère de conserves. Comme ils étaient trop fatigués pour faire des courses, ils se contentèrent de ce qu'ils avaient sous la main. Même si Laura était entrée dans la maison par effraction sans savoir qu'elle appartenait à Thelma, elle s'en serait aperçue en voyant le garde-manger : elle ne pouvait imaginer d'autre couple de millionnaires assez enfantins pour avoir des réserves de corned-beef et de raviolis en boîte. Chris était ravi. Comme dessert, ils mangèrent des esquimaux recouverts de chocolat, seuls aliments du congélateur.

Laura et Chris dormirent dans la grande chambre et Stefan s'installa dans une chambre d'amis de l'autre côté du couloir. Bien qu'elle ait rebranché le système d'alarme qui contrôlait toutes les portes et toutes les fenêtres, bien qu'elle ait un Uzi chargé par terre à côté d'elle et son .38 sur la table de nuit et qu'à part Thelma, personne ne les sache là, Laura ne dormit que par à-coups. Quand elle se réveillait, elle se redressait brutalement, à l'affût du moindre bruit de pas, du moindre chuchotement.

A l'approche du point du jour, incapable de se rendormir, elle observa longuement les ombres du plafond, repensant à ce que Stefan lui avait dit sur la manière dont les voyageurs du temps pouvaient intervenir sur l'avenir. *Le destin lutte pour rétablir ce qui était prévu.* Quand Stefan l'avait sauvée du junkie dans l'épicerie de son père en 1963, le destin l'avait mise entre les griffes d'un autre pédophile, Willy Sheener, en 1967. Elle était destinée à être orpheline, et quand elle avait trouvé un nouveau foyer avec les Dockweiler, le destin avait conspiré pour que Nina meure d'une crise cardiaque, renvoyant ainsi Laura à l'orphelinat.

Le destin lutte pour rétablir ce qui était prévu.

Et la suite ?

Dans le schéma préétabli, Chris était censé ne jamais être né. Donc, le destin s'arrangerait pour le faire mourir bientôt, pour que les événements se rapprochent le plus possible de ce qu'ils auraient été si Stefan Krieger n'était pas intervenu. Elle aurait vécu dans un fauteuil roulant si Stefan n'avait pas retenu le Dr Paul Markwell par la force des armes pour qu'il ne préside pas à l'accouchement. Peut-être que le destin la lancerait sous les balles de la Gestapo, lui infligerait une blessure à la colonne vertébrale qui la rendrait paraplégique, comme c'était prévu au départ.

Comment les forces de la destinée luttaient-elles pour rétablir leurs lois premières quand quelqu'un intervenait ? Chris était vivant depuis plus de huit ans. Etait-ce assez long pour que le destin finisse par accepter son existence ? Cela faisait trente-quatre ans qu'elle échappait au fauteuil roulant ; le destin se préoccupait-il encore de ce défi à ses projets originaux ?

Le destin lutte pour rétablir ce qui était prévu.

A l'aube, les lueurs du jour filtrèrent légèrement le long des rideaux. Laura se tournait et se retournait, furieuse, tout en ne sachant ni contre qui ni contre quoi diriger sa colère. *Le destin ?*

Qu'est-ce que c'était, le destin ? Quel était le pouvoir qui décidait des schémas originels et luttait pour les rétablir ? Dieu ? Devait-elle être furieuse contre Dieu ? Ou le supplier d'épargner la vie de son fils et de lui éviter l'infirmité ? Ne s'agissait-il que d'un mécanisme naturel, une force d'une origine similaire à la force de gravité et au magnétisme ?

Comme elle n'avait aucune cible logique contre quoi diriger sa fureur, celle-ci se métamorphosa bientôt en terreur. Apparemment, ils étaient en sécurité à Palm Springs. Après avoir passé une nuit paisible, ils étaient presque certains que leur présence ici ne serait jamais rendue publique, car sinon les tueurs seraient déjà arrivés. Pourtant, Laura avait peur.

Il allait se passer quelque chose... Quelque chose de terrible.

Les ennuis approchaient, mais elle ne savait pas d'où ils viendraient.

Des éclairs. Bientôt.

Dommage qu'on ne puisse pas se fier au vieil adage : en vérité, la foudre frappait deux fois au même endroit, trois fois, des centaines de fois, et c'était elle, Laura, le paratonnerre qui l'attirait !

· 7 ·

Le Dr Juttner entra les dernières données sur la console de programmation du portail.

— Vous et vos hommes, dit-il à Erich, vous allez sauter en Californie, en janvier 1989, à Palm Springs.

— Palm Springs ? dit Klietmann, surpris.

— Oui, je sais, vous vous attendiez à aller à Los Angeles ou dans le comté d'Orange où vos tenues de jeune cadre auraient été plus appropriées que dans une ville de villégiature, mais vous passerez inaperçus quand même. D'abord, c'est l'hiver, là-bas, et même dans le désert, vos costumes sombres ne seront pas déplacés.

Juttner donna une feuille de papier sur laquelle il avait noté ses instructions.

— C'est là que vous trouverez la femme et l'enfant.

— Et Krieger ? demanda le lieutenant en glissant le papier dans sa poche.

— L'équipe de recherche n'a pas retrouvé sa trace, mais on peut supposer qu'il est avec eux. Si vous ne le voyez pas, faites de votre mieux pour faire prisonniers la femme et l'enfant. Si vous devez les torturer pour savoir où est Krieger, qu'il en soit ainsi. Et si le pire arrive sans qu'ils aient rien dit, tuez-les. Ça pourra le pousser à se montrer.

— Nous le trouverons, docteur.

Klietmann, Hubatsch, von Manstein et Bracher portaient tous leur ceinture de retour sous leur costume Saint-Laurent. Leur attaché-case à la main, ils entrèrent dans le portail et s'installèrent au point d'où ils passeraient de 1944 à 1989 en un clin d'œil.

Malgré sa peur, le lieutenant jubilait. Il incarnait le bras d'acier de Hitler, celui auquel Krieger n'échapperait pas, même quarante-cinq ans plus tard.

· 8 ·

Dès leur première journée à la maison de Palm Springs, le dimanche 15 janvier, ils installèrent l'ordinateur et Laura expliqua son fonctionnement à Stefan. Les logiciels IBM dont ils avaient besoin étaient extrêmement conviviaux et, bien qu'en fin de journée, Stefan soit loin d'être « performant », il comprenait les grandes lignes de la logique de l'électronique. Ce serait Laura qui s'occuperait de la machine pendant qu'il lui expliquerait quels étaient les calculs nécessaires, si bien qu'elle pourrait utiliser son programme pour résoudre les nombreux problèmes qui les attendaient.

Stefan avait l'intention de retourner en 1944 avec la ceinture de Kokoschka. Les ceintures n'étaient pas des machines à voyager dans le temps. C'était le portail, la machine. Les ceintures réagissaient aux mêmes vibrations que lui, et se contentaient de ramener le voyageur quand il poussait le bouton jaune pour activer ce lien.

— Comment ? demanda Laura. Comment cela vous ramène ?

— Je ne sais pas. Vous savez comment fonctionnent les microprocesseurs de votre ordinateur ? Non. Pourtant, cela ne vous empêche pas de savoir vous en servir, pas plus que mon ignorance ne m'empêche d'utiliser la ceinture.

Lorsqu'il serait rentré en 1944 et qu'il aurait repris le contrôle du laboratoire central, Stefan ferait encore deux sauts cruciaux, à quelques jours de ce mois de mars, pour organiser la destruction de l'institut. Ces deux voyages devaient être méticuleusement programmés, afin qu'il arrive au moment et à l'endroit exacts de sa destination. Des calculs aussi précis étaient impossibles en 1944, non seulement à cause de l'absence d'ordinateurs, mais aussi parce que, à cette époque, il manquait encore quelques éléments, essentiels dans ce cas, sur l'angle et la vitesse de rotation de la terre et sur quelques autres données planétaires qui entraient en jeu dans un voyage. Ceci expliquait pourquoi les voyageurs arrivaient fréquemment à des dizaines de minutes de leur destination prévue et à des dizaines de kilomètres du point géographique désiré. Avec l'ordinateur, il pourrait calculer son point d'arrivée au mètre près et son heure à la seconde près.

Ils eurent besoin de tous les livres que Thelma leur avait achetés, pas seulement des ouvrages scientifiques et mathématiques, mais aussi des livres d'histoire sur la Seconde Guerre mondiale qui leur permettaient de connaître l'emploi du temps de certaines figures importantes à certaines dates clés.

En plus de tous ces calculs, il fallait que Stefan ait le temps de récupérer. Quand il retournerait en 1944, il se jetterait dans la gueule du loup et, même équipé de gaz toxiques et d'une arme de précision, il faudrait qu'il soit rapide et agile pour ne pas se faire tuer.

— Il me faut deux semaines, je pense. J'aurai récupéré assez de souplesse dans l'épaule pour partir dans deux semaines.

Peu importait qu'il lui fallût deux ou dix semaines, car en utilisant la ceinture de Kokoschka, il retournerait à l'institut seulement onze minutes après le départ de ce dernier. La date effective n'affecterait pas celle de son arrivée.

Le seul problème, c'était de partir avant que la Gestapo envoie un escadron à leurs trousses pour empêcher Stefan de bouleverser leurs plans. Bien que ce fût la seule source d'inquiétude, elle était de taille !

Avec une prudence exceptionnelle, s'attendant plus ou moins à une explosion d'éclairs, ils allèrent faire des courses le dimanche après-midi. Laura, toujours l'objet de l'attention des médias, resta dans la voiture pendant que Chris et Stefan allaient au supermarché. Il n'y eut pas d'éclair, et ils rentrèrent les bras chargés de provisions.

En les déballant dans la cuisine, Laura s'aperçut qu'il n'y avait pas de quoi préparer un vrai repas : trois sortes d'esquimaux différentes, du beurre de cacahuète, du chocolat, des gâteaux aux amandes, des paquets familiaux de chips, de bretzels, de pop-corn, de noisettes, toutes sortes de biscuits, une tarte à la cerise, une boîte de pets-de-nonne, des barres de Mars, de Nuts et autres confiseries.

— Eh bien dites donc, vous avez la bouche sucrée ! dit-elle à Stefan qui l'aidait.

— Vous voyez, c'est encore une autre chose que j'ai découverte ici. Il n'y a plus besoin de faire de différence entre un gâteau au chocolat et un steak. Il y a autant de minéraux et de vitamines dans ces chips que dans une salade verte ! On peut ne manger que des desserts et rester en aussi bonne santé que si l'on faisait des repas équilibrés. C'est incroyable ! Comment vous avez réussi un tel prodige ?

Laura se retourna juste à temps pour voir Chris se faufiler hors de la cuisine.

— Hé, dis donc, reviens ici, toi, gros malin.

— Tu ne trouves pas que M. Krieger a de drôles d'idées sur notre culture ? dit Chris d'un air timide.

— Oui, mais ça, je sais où il l'a appris ! Tu en as profité !

Chris sourit et prit sa voix la plus triste.

— Ouais, mais je pensais... que si on était poursuivis par ces types de la Gestapo, on pouvait manger autant de Mars qu'on voulait, parce que ça pourrait bien être notre dernier repas.

Il la regardait de côté pour voir si elle se laissait prendre à cet argument du condamné à mort.

En fait, il y avait assez de vérité dans ce qu'il disait pour que sa tricherie soit compréhensible, sinon excusable, si bien qu'elle n'eut pas la force de le gronder.

Après dîner, Laura changea le pansement de Stefan. L'impact de la balle avait formé un énorme bleu sur la poitrine, avec le trou d'entrée au centre et un bleu un peu plus petit au point de sortie. Les fils des points de suture étaient recouverts de pus séché. Elle lava les blessures le mieux possible, essaya d'ôter le maximum de pus sans arracher les fils et pressa doucement la peau, ce qui fit sortir un liquide transparent, mais il n'y avait aucun signe d'infection sérieuse. Bien sûr, il aurait pu se former un abcès s'écoulant à l'intérieur du corps, mais c'était peu probable, car Stefan n'avait pas de fièvre.

— Continuez à prendre votre pénicilline, et je crois que tout ira bien. Le Dr Brenkshaw a fait du bon travail.

Le lundi et le mardi, Laura et Stefan passèrent de longues heures devant l'ordinateur tandis que Chris regardait la télévision, parcourait les étagères à la recherche d'une lecture quelconque, restant perplexe devant une collection de vieux *Barbarella*...

— « Maman, qu'est-ce que ça veut dire " orgasme " ? » « Qu'est-ce que tu es en train de lire ? Donne-moi ça » — et s'occupait sans faire d'histoires. Il venait de temps en temps les rejoindre et s'installait sur un tabouret pendant quelques minutes pour les regarder travailler.

— Dans *Retour vers l'avenir*, ils avaient une voiture à voyager dans le temps, et ils poussaient un bouton sur le tableau de bord, et *zzzoum !* ils étaient partis, comme ça ! Pourquoi c'est toujours plus compliqué dans la vie ? dit-il après sa douzième visite de la journée.

Le mardi 19 janvier, ils restèrent très discrets tandis que le jardinier tondait la pelouse et taillait les buissons. C'était la première personne qu'ils voyaient en quatre jours : pas de représentants, pas même de témoins de Jéhovah à la porte.

— Nous sommes en sécurité, dit Stefan. Apparemment, personne n'a jamais été au courant de notre présence. Sinon, on aurait déjà eu la visite de la Gestapo.

Néanmoins Laura gardait le système d'alarme branché presque vingt-quatre heures sur vingt-quatre. La nuit, elle rêvait que le destin rétablissait les schémas prévus pour elle, pour Chris et qu'elle se réveillait dans un fauteuil roulant.

· 9 ·

Ils devaient arriver à huit heures, afin d'avoir le temps de trouver l'endroit où l'équipe de recherche avait remarqué la présence de la femme et de l'enfant. Le lieutenant Klietmann cligna des yeux, car même à quarante-cinq ans de sa propre époque, il savait qu'ils étaient en retard de quelques heures. Le soleil était trop haut à l'horizon, il faisait vingt degrés, beaucoup trop chaud pour un début de matinée d'hiver.

Telle une fissure blanche dans un bol bleu, un éclair fendit le ciel. D'autres brèches s'ouvrirent et des étincelles jaillirent comme de dessous les sabots d'un bison déchaîné dans un magasin de porcelaine céleste.

Quand les éclairs s'apaisèrent, Klietmann se retourna pour voir si les autres étaient arrivés sains et saufs. Ils étaient tous là, avec leur attaché-case et leurs lunettes de soleil dans la poche de leur costume luxueux.

Le seul problème, c'était qu'à une dizaine de mètres du sergent et des deux caporaux, deux vieilles femmes aux cheveux blancs en pantalon et chemisier pastel se tenaient près d'une voiture blanche devant la porte du presbytère d'une église et fixaient sur Klietmann et son équipe des yeux écarquillés. Elles tenaient des casseroles à la main.

Klietmann regarda autour de lui et vit qu'ils avaient atterri dans un parking juste derrière une église. Il y avait deux autres voitures mais pas d'autres témoins. Le parking était protégé par un mur et,. pour sortir, il fallait obligatoirement passer devant les vieilles femmes.

Estimant que la hardiesse serait la meilleure tactique, Klietmann alla vers elles, comme s'il n'y avait rien de surprenant à ce qu'ils soient sortis de nulle part. Hypnotisées, les femmes le dévisagèrent.

— Bonjour, mesdames.

Comme Krieger, Klietmann avait appris à parler anglais avec un accent américain, mais, malgré tous ses efforts, pas plus que Stefan il n'avait réussi à perdre totalement son intonation allemande. Bien que sa montre ait été réglée sur l'heure locale, il ne pouvait pas lui faire confiance :

— Est-ce que vous pourriez m'indiquer l'heure, s'il vous plaît ?

Elles le regardèrent, éberluées.

— L'heure ? répéta-t-il.

La femme en jaune clair tourna légèrement son poignet sans lâcher le manche de sa casserole.

— Euh, onze heures moins vingt.

Ils avaient plus de deux heures quarante de retard. Pas le temps de chercher une voiture, d'autant plus qu'il y en avait une à leur disposition, avec les clés sur le tableau de bord ! Klietmann était prêt à tuer les deux femmes. Il ne pouvait pas laisser les corps dans le parking, l'alarme serait donnée dès qu'on les découvrirait et la police les rechercherait immédiatement — ce qui multiplierait les ennuis. Il serait donc obligé de les mettre dans le coffre.

— Pourquoi êtes-vous venus vers nous ? Vous êtes des anges ? demanda la femme en bleu.

Klietmann se demanda si elles n'étaient pas séniles. Des anges en costume rayé ? Il se souvint qü'ils étaient à proximité d'une église et qu'ils étaient apparus comme par miracle ; c'était donc une déduction logique pour une croyante, costumes rayés ou pas. Après tout, il ne serait peut-être pas nécessaire de perdre son temps à les tuer.

— Oui, m'dame, nous sommes des anges, et Dieu a besoin de votre voiture.

— Ma Toyota ? s'exclama la femme en jaune.

— Oui, m'dame.

Comme la porte était ouverte, Klietmann mit son attaché-case sur le siège avant.

— Nous sommes en mission urgente, nous sommes arrivés par la porte du ciel sous vos yeux et nous avons besoin d'un moyen de transport.

Von Manstein et Bracher firent le tour de la voiture et entrèrent par l'autre côté.

— Shirley, tu as été *choisie* pour offrir ta voiture.

— Dieu vous la rendra, dit Klietmann. Quand notre mission sera accomplie...

Se souvenant de la pénurie d'essence de sa propre époque, ne sachant pas vraiment si ce problème avait été résolu en 1989, il ajouta :

— Bien sûr, même si le réservoir est presque vide, il sera rempli quand nous reviendrons, et vous ne manquerez jamais d'essence. Comme dans la multiplication des pains et des poissons...

— Mais dedans, il y a une salade de tomates et de pommes de terre pour le pique-nique de l'église, dit la femme en jaune.

Felix Hubatsch avait déjà ouvert la porte arrière et posait la salade sur le sol.

Klietmann entra, ferma la porte et en entendant Hubatsch refermer la sienne, il démarra et sortit du parking. Quand il regarda dans le rétroviseur avant de s'engager sur la route, les deux femmes l'observaient toujours, leurs casseroles à la main.

Jour après jour, ils affinaient leurs calculs, et Stefan faisait le plus d'exercice possible pour empêcher son bras de se raidir au fur et à mesure de la guérison et conserver le maximum de tonus musculaire. Le samedi après-midi, 21 janvier, alors que leur première semaine à Palm Springs tirait à sa fin, ils avaient enfin les coordonnées spatio-temporelles dont Stefan aurait besoin une fois qu'il serait retourné en 1944.

— Maintenant, il me faut simplement un peu plus de temps pour guérir, dit-il en s'écartant de l'ordinateur et en faisant des moulinets avec le bras.

— La blessure remonte à onze jours : vous avez encore mal ?

— Un peu, une douleur sourde. Mais je n'ai pas récupéré mes forces. Je crois qu'il vaut mieux attendre quelques jours de plus. Je retournerai à l'institut mercredi si tout va bien, le 25. Si l'état de mon bras s'améliore avant, je partirai plus tôt, mais de toute façon, je n'attendrai pas au-delà du 25.

Cette nuit-là, Laura refit un autre cauchemar dans lequel elle se retrouvait sur un fauteuil roulant et où le destin, sous l'apparence d'un homme en robe noire, éliminait Chris de la réalité, comme si l'enfant n'avait été qu'un dessin au fusain sur un panneau de verre. Trempée de sueur, elle s'assit sur son lit, épiant le moindre bruit, mais elle n'entendit que la respiration faible et régulière de son propre fils.

Plus tard, incapable de se rendormir, elle pensa à Stefan Krieger. C'était un homme intéressant, qui avait une telle maîtrise de soi que parfois, il était difficile à saisir.

Depuis le mercredi de la semaine précédente où il lui avait expliqué qu'il était devenu son gardien parce qu'il était tombé amoureux d'elle et voulait lui adoucir la vie, il n'avait plus reparlé de ses sentiments. Il ne lui avait pas adressé de regards lourds de signification, n'avait pas joué le rôle de l'amoureux éconduit. Comme il le lui avait promis, il lui laissait le temps de le connaître avant de prendre une décision. Sans doute était-il capable d'attendre des années sans se plaindre si nécessaire. Il avait la patience de ceux qui ont lutté contre une adversité impitoyable, attitude qu'elle ne comprenait que trop bien.

Il était calme, souvent pensif, parfois même franchement

mélancolique, sans doute à cause des atrocités dont il avait été témoin en Allemagne. Peut-être cette tristesse provenait-elle des actes qu'il avait lui-même accomplis et qu'il regrettait désormais, tout en étant persuadé que rien ne pourrait jamais les racheter. Ne croyait-il pas qu'une place l'attendait en enfer ? Il n'avait rien dit de plus sur son passé que ce qu'il leur avait confié dans la chambre d'hôtel dix jours plus tôt. Pourtant, elle sentait qu'il voulait tout leur raconter en détail, ce qui aurait pour effet de le discréditer aussi bien que de redorer son image à ses yeux. Il ne lui cacherait rien. Il attendait simplement qu'elle sache quoi penser de lui et qu'elle décide si oui ou non elle voulait en savoir plus.

Malgré sa tristesse profonde, il avait un certain sens de l'humour ; il avait un sourire doux et chaleureux, se montrait gentil avec Chris et arrivait à le faire rire, ce que Laura comptait en sa faveur.

Elle ne l'aimait toujours pas et ne pensait pas pouvoir l'aimer un jour, sans savoir pourquoi elle en était si sûre. Seule dans le noir, elle se demanda si ce n'était pas à cause de Danny. Danny avait été son seul amour et, avec lui, elle avait connu une relation proche de la perfection. En cherchant son affection, Stefan Krieger serait perpétuellement en rivalité avec un fantôme.

Elle voyait ce que la situation avait de pathétique et n'imaginait que trop bien l'ampleur de la solitude à laquelle elle se condamnait. Au fond de son cœur, elle avait envie d'aimer et d'être aimée mais, dans sa relation avec Stefan, elle ne trouvait qu'une passion à sens unique, qui ne remplissait pas ses propres espoirs.

A côté d'elle, Chris murmura dans son sommeil et soupira.

Je t'aime, mon lapin, je t'aime tant.

Son fils, le seul enfant qu'elle aurait jamais, constituait le centre de son existence, pour le moment comme pour le proche avenir, c'était son unique raison de vivre. S'il lui arrivait quoi que ce soit, Laura ne parviendrait plus à trouver de réconfort dans le noir humour de la vie : ce monde où tragédie et comédie se mariaient ne serait plus pour elle qu'une tragédie trop sombre pour être supportable.

Trois pâtés de maisons plus loin, Erich Klietmann arrêta la Toyota blanche et se gara dans une rue secondaire du quartier commercial de Palm Springs. Des dizaines de personnes faisaient du lèche-vitrines. Les femmes les plus jeunes portaient des shorts et des bustiers décolletés. Klietmann trouvait ces corps à demi dénudés inconvenants et embarrassants. Sous la loi d'airain du Führer, une telle conduite n'aurait jamais été tolérée. Le triomphe de Hitler engendrerait un autre monde, où la moralité serait renforcée, où les jeunes femmes qui se promèneraient sans soutien-gorge et à moitié nues risqueraient de se retrouver en prison ou dans un camp de rééducation, un monde où la décadence n'existerait pas. Tandis qu'il regardait les derrières qui se tortillaient sous les shorts trop courts, et les seins qui se balançaient sous le tissu léger des T-shirts, ce qui désespérait le plus Klietmann, c'était d'avoir envie de coucher avec elles, bien qu'elles ne soient que l'incarnation du mal que Hitler allait abolir.

A côté de Kliettmann, le caporal Rudy von Manstein avait déplié une carte de Palm Springs fournie par l'équipe d'éclaireurs qui avait localisé la femme et l'enfant.

— Où va-t-on ? demanda-t-il.

Klietmann sortit de sa poche la feuille que le Dr Juttner lui avait donnée au laboratoire et la lut à voix haute :

— Route 111, à environ dix kilomètres au nord de Palm Springs ; la femme sera arrêtée par un officier de police de Californie du Sud à onze heures trente, mercredi 25 janvier. Elle conduira une Buick noire. Le garçon sera avec elle et sera confié aux soins d'un juge pour enfants. Apparemment Krieger sera là lui aussi, mais ce n'est pas certain. Il semblerait qu'il ait échappé à la police, mais personne ne sait comment.

Von Manstein avait déjà marqué au crayon le chemin qui les conduirait sur la route 111.

— Il nous reste trente et une minutes, dit Klietmann en regardant la montre du tableau de bord.

— Pas de problème, il faut un quart d'heure au plus.

— Si nous arrivons en avance, dit Klietmann, nous pourrons peut-être tuer Krieger avant qu'il n'échappe au contrôle de police. Et de toute façon, il faut arriver avant que la femme et l'enfant ne se fassent arrêter, car cela sera plus difficile de les avoir une fois qu'ils seront au commissariat. Compris ? demanda-t-il en se tournant vers Bracher et Hubatsch à l'arrière.

Ils firent un signe de tête approbateur, mais le sergent Hubatsch mit la main sur la poche de sa veste.

— Et les lunettes de soleil ?

— Eh bien quoi ? demanda Klietmann, impatient.

— Il faut les mettre ? Ça nous aidera à nous fondre dans la population ? J'ai bien regardé : dans les rues, il y a beaucoup d'hommes qui en portent, mais pas tous.

Klietmann observa les piétons en essayant de ne pas se laisser distraire par les femmes à demi dénudées et remarqua qu'aucun homme n'arborait le look du pouvoir en vogue chez les jeunes cadres. Peut-être étaient-ils tous à leur bureau, à cette heure ? Quelle que soit la raison de l'absence de costumes noirs et de mocassins Bally, Klietmann avait l'impression d'être trop visible, même dans sa voiture. Pour imiter la majorité des piétons, il chaussa ses lunettes, afin d'avoir au moins un point commun avec eux.

En le voyant mettre ses Ray-Ban, von Manstein, Bracher et Hubatsch firent de même.

— Bon, on y va, dit Klietmann.

Mais avant qu'il puisse desserrer le frein à main et passer une vitesse, quelqu'un frappa à la vitre du chauffeur. C'était un agent de police de Palm Springs.

· 12 ·

Laura pressentait que, d'une manière ou d'une autre, le cauchemar allait bientôt prendre fin. Soit ils réussiraient à détruire l'institut, soit ils mourraient, et elle en était presque arrrivée au point où même une fin redoutable était préférable au supplice actuel.

Le mercredi 25 janvier, Stefan souffrait toujours d'un engourdissement de l'épaule, mais ne ressentait plus de douleur trop aiguë. Comme il s'était entraîné prudemment tous les jours, il avait récupéré la moitié de sa force habituelle dans le bras gauche et pensait qu'il pourrait mener ses projets à bien. Pourtant, Laura voyait qu'il était effrayé par le voyage qui l'attendait.

Il enfila la ceinture de Kokoschka que Laura avait sortie du coffre-fort la nuit où Stefan était arrivé blessé sur le patio. Malgré sa peur, une fois ce geste accompli, sa détermination fut plus forte que son anxiété.

A dix heures, tous les trois avalèrent les deux cachets qui les protégeraient contre les effets du Vexxon avec un verre de jus d'orange vitaminé.

Auparavant, ils avaient mis les trois Uzi, un .38, le Colt Commander Mark IV équipé d'un silencieux et un sac noir plein de livres dans la voiture.

Les deux cartouches de Vexxon pressurisé étaient toujours dans le coffre de la Buick. Après avoir étudié la notice, Stefan décida qu'il n'en aurait besoin que d'une seule pour la tâche qu'il devait accomplir. Le Vexxon était surtout conçu pour tuer à l'intérieur, pour tuer l'ennemi dans les baraques et les bunkers souterrains, plutôt que pour un usage en plein air. A l'air libre, il se diffusait trop rapidement et son effet ne durait pas assez longtemps à la lumière du soleil pour être efficace au-delà d'un rayon de deux cents mètres. Néanmoins, le contenu d'une seule cartouche pouvait contaminer un bâtiment de cinq cents mètres carrés, ce qui lui suffisait largement.

A dix heures trente-cinq, ils montèrent dans la voiture et prirent la route 111 qui menait dans le désert au nord de Palm Springs. Laura vérifia que Chris avait bien attaché sa ceinture.

— Tu vois, si ta voiture était une machine à remonter le temps, on irait en 1944 bien assis.

Quelques jours plus tôt, ils étaient allés dans le désert pour trouver un endroit adapté au départ de Stefan. Ils devaient connaître le point exact pour faciliter son retour, une fois sa mission accomplie.

Stefan avait l'intention d'ouvrir les vannes de la cartouche de Vexxon avant d'appuyer sur le bouton, afin que le gaz se disperse au moment même où il entrerait dans le laboratoire de l'institut, tuant tous ceux qui se trouveraient à l'autre extrémité de la route de l'Orage. Comme une certaine quantité de gaz s'échapperait sur le lieu du départ, il semblait prudent de choisir un endroit isolé. La maison des Gains se trouvait à moins de deux cents mètres de la rue, ils ne voulaient pas prendre le risque de tuer un passant innocent.

De plus, bien que le gaz soit censé n'être actif que pendant quarante à soixante minutes, Laura avait peur que les résidus, quoique non mortels, restent néanmoins toxiques. Elle ne voulait pas libérer une telle substance dans la maison de Thelma et Jason.

La journée était belle, claire, sereine.

Ils avaient à peine dépassé quelques pâtés de maisons et descendaient une colline où la route était bordée de palmiers géants quand Laura crut percevoir une étrange et éphémère pulsation lumineuse dans le fragment de ciel capté par le rétroviseur. Un éclair dans un ciel bleu et sans nuages ? Il ne paraissait pas aussi puissant que sous un ciel gris d'orage, car il était atténué par la lumière du soleil — rien d'autre que l'étrange et éphémère pulsation lumineuse que Laura avait vue.

Elle freina, mais la Buick s'était bien engagée dans la dénivellation, et elle ne voyait plus le ciel mais seulement la colline derrière eux. Il lui sembla entendre un grondement, un lointain coup de tonnerre couvert par le ronronnement du ventilateur. Elle s'arrêta sur le bord de la route et coupa la climatisation.

— Qu'est-ce qui se passe ? demanda Chris en la voyant ouvrir sa porte et sortir.

— Laura ? dit Stefan en la suivant.

Elle regardait la portion de ciel que l'on voyait au-dessus du sommet en se faisant un pare-soleil de la main.

— Vous avez entendu, Stefan ?

— Cela pourrait être un avion.

Dans la sécheresse du désert, le grondement mourait lentement.

— Non, la dernière fois que j'ai cru que c'était un avion, c'étaient *eux*.

Une vibration lumineuse, la dernière. On ne vit pas vraiment d'éclair, pas de ciel violemment déchiré, mais une simple iridescence dans les couches supérieures de l'atmosphère, faible vague de lumière dans la voûte bleue.

— Ils sont là.

— Oui, dit-il.

— Quelque part sur la route 111, quelqu'un va nous arrêter, un agent de police peut-être, un accident, il y aura un rapport, et ils arriveront. Stefan, il faut faire demi-tour et rentrer à la maison.

— Inutile.

Chris était sorti lui aussi.

— Il a raison, maman. Ce qu'on fait n'a plus d'importance.

Les voyageurs du temps sont arrivés parce qu'ils ont déjà regardé dans l'avenir et ils savent où nous serons dans dix minutes ou une demi-heure. Ils nous ont déjà vus quelque part, peut-être même à la maison. Alors, même si on change nos projets, on croisera leur chemin.

Le destin.

— Merde ! dit-elle en donnant un coup de pied dans la carrosserie sans se sentir mieux pour autant. C'est insupportable. Comment espérer gagner contre ces foutus voyageurs du temps ! C'est jouer au poker avec le diable !

Il n'y eut plus d'éclairs.

— Bon, eh bien, puisqu'on joue au poker avec le diable, il peut difficilement nous arriver pire. Monte dans la voiture, Chris, on continue.

Laura traversa la banlieue ouest les nerfs aussi tendus que du fil électrique. Elle s'attendait à voir les ennuis surgir de tous côtés, bien qu'elle sache qu'ils arriveraient au moment où elle s'y attendrait le moins.

Ils parvinrent sans incident aux limites de la ville puis à la route 111. Devant eux s'étendaient vingt kilomètres de désert avant l'intersection avec la nationale 10.

· 13 ·

Espérant éviter la catastrophe, le lieutenant Klietmann baissa la vitre du chauffeur et sourit au policier qui venait de frapper pour attirer l'attention et qui se penchait vers eux en plissant les yeux.

— Que se passe-t-il, monsieur l'agent ?

— Vous n'avez pas vu les bandes rouges sur le trottoir ?

— Les bandes rouges ? dit Klietmann en souriant toujours et en se demandant de quoi l'agent voulait parler.

— Dites, monsieur, dit l'agent d'un ton étrangement enjoué, vous n'allez pas me dire que vous n'avez pas vu les bandes rouges ?

— Non, monsieur, je les ai vues.

— J'étais sûr que vous ne mentiriez pas, dit l'agent comme s'il connaissait Klietmann et le savait digne de confiance, ce qui laissa le lieutenant abasourdi. Alors, si vous avez vu les bandes rouges, pourquoi vous êtes-vous garé ici ?

— On n'a pas le droit de stationner s'il y a une bande rouge sur le trottoir ? Ah oui, c'est vrai.

Le policier cligna des yeux et observa les passagers. Il sourit et leur fit un signe de tête.

Klietmann n'avait pas besoin de se retourner sur ses hommes pour les savoir sur des charbons ardents. Jusqu'à l'air de la voiture s'emplissait de leur nervosité.

Le policier se tourna de nouveau vers Klietmann avec un sourire hésitant.

— Je me trompe ou vous êtes prêtres, les gars ?

— Prêtres ? répéta Klietmann déconcerté par la question.

— Voyez, j'ai l'esprit de déduction, dit le policier, toujours souriant, je ne m'appelle pas Sherlock Holmes, mais vous avez des autocollants avec « J'aime Jésus » et « Le Christ est né ». Comme il y a une convention baptiste en ville, et que vous portez des costumes sombres...

C'était pour ça qu'il avait pensé pouvoir faire confiance à Klietmann ; il l'avait pris pour un prêtre.

— C'est ça, dit Klietmann sans hésiter. Excusez-moi de m'être mal garé, nous n'avons pas de bandes rouges là d'où nous venons, mais si...

— D'où venez-vous ? demanda l'agent, pour se montrer amical.

Klietmann savait beaucoup de choses sur les Etats-Unis, mais pas assez toutefois pour mener une conversation impromptue sur n'importe quel sujet. Il croyait savoir que les baptistes venaient du Sud et n'était pas certain qu'il y en ait à l'Est ou au Nord, il répondit donc : « Je viens de Géorgie », avant de se rendre compte que cela paraîtrait fort improbable avec son accent allemand.

Le sourire de l'agent s'évanouit. Il s'adressa à von Manstein.

— Et vous ? D'où venez-vous ?

— Géorgie, répondit-il, suivant l'exemple de son chef, mais avec un accent encore plus prononcé.

Avant qu'on leur pose la question, Hubatsch et Bracher ajoutèrent :

— Géorgie, nous venons tous de Géorgie, comme s'il s'agissait d'un mot magique qui allait jeter un sort au policier.

Il n'y avait plus trace de sourire sur le visage de l'agent qui fronça les sourcils.

— Messieurs, pourriez-vous descendre de voiture un instant ?

— Certainement, monsieur l'agent, dit Klietmann en ouvrant sa porte et en remarquant que le policier avait reculé de quelques pas et posé la main sur l'étui de son revolver. Mais nous sommes déjà en retard pour la prière...

A l'arrière, Hubatsch ouvrit son attaché-case et en sortit son Uzi aussi rapidement qu'un garde du corps présidentiel. Il ne prit pas le temps d'ouvrir la fenêtre et tira à travers la vitre sans laisser au policier le temps de dégainer. La vitre explosa. Touché par une vingtaine de balles presque à bout portant, le policier tomba en arrière au milieu de la circulation. Une voiture freina et essaya d'éviter le corps dans un grand crissement de pneus. De l'autre côté de la rue, la vitrine d'un magasin de vêtements se brisa en mille morceaux.

Avec le froid détachement et la rapidité d'esprit qui faisaient que Klietmann était fier d'appartenir aux SS, Martin Bracher sortit de la Toyota et tira en dessinant un arc, afin d'ajouter encore un peu plus au chaos et d'avoir une meilleure chance de s'échapper. Les vitrines des magasins de luxe explosèrent dans toute la rue, jusqu'à l'intersection avec la route de Palm Canyon. Les gens hurlaient, se plaquaient au sol, se réfugiaient sous les portes cochères. Quelques chauffeurs furent peut-être blessés ou pris de panique, toujours est-il que les véhicules oscillaient d'une voie à l'autre. Une Mercedes alla se jeter contre le flanc d'un camion de livraison, une voiture de sport toute rutilante monta sur le trottoir, heurta le tronc d'un palmier et percuta une boutique cadeaux.

Klietmann se remit au volant et desserra le frein à main. En entendant Bracher et Hubatsch fermer leur porte, il passa une vitesse et se précipita vers la route du canyon, puis tourna brusquement à gauche, vers le nord. Il s'aperçut immédiatement qu'il avait pris une rue à sens unique dans la mauvaise direction. Furieux, il esquiva les voitures avec une bordée d'injures. La Toyota sans amortisseurs cahotait, et la boîte à gants s'ouvrit, déversant son contenu sur les genoux de von Manstein. Klietmann tourna à droite au premier carrefour. A l'intersection suivante, il brûla un feu rouge, évitant de peu les piétons sur le passage clouté, et prit à gauche en direction du nord.

— Il ne nous reste plus que vingt et une minutes, dit von Manstein en indiquant la montre du tableau de bord.

— Dites-moi où aller, je suis perdu.

— Non, pas du tout, dit von Manstein en cherchant sa carte dans la boîte à gants, parmi un fouillis d'objets divers : clé, mouchoirs en papier, gants blancs, paquets individuels de sucre, de sel et de moutarde, paperasses en tout genre. Non, vous n'êtes pas perdu. Nous allons rejoindre la route du canyon et de là, nous croiserons la route 111.

· 14 ·

A une dizaine de kilomètres au nord de Palm Springs, là où le désert paraissait encore plus vide, Laura se mit sur la bande d'arrêt d'urgence. Elle roula lentement pendant quelques centaines de mètres jusqu'à ce qu'elle parvienne dans un creux où le bas-côté descendait presque au niveau du désert environnant, en pente suffisamment douce pour qu'elle puisse accéder à la plaine. A part quelques touffes d'herbe sèche qui crissaient sous les pneus et quelques pieds de buisson épineux, la végétation n'était constituée que de quelques amarantes, parfois vertes, le plus souvent déracinées. Celles qui étaient encore vivaces raclaient le châssis, les autres s'envolaient dans le courant d'air provoqué par le véhicule.

Sur le sol schisteux, une mince pellicule de sable calcaire tourbillonnait par endroits. Comme la nuit où ils étaient venus repérer les lieux, Laura évita le sable et resta sur la surface dure et grisâtre. Elle ne s'arrêta pas avant trois cents mètres, afin que la route soit hors de portée de la nocivité du Vexxon. Elle se gara près d'un fossé asséché, canal naturel de six mètres de large et neuf mètres de profondeur formé par les inondations de la brève saison des pluies. La nuit, à la seule lumière des phares, ils avaient eu de la chance de ne pas tomber dans ce ravin.

Bien que les éclairs n'aient été suivis d'aucune apparition d'hommes armés, un sentiment d'urgence planait. Laura, Chris et Stefan se mouvaient comme s'ils entendaient le tic-tac d'une bombe à retardement. Tandis que Laura sortait une des deux cartouches de Vexxon du coffre, Stefan passa les bras dans les bretelles du sac noir plein de livres. Chris apporta un des trois Uzi à une dizaine de mètres de la voiture, dans un cercle de schiste gris, où ne poussait pas une touffe d'herbe, et qui apparaissait comme le lieu idéal pour le prochain débarquement de Stefan. Laura alla rejoindre son fils, et Stefan suivit, le Colt Commander muni de son silencieux à la main.

Au nord de Palm Springs, sur la nationale 111, Klietmann poussait la Toyota aussi vite que possible, mais pas assez vite à son gré. La voiture affichait quarante mille kilomètres au compteur, mais la vieille dame ne devait jamais dépasser les soixante-quinze kilomètres-heure, si bien que le véhicule ne répondait pas. Dès que Klietmann essayait de dépasser les quatre-vingt-dix kilomètres-heure, la Toyota toussait et il y avait du shimmy, ce qui l'obligeait à ralentir.

Néanmoins, à trois kilomètres au nord des limites de la ville, ils arrivèrent derrière une voiture de patrouille. Sans doute l'officier qui allait arrêter Laura Shane et son fils. Le policier roulait juste au-dessous de la limite de vitesse de quatre-vingts kilomètres heure.

— Tue-le, dit Klietmann à Bracher assis à droite, à l'arrière.

Le lieutenant regarda dans le rétroviseur arrière. Personne ne suivait. Quelques voitures arrivaient sur la voie sud. Il déboîta et commença à doubler la voiture de police.

Bracher baissa sa vitre. L'autre fenêtre arrière était brisée car Hubatsch avait tiré à travers, si bien que le vent s'engouffra bruyamment et fit voler la carte sur les genoux de von Manstein.

Le policier tourna la tête, surpris qu'un automobiliste ose le doubler alors qu'il frisait la vitesse maximale. A quatre-vingt-dix kilomètres-heure, cahotant plus que jamais, la voiture poursuivit malgré tout son accélération. Le policier réagit à cette infraction volontaire à la loi et brancha sa sirène, ce qui signifiait sans doute que Klietmann devait ralentir et s'arrêter sur le bas-côté.

Le lieutenant poussa la Toyota un peu plus vite, malgré les vibrations qui faisaient croire qu'elle allait se disloquer. Cela suffit pour dépasser la voiture de patrouille d'une courte tête afin que Bracher soit au niveau du chauffeur. Le caporal ouvrit le feu.

Les vitres volèrent en éclats, le policier mourut sur le coup. Il n'avait pas vu les balles venir et avait été touché à la tête et au torse. Le véhicule de patrouille dérapa vers la Toyota, la heurta

308

avant que Klietmann ait le temps de l'éviter et glissa vers le bas-côté.

Klietmann freina, pour éviter le choc.

La voiture de patrouille sortit de la route qui n'était pas protégée par des garde-fous, vola dans les airs pendant quelques secondes et retomba sur le sol du désert à quelques mètres en contrebas. Les pneus explosèrent sous la violence de l'impact. Les portes s'ouvrirent.

— Je le vois, dit von Manstein, tandis que Klietmann longeait la scène de l'accident à vitesse réduite, il est écroulé sur le volant. Nous n'aurons plus d'ennuis de ce côté-là.

Les voitures en sens inverse témoins de l'accident s'arrêtèrent sur le bas-côté. Klietmann vit les chauffeurs descendre de leur véhicule, en bons samaritains se précipitant au secours de l'officier de police. Si certains se rendirent compte des vraies causes de l'accident, en tout cas, ils décidèrent de ne pas poursuivre Klietmann. Ce en quoi ils faisaient preuve d'une grande sagesse.

Il accéléra de nouveau et regarda le compteur.

— A cinq kilomètres d'ici, ce flic aurait arrêté la femme et l'enfant. Alors, faites attention aux Buick noires. Dans cinq kilomètres.

Sur le schiste nu près de la Buick, Laura observait Stefan qui glissait la bandoulière de l'Uzi sur son épaule. Le pistolet mitrailleur retomba sans se coincer sous le sac de livres.

— Je me demande si j'en ai besoin, dit-il. Si le gaz est aussi efficace que prévu, je ne me servirai même pas de mon pistolet, et encore moins d'une arme automatique.

— Prenez-le, dit Laura.

— Vous avez raison, on ne sait jamais.

— Dommage que vous n'ayez pas de grenades, dit Chris, ça serait pratique.

— Espérons que ce ne sera pas aussi terrible que ça ! répondit Stefan.

Il défit le cran de sûreté du pistolet et le tint en position de tir. Il attrapa la cartouche de Vexxon par la poignée de type extincteur et la soupesa pour voir comment réagirait son bras blessé.

— Ça fait un peu mal, ça tire sur la cicatrice, mais ça ira.

Ils avaient coupé les fils de fer qui maintenaient la détente afin de pouvoir opérer en mode manuel. Stefan courba les doigts autour de la manette.

Quand il aurait accompli sa mission en 1944, il atterrirait à leur époque, en 1989, cinq minutes après son départ.

— Je reviens tout de suite, vous n'aurez pas le temps de vous apercevoir que je suis parti.

Soudain, Laura craignit de ne jamais le revoir. Elle lui toucha le visage et l'embrassa sur la joue.

Ce n'était pas le baiser d'une femme amoureuse — il ne contenait pas la moindre promesse de passion —, mais le baiser affectueux d'une amie, le baiser d'une femme qui devait la reconnaissance éternelle, mais pas son cœur. Laura vit qu'il avait compris. En son for intérieur, malgré son sens de l'humour, c'était un grand mélancolique et elle aurait souhaité le rendre heureux. Elle regrettait de ne pas pouvoir feindre, même s'il ne se serait pas laissé abuser par ce genre d'attitude.

— Je veux que vous reveniez, vraiment.

— Bon, il faut y aller. Prends bien soin de ta maman, dit-il à Chris.

— J'essaierai, mais elle sait drôlement bien s'occuper d'elle toute seule.

Laura attira son fils contre elle.

Stefan leva la cartouche de Vexxon de quinze kilos et pressa sur la manette.

Le gaz sous pression s'échappa dans un sifflement d'une armée de serpents. Pendant un instant, Laura fut prise de panique, certaine que les médicaments qu'ils avaient pris ne suffiraient pas à les protéger, certaine qu'elle allait s'écrouler à terre, tordue de douleur et de convulsions. Le Vexxon, incolore, n'était ni inodore ni sans saveur. A l'air libre, où il se diffusait rapidement, elle sentit un relent douceâtre de tarte à l'abricot, une odeur nauséabonde de jus de citron et de lait caillé. Pourtant, elle ne ressentit aucun autre effet.

Tenant son pistolet devant lui, Stefan fouilla sous sa chemise et appuya trois fois sur le bouton de sa ceinture de retour.

Von Manstein fut le premier à repérer la voiture noire sur la roche grise, à quelques centaines de mètres à l'est de la nationale. Il leur signala sa présence.

Bien sûr, Klietmann ne pouvait reconnaître la marque à cette distance, mais il était sûr que c'était la voiture qu'ils cherchaient. Trois personnes se tenaient près du véhicule, petites figurines qui vacillaient dans la lumière comme sous l'effet d'un mirage, mais on reconnaissait clairement deux adultes et un enfant.

Soudain, un des adultes disparut. Ce n'était pas une illusion d'optique. On ne le revit plus vaciller dans l'air chaud. Il était parti. C'était Stefan Krieger.

— Il est rentré ! s'exclama Bracher, étonné.

— Pourquoi il serait rentré alors que tout le monde veut sa peau à l'institut ?

— Et puis, dit Hubatsch, il est arrivé en 1989 des jours avant nous. Alors, sa ceinture va le ramener au même point, le jour où Kokoschka l'a blessé... en fait, onze minutes après que Kokoschka lui a tiré dessus. Et on est certains qu'il n'est jamais revenu ce jour-là. Qu'est-ce qui se passe ?

Klietmann était inquiet lui aussi, mais il n'avait pas le temps de réfléchir à la situation. Il devait tuer la femme et l'enfant, même s'il ne pouvait avoir Krieger.

— Préparez-vous, dit-il en ralentissant pour chercher un chemin qui permette de sortir de la route.

Hubatsch et Bracher avaient déjà sorti leurs Uzi de leur attaché-case à Palm Springs. Von Manstein prépara son arme.

A un endroit, le terrain s'élevait au niveau de la route. Klietmann quitta le macadam, descendit la pente et se dirigea vers la femme et l'enfant.

Quand Stefan activa sa ceinture, l'air devint soudain pesant et Laura sentit une immense lourdeur l'envahir. La puanteur des fils électriques brûlés, mêlée à une forte odeur d'ozone et une légère odeur d'abricot, lui fit faire la grimace. La pression atmosphérique augmenta, et Stefan quitta le monde dans un *pop* ! soudain et violent. Pendant un instant, on aurait dit que tout l'air avait été englouti par un énorme aspirateur, mais immédiatement, le vide fut comblé par une rafale de vent chaud qui se leva, apportant la légère odeur alcaline du désert.

Accroché aux jupes de sa mère, Chris s'exclama :

— Ouaouh ! C'était fantastique ! Maman, tu trouves pas ?

Elle ne lui répondit pas car elle avait remarqué une voiture blanche qui quittait la route et avançait dans le désert. Elle se dirigea vers eux et le chauffeur accéléra.

— Chris ! Va devant la Buick. Couche-toi !

Chris aperçut également le véhicule et obéit sans discuter.

Elle courut vers la porte ouverte de la voiture et attrapa un des Uzi sur le siège. Elle s'abrita derrière le coffre et fit face à la voiture qui approchait.

Elle était à moins de deux cents mètres et roulait vite. Les rayons de soleil se réfléchissaient sur les chromes et scintillaient sur le pare-brise.

Elle envisagea la possibilité que les occupants ne soient pas des agents allemands mais des innocents. Pourtant, c'était trop improbable pour qu'elle se laisse inhiber par cette possibilité.

Le destin lutte pour rétablir ce qui était prévu.

Non ! Non !

Quand la voiture ne fut plus qu'à une centaine de mètres, elle tira deux rafales. Deux balles au moins traversèrent le pare-brise qui se craquela instantanément.

La Toyota — elle la reconnaissait à présent — fit un tour et demi sur elle-même, soulevant des nuages de poussière, et déracina quelques amarantes encore vertes. Elle s'arrêta à environ soixante mètres, l'avant vers le nord, le siège du passager face à elle.

Les portes s'ouvrirent de l'autre côté. Les occupants rampaient pour rester à couvert. Elle ouvrit à nouveau le feu dans l'espoir de percer le réservoir d'essence et de provoquer une étincelle qui pourrait mettre le feu au véhicule et brûler certains des passagers. Mais elle vida le magasin de son Uzi sans que rien se produise, bien qu'elle ait sûrement touché le réservoir.

Elle jeta le pistolet mitrailleur, ouvrit le hayon de la Buick et prit le second. Elle sortit également le .38 Chief's Special sans détourner les yeux de l'autre véhicule plus d'une seconde ou deux. Finalement, elle regretta que Stefan ait emporté le troisième Uzi.

Un homme ouvrit le feu avec une arme automatique. Il n'y avait plus aucun doute sur l'identité des arrivants. Laura s'accroupit sur le côté de la Buick. Des balles s'enfoncèrent dans le coffre ouvert, firent voler en éclats la vitre arrière, ricochèrent sur le pare-chocs, rebondirent sur le schiste avec des craquements aigus et soulevèrent des nuages de poussière blanche.

Elle entendit les balles siffler au-dessus de sa tête, en un son aigu et plaintif, et commença à se faufiler vers l'avant de la Buick, en longeant la carrosserie pour offrir la cible la plus réduite possible. Elle rejoignit Chris caché sous la calandre.

Les hommes de la Toyota cessèrent de tirer.

— Maman ? dit Chris, terrorisé.

— Ce n'est rien, dit-elle, essayant de croire à ses propres paroles. Stefan sera là dans moins de cinq minutes, mon lapin. Il a un Uzi, nous serons presque à égalité. Tout ira bien. Il faut tenir cinq minutes. Cinq minutes.

· 15 ·

La ceinture de Kokoschka ramena Stefan à l'institut en un éclair, et il entra dans le portail, les vannes de la cartouche de Vexxon grandes ouvertes. Il appuyait si fort sur la manette que sa main lui faisait mal, et la douleur se propageait déjà le long de son bras et dans son épaule.

Dans la semi-obscurité du cylindre, il ne voyait qu'une partie du laboratoire. Deux hommes en costume sombre le regardaient. Ils ressemblaient à des agents de la Gestapo. On aurait dit que tous ces salauds avaient été conçus à partir des mêmes gènes de dégénérés et de fanatiques et il se sentit soulagé de savoir qu'ils ne le voyaient pas aussi bien qu'il les voyait. Pendant un instant, ils le prendraient pour Kokoschka.

Il avança, brandissant sa cartouche sifflante dans une main et son pistolet dans l'autre, et, avant que les hommes du labo se soient aperçus de quelque chose, ils furent touchés par le gaz. Ils tombèrent au sol, au-dessous du portail surélevé, et quand Stefan en descendit, ils se tordaient de douleur. Ils vomissaient convulsivement. Du sang coulait de leurs narines. L'un d'eux, couché sur le côté, agitait les jambes dans le vide et se serrait la gorge ; un autre, en position fœtale, les doigts crochus, essayait de s'arracher les yeux. Près de la console de commandes, les trois hommes en blouse blanche étaient tombés. Stefan les connaissait : Hoepner, Eicke, Schmauser. Ils se tortillaient et se mutilaient, comme enragés. Ils essayaient de crier, mais avaient la gorge trop enflée. Ils ne poussaient que des petits gémissements pitoyables d'animaux torturés. Terrifié bien que physiquement préservé, Stefan les regardait mourir. En moins de quarante secondes, tout fut terminé.

Ce n'était que justice que ces hommes meurent sous l'effet de gaz neuro-actifs, car c'étaient les chercheurs nazis qui avaient synthétisé le premier gaz nocif en 1936, un phosphore organique appelé Tabun. Tous les gaz suivants, qui tuaient en agissant sur les transmissions électriques nerveuses, étaient issus de ce premier composé chimique. Le Vexxon aussi. Ces hommes de 1944 avaient péri sous les coups d'une arme futuriste dont leurs esprits torturés étaient à l'origine.

Néanmoins Stefan ne tira aucune satisfaction de ces cinq morts. Il avait assisté à tant d'atrocités que même l'extermination de coupables pour sauver la vie d'innocents, même le meurtre au service de la justice lui répugnait. Mais il devait faire ce qu'il avait à faire.

Il posa le pistolet sur un banc du laboratoire avec l'Uzi.

D'une poche de son jean, il sortit quelques centimètres de fil de fer dont il se servit pour bloquer la manette de la cartouche en position ouverte. En quelques minutes, le gaz se propagerait dans tout le bâtiment par les cages d'escalier, les colonnes d'ascenseur et les conduits de ventilation.

Il fut surpris de voir que seules les veilleuses étaient allumées dans le couloir et que les autres laboratoires du rez-de-chaussée semblaient déserts. Il se dirigea vers le portail pour savoir à quelle heure et à quelle date l'avait ramené la ceinture de Kokoschka. Il était neuf heures onze, le 16 mars 1944.

C'était un sacré coup de chance. Stefan s'attendait à rentrer à l'institut pendant les heures de travail, d'autant plus qu'une grande partie du personnel arrivait dès six heures et demie et ne repartait qu'à huit heures. Cela aurait signifié des centaines de corps dispersés dans tout le bâtiment, et quand on les aurait découverts, tout le monde aurait su que seul Stefan Krieger, rentré à l'institut grâce à la ceinture de Kokoschka, pouvait en être responsable. Ils auraient également compris qu'il n'était pas simplement rentré pour commettre ces meurtres mais qu'il avait d'autres idées en tête. Ils auraient ouvert une enquête exhaustive pour découvrir la nature de ses projets et lui barrer la route. Puisque l'institut semblait pratiquement vide, il pouvait disposer des corps d'une manière qui rejetterait tous les soupçons sur les morts.

Au bout de cinq minutes, la cartouche de Vexxon fut vide. Le gaz s'était diffusé dans toute la structure, à l'exception des halls d'entrée à l'avant et à l'arrière qui ne partageaient pas le même système de ventilation. Stefan alla d'étage en étage, de pièce en pièce, pour vérifier qu'il n'y avait pas d'autre victime. Il trouva les corps des animaux du sous-sol, les premiers voyageurs du temps. La vue de ces petits cadavres pathétiques le perturba plus encore que celle des cinq hommes gazés.

Stefan retourna au laboratoire central, retira cinq ceintures d'un placard blanc et les attacha sur les corps des morts, pardessus leurs vêtements. Il reprogramma rapidement le portail pour les envoyer à six milliards d'années dans l'avenir. Il avait lu quelque part qu'à cette époque, le soleil se serait transformé en supernova ou serait déjà mort ; et il voulait que personne ne puisse jamais voir les corps ni utiliser les ceintures.

S'occuper des morts dans ce bâtiment silencieux lui semblait bien étrange. Parfois, il se figeait sur place, certain d'avoir perçu un mouvement. Il s'arrêta même plusieurs fois pour découvrir l'origine de ce son mystérieux mais ne trouva rien. Il regarda l'un des hommes, à moitié convaincu que le corps sans vie s'était levé et qu'il grattait les parois du cylindre. Ce fut à ce moment qu'il comprit vraiment à quel point les massacres dont il avait été le témoin au cours des années l'avaient perturbé.

Un par un, il les traîna à l'intérieur du portail, les poussa vers le point de transmission et les balança dans le champ de l'énergie. Un par un, ils s'évanouirent. Ils réapparaîtraient à un point incroyablement éloigné, sur une terre froide et morte depuis longtemps, sans le moindre insecte ni la moindre plante, ou dans un espace vide, là où la planète avait existé avant de se faire engloutir par l'explosion du soleil.

Il fit très attention à ne jamais se trouver sur le point de transmission. S'il était avalé dans l'espace à six milliards d'années, il mourrait avant d'avoir eu la chance d'appuyer sur son bouton et de retourner à l'institut.

Après en avoir fini avec le dernier cadavre et nettoyé les traces de leur mort sanglante, il était épuisé. Par chance, le gaz ne semblait avoir laissé aucun résidu, il était donc inutile d'essuyer tous les objets de l'institut. Son épaule le brûlait douloureusement et lui faisait aussi mal que lorsqu'il avait été blessé.

Au moins avait-il réussi à ne pas laisser de traces. Le lendemain matin, tout le monde croirait que Kokoschka, Hoepner, Eicke, Schmauser et les deux agents de la Gestapo avaient estimé que le Troisième Reich était condamné et avaient préféré se réfugier dans un avenir de paix et d'abondance.

Il se souvint des animaux du sous-sol. S'il les laissait dans leur cage, on les découvrirait et l'on pratiquerait une autopsie pour déterminer les causes de la mort. Les résultats jetteraient peut-être un doute sur la théorie de la fuite de Kokoschka et des autres. A nouveau, Stefan Krieger serait le premier suspect. Mieux valait les faire disparaître. Cela resterait un mystère, mais cela conduirait moins sûrement à la vérité que l'état de leurs carcasses.

La douleur de son épaule se faisait de plus en plus cuisante au fur et à mesure qu'il emballait les cadavres dans des blouses blanches et les attachait ensemble. Sans leur mettre de ceinture, il les envoya six milliards d'années plus loin. Il alla chercher la cartouche de gaz vide et la jeta à l'autre bout du temps.

Enfin, il fut prêt à entreprendre les deux sauts décisifs qui, l'espérait-il, allaient conduire à la destruction de l'institut et à la défaite de l'Allemagne nazie. Il se dirigea vers la console et sortit une feuille de papier de sa poche de pantalon. Elle contenait les résultats des jours et des jours de calculs qu'il avait effectués avec Laura sur l'IBM PC.

S'il avait pu retourner à l'institut avec assez d'explosifs pour le réduire en cendres, il se serait chargé du travail lui-même, ici et maintenant. Pourtant, avec sa cartouche de Vexxon, son sac de livres, son pistolet et l'Uzi, il ne pouvait guère se charger de plus de vingt ou vingt-cinq kilos de plastic, ce qui ne suffirait pas à la tâche. Kokoschka avait enlevé les explosifs qu'il avait installés dans le sous-sol et le grenier, quelques jours plus tôt, heure locale, évidemment. Il aurait pu revenir de 1989 avec quelques bidons d'essence pour tout brûler, mais certains documents secrets étaient rangés dans des armoires pare-feu auxquelles il n'avait pas accès. Seule une explosion dévastatrice pouvait les éventrer et enflammer leur contenu.

316

Il ne pouvait plus détruire l'institut seul.

Mais il savait qui pouvait l'aider.

En s'aidant des chiffres obtenus grâce à l'ordinateur, il reprogramma la porte pour aller trois jours plus loin. Il arriverait sur le sol britannique, au cœur des immenses abris souterrains, en dessous des bâtiments gouvernementaux donnant sur St. James' Park, où on avait installé des bureaux anti-aériens pendant la guerre éclair et où se trouvait toujours la salle de conseil de guerre. Stefan espérait arriver à une conférence particulière qui se tiendrait à sept heures trente du matin, saut d'une telle précision que seuls les ordinateurs de 1989 permettaient les calculs complexes déterminant les coordonnées exactes requises.

Sans armes, avec seulement son sac à dos plein de livres, il entra dans le portail, traversa le point de transmission et se matérialisa dans le coin d'une salle de conférences à plafond bas, où se trouvaient une immense table et douze chaises. Dix étaient vides. Deux hommes étaient présents. Le premier, un secrétaire britannique en uniforme militaire, tenait un crayon dans une main et un bloc-notes dans l'autre. Le second, qui dictait un courrier urgent, n'était autre que Winston Churchill.

· 16 ·

Accroupi contre la Toyota, Klietmann s'aperçut qu'ils n'auraient pas eu des tenues plus mal adaptées à leur mission s'ils avaient été déguisés en clowns, dans ce décor aux tons de blanc, de beige, de rose pâle et de pêche, sans végétation pour ainsi dire, avec quelques rares rochers suffisamment importants pour offrir une couverture. Dans leurs costumes noirs, ils étaient aussi visibles que des cafards sur un gâteau de mariage.

Hubatsch, qui se tenait devant la Toyota et dirigeait quelques tirs de barrage sur la Buick, se coucha par terre.

— Elle s'est réfugiée à l'avant avec le gosse.

— Les autorités locales ne vont plus tarder, dit Bracher, en regardant vers le sud, à l'endroit où ils avaient tué le policier.

— Enlevez vos vestes, s'écria Klietmann en se débarrassant de la sienne. Les chemises blanches se fondront mieux dans le paysage. Bracher, reste ici, empêche cette salope de nous doubler de ce côté. Von Manstein et Hubatsch, essayez de faire le tour par la droite.

Ne restez pas l'un à côté de l'autre et ne sortez pas de votre abri avant d'en avoir repéré un autre. Je ferai le tour par la gauche.

— On la tue sans essayer de savoir ce que Krieger manigance ? demanda Bracher.

— Oui. Elle est trop bien armée pour qu'on la prenne vivante. Et puis, je parierais que Krieger ne va pas tarder à revenir. Ce sera plus facile de s'occuper de lui si on a déjà la femme. Allez, vite.

Hubatsch, suivi à quelques secondes de von Manstein, quitta l'abri de la Toyota et courut courbé en deux en direction du sud-sud-est.

Le lieutenant Klietmann passa par le nord, son pistolet mitrailleur dans une main, courbé en deux, profitant de la maigre couverture offerte par des buissons où s'étaient accrochées quelques racines d'amarante.

Laura se redressa légèrement, juste à temps pour voir deux hommes en chemise blanche et pantalon noir courir dans sa direction, mais dessinant une courbe vers le sud, avec l'intention évidente de l'encercler. Elle envoya une courte rafale sur le premier homme, qui se précipita à l'abri d'une formation rocheuse en dents de scie derrière laquelle il plongea sain et sauf.

Au son des balles, le deuxième homme se coucha dans une petite dépression qui ne suffisait pas à le dissimuler, mais l'angle de tir et la distance en faisaient une cible difficile. Laura n'avait pas l'intention de gâcher ses munitions.

De plus, avant même qu'elle ait vu le deuxième homme se coucher, un troisième, toujours derrière la Toyota, ouvrit le feu sur elle. Les balles rebondirent sur la Buick, la manquant de quelques centimètres, et elle fut obligée de s'accroupir.

Stefan serait de retour dans trois ou quatre minutes. Ce n'était pas long. Pas long ! Une éternité !

Tremblant, Chris était blotti dos au pare-chocs avant, les genoux remontés contre la poitrine, les bras autour des genoux.

— Tiens bon, fiston.

Il la regarda sans rien dire. Pendant toutes les scènes de terreur qu'ils avaient endurées ces deux dernières semaines, elle ne l'avait jamais vu si abattu. Il était pâle et inerte. Pour la première fois, il comprenait que ce jeu de cache-cache n'avait jamais été un jeu

318

pour personne, sauf pour lui. Il comprenait que rien n'était jamais aussi facile qu'au cinéma, et sa terreur donnait à son regard un détachement vide qui fit peur à Laura.

— Tiens bon, répéta-t-elle.

Elle rampa devant lui pour aller de l'autre côté du pare-chocs où elle se tapit pour observer l'horizon nord.

Elle avait peur que quelqu'un ne s'approche de ce côté. Elle ne pouvait pas les laisser faire, car dans ce cas, la Buick ne les protégerait plus. Ils n'auraient plus rien d'autre à faire qu'à courir dans le désert où les agents les tireraient comme des lapins avant cinquante mètres. La Buick offrait la seule bonne couverture.

Elle ne vit personne. Le terrain était plus accidenté de ce côté, avec quelques arêtes rocheuses, quelques bandes de sable blanc, et sans aucun doute de nombreux trous, invisibles depuis sa position. Rien ne bougeait à part quelques amarantes déracinées qui tournoyaient doucement dans la brise irrégulière.

Elle retourna de l'autre côté et s'aperçut que les deux hommes qui faisaient le tour par le sud étaient de nouveau en mouvement. Ils n'étaient plus qu'à une trentaine de mètres, à une vingtaine de l'avant de la Buick, et avançaient très rapidement. Bien que le premier restât courbé en deux, le deuxième, plus hardi, se tenait debout. Il pensait peut-être que Laura concentrerait son attention sur le premier homme.

Elle se leva, se pencha sur le côté de la Buick en restant aussi couverte que possible, et tira une seconde rafale. Le premier homme ouvrit le feu pour couvrir son camarade, mais elle toucha le second qui perdit le contact avec le sol et atterrit dans un buisson.

Bien qu'il ne soit pas mort, il était hors d'état de nuire ; ses cris perçants prouvaient qu'il était au bord de l'agonie.

En se rabaissant, elle s'aperçut qu'elle souriait farouchement. Elle se réjouissait d'entendre ces cris de douleur. Elle fut choquée par cette réaction primitive et sauvage, par sa soif de sang et de vengeance, mais elle ne tenta pas de la réprimer, sentant qu'elle serait plus efficace animée de cette rage ancestrale.

Un de moins. Plus que deux à abattre, peut-être.

Et bientôt, Stefan serait de retour. Quelle que soit la durée de sa mission en 1944, il programmerait le portail de façon à revenir peu après son départ. Il la rejoindrait et participerait au combat dans moins de deux ou trois minutes.

Quand Stefan se matérialisa, le Premier ministre regardait dans sa direction, mais l'homme en uniforme, un sergent, ne prit conscience de sa présence que grâce à la décharge électrique qui accompagna son arrivée. Des milliers de serpents de lumière bleue émanaient du corps de Stefan, comme générés par sa peau. Peut-être que des éclairs et des coups de tonnerre pourfendirent les cieux au-dessus du souterrain, en tout cas une partie de l'énergie se dispersa dans la pièce, dans un frémissement gigantesque qui terrorisa le sergent. Les serpents électriques rampèrent sur le sol en sifflant, grimpèrent le long des murs, puis se dissipèrent sans avoir blessé personne. Seule une carte murale avait été déchirée en plusieurs endroits sans prendre feu toutefois.

— Gardes ! cria le sergent.

Il n'était pas armé, mais de toute évidence, il pensait que son cri serait entendu, car il ne le répéta qu'une seule fois sans faire un geste vers la porte.

— Gardes !

— Monsieur Churchill, s'il vous plaît, dit Stefan sans tenir compte du sergent. Je ne vous veux aucun mal.

La porte s'ouvrit brusquement, laissant place à deux soldats britanniques, l'un armé d'un revolver, l'autre d'un fusil mitrailleur.

— L'avenir du monde dépend de ce que j'ai à vous dire, dit Stefan rapidement, de peur d'être tué.

Pendant toute cette agitation, le Premier ministre était resté assis sur son fauteuil à l'autre bout de la table. Stefan pensait avoir décelé un bref éclair de surprise, et peut-être une étincelle de peur sur son visage, mais il n'aurait pas parié là-dessus. Churchill paraissait aussi énigmatique et implacable que sur les photos que Stefan avait vues. Il leva la main vers les gardes.

— Un instant.

Le sergent fit un geste de protestation, mais le Premier ministre poursuivit :

— S'il avait voulu me tuer, il l'aurait fait dès son arrivée. Et pour une entrée, ajouta-t-il pour Stefan, même le jeune Laurence Olivier vous aurait envié !

Stefan ne put s'empêcher de sourire. Il fit un pas en avant, mais vit les gardes se raidir si bien qu'il s'arrêta immédiatement.

— Monsieur le Premier ministre, vu la manière dont je suis apparu, vous savez que je ne suis pas un messager ordinaire et que ce que j'ai à vous dire est peut-être aussi étrange. C'est une question épineuse, et peut-être ne souhaitez-vous pas que j'en parle devant d'autres oreilles que les vôtres.

— Si vous espérez qu'on va vous laisser seul avec le Premier ministre, vous êtes fou ! s'exclama le sergent.

— Il est peut-être fou, dit le Premier ministre, mais il a du flair, vous devez bien l'admettre. Que les gardes le fouillent : s'ils ne trouvent pas d'arme, je suis prêt à accorder un peu de mon temps à ce jeune homme, ainsi qu'il le désire.

— Mais, monsieur le Premier ministre, nous ne savons pas qui c'est. Nous ne savons pas ce que c'est... Il a explosé comme...

— J'ai vu comment il est arrivé, sergent, l'interrompit Churchill. Et surtout, souvenez-vous que vous et moi, nous sommes les seuls à l'avoir vu entrer. J'espère que vous garderez le secret sur cette question comme sur toute autre information top-secret.

Ainsi rappelé à l'ordre, le sergent resta immobile et regarda Stefan d'un œil mauvais tandis que les gardes le fouillaient.

Ils ne trouvèrent aucune arme, mais seulement des livres dans le sac noir et quelques papiers. Ils rangèrent les volumes et Stefan s'amusa de voir qu'ils n'avaient pas même remarqué la nature des ouvrages qu'ils avaient manipulés.

A contrecœur, son crayon et son bloc-notes à la main, le sergent accompagna les gardes et sortit, comme le voulait le Premier ministre. Quand la porte fut refermée, Churchill fit signe à Stefan de s'asseoir sur la chaise libre. Ils gardèrent un instant le silence, s'observant mutuellement avec un grand intérêt. Le Premier ministre indiqua un pot fumant sur un plateau et demanda :

— Du thé ?

Vingt minutes plus tard, alors que Stefan n'avait pas encore raconté la moitié de son récit, le Premier ministre appela le sergent.

— Il nous faudra encore un moment, sergent, j'ai peur qu'il ne faille retarder le conseil de guerre d'une heure, prévenez tout le monde, et transmettez toutes mes excuses.

Vingt-cinq minutes plus tard, Stefan se tut enfin.

Le Premier ministre posa quelques questions, très peu en fin de compte, mais excessivement judicieuses.

— Je crois qu'il est beaucoup trop tôt pour un cigare, mais j'en ai fort envie maintenant. Vous voulez vous joindre à moi ?

— Non, merci monsieur.

— A part votre entrée spectaculaire, dit Churchill, qui ne prouve rien sauf l'invention d'un moyen de transport révolutionnaire, qui peut être ou ne pas être un voyage dans le temps, est-ce que vous avez un moyen de me convaincre que vous dites la vérité ?

Stefan s'était attendu à une telle épreuve et s'y était préparé.

— Monsieur, comme je suis allé dans l'avenir et que j'ai lu une partie de votre histoire de la guerre, je savais que je vous trouverais ici, à cette heure. Je sais même ce que vous faisiez avant la réunion du conseil de guerre.

Tirant sur son cigare, le Premier ministre leva les sourcils.

— Vous dictiez un message au général Alexander en Italie exprimant vos inquiétudes sur la manière dont les combats ont été menés à Cassino, au prix de grandes pertes en vies humaines.

Churchill restait insondable. Il devait être surpris par la remarque de Stefan, mais ne voulait pas lui fournir le moindre encouragement, pas même en fronçant les sourcils.

De toute façon, Stefan n'en avait pas besoin, car il était sûr de ne pas se tromper.

— D'après l'histoire de la Seconde Guerre mondiale que vous allez écrire plus tard, je peux même vous citer le début de cette missive, que vous n'aviez pas fini de dicter à votre secrétaire quand je suis arrivé : « J'aimerais que vous m'expliquiez pourquoi ce passage par la colline du monastère de Cassino, etc., sur un front unique de trois à cinq kilomètres, est le seul endroit sur lequel vous vous acharnez. »

Le Premier ministre tira une autre bouffée de son cigare, exhala la fumée et observa Stefan. Ils n'étaient assis qu'à un mètre l'un de l'autre, et se trouver ainsi sous le regard scrutateur de Churchill était beaucoup plus troublant que Stefan ne l'aurait imaginé.

— Et vous avez obtenu cette information grâce à un ouvrage que j'écrirai plus tard ? demanda enfin le Premier ministre.

Stefan se leva, sortit les six livres que les gardes avaient remis dans son sac à dos — des livres de poche de Houghton Mifflin à neuf dollars quatre-vingt-quinze chacun — et les étala sur la table.

— Monsieur, voici les six volumes de votre histoire de la Seconde Guerre mondiale, qui sera considérée comme un ouvrage exhaustif et une grande œuvre de littérature.

Il allait ajouter que cela allait largement contribuer à ce que Churchill se voie décerner le prix Nobel de littérature en 1953, mais il s'abstint de faire cette révélation. La vie manquait d'intérêt s'il n'y avait plus de surprises.

Le Premier ministre examina les couvertures des six livres et se permit un sourire en lisant l'extrait de la critique parue dans le supplément littéraire du *Times*. Il ouvrit un volume et le feuilleta rapidement sans lire son contenu.

— Ce ne sont pas des faux, l'assura Stefan. Si vous prenez une page au hasard, vous reconnaîtrez immédiatement votre style particulier.

— Je n'ai pas besoin de les lire. Je vous crois, Stefan Krieger. (Il repoussa les livres et s'enfonça dans son fauteuil.) Et je crois avoir compris pourquoi vous êtes venu me voir. Vous voulez que j'organise un bombardement de Berlin, dirigé précisément contre cet institut dont vous parlez.

— Oui, monsieur le Premier ministre. C'est exact. Il faut que cela soit fait avant que les chercheurs aient terminé d'analyser les documents qu'ils ont rapportés de l'avenir, avant qu'ils n'introduisent ces connaissances dans la communauté scientifique allemande, ce qui peut arriver d'un jour à l'autre. Il faut agir avant qu'ils reviennent avec quelque chose d'autre qui risquerait de renverser la situation en défaveur des Alliés. Je vais vous donner les coordonnées exactes. Les bombardiers américains et la RAF ont déjà fait des bombardements sur Berlin de jour comme de nuit depuis le début de l'année, et...

— Oui, mais le bombardement de villes, mêmes ennemies, est très contesté au Parlement, remarqua Churchill.

— Je sais, mais ce n'est pas comme si Berlin était intouchable. A cause de la précision de la cible, bien sûr, il faudra opérer en plein jour. Mais si vous bombardez ce quartier, vous pulvérisez littéralement le bâtiment...

— Ainsi que d'autres de chaque côté, si on veut être sûr qu'il ne reste plus que des ruines. Nous n'avons pas une précision de tir suffisante pour enlever chirurgicalement un seul bloc.

— Je comprends. Mais il n'y a pas le choix. Il faut lâcher plus de tonnes d'explosifs sur ce district que sur n'importe quel autre théâtre d'opérations d'Europe, et ce, dans les jours prochains. Il faut réduire l'institut en poussière.

Le Premier ministre garda le silence pendant une minute ou deux, perdu dans la fumée bleutée de son cigare.

— Il faut que je consulte mes conseillers, dit-il, mais je crois que nous ne pourrons pas être prêts avant deux jours, pas avant le 22, ou même le 23.

— Je pense que ça ira, monsieur le Premier ministre, dit Stefan soulagé, mais pas plus tard, pour l'amour de Dieu, pas plus tard.

· 18 ·

Tandis que la femme observait le nord par le côté du chauffeur, Klietmann l'observait derrière un buisson de bouteloue et d'amarante. Elle ne le vit pas. Quand elle alla de l'autre côté, il se redressa et courut, courbé en deux, vers une autre cachette, un rocher modelé par le vent, un peu plus étroit que son corps.

Le lieutenant maudit silencieusement ses mocassins Bally car la semelle était trop glissante pour ce genre de mouvement. Quelle idiotie d'être venus en mission habillés en jeunes cadres dynamiques — ou en prêtres baptistes ! Au moins, les Ray-Ban étaient utiles. Le soleil miroitait sur la roche et le sable ; sans elles, il n'aurait pas aussi bien vu le terrain qui s'étendait devant lui et aurait risqué de faire un mauvais pas et de glisser plus d'une fois.

Il était sur le point de plonger une fois de plus quand il l'entendit ouvrir le feu dans la direction opposée. Comme elle était visiblement occupée ailleurs, il poursuivit sa route. Il entendit un cri, un ululement qui n'avait rien d'humain, un hurlement de bête sauvage sous les griffes d'un féroce adversaire.

Troublé, il se cacha dans un creux de roche, hors de vue de la femme. Il rampa à plat ventre, la respiration haletante. Quand il redressa la tête, il s'aperçut qu'il était à quinze mètres derrière la Buick. S'il avançait encore de quelques mètres, il se retrouverait derrière la femme, en position idéale pour tirer.

les cris s'estompèrent.

S'imaginant que l'autre homme au sud resterait à terre pendant un moment, terrifié par la mort de son partenaire, Laura alla de nouveau vers le pare-chocs avant. En passant devant Chris, elle lui dit :

— Deux minutes, mon bébé, plus que deux minutes.

Accroupie au coin de la voiture, elle observa le nord. Le désert paraissait toujours tranquille. La brise s'était calmée et pas une herbe ne bougeait.

S'ils n'étaient que trois, ils n'auraient sans doute laissé personne à la Toyota pendant que les deux autres faisaient le tour dans la même direction. S'ils n'étaient que trois, les deux autres se seraient séparés, ce qui signifiait qu'il y avait un quatrième homme, peut-être un cinquième quelque part, dans les rochers et le sable, au nord de la Buick.

Mais où ?

· 19 ·

Stefan exprima sa reconnaissance et se leva pour partir. Churchill lui indiqua les livres.

— Je ne voudrais pas que vous les oubliiez, ce serait une trop grande tentation de me plagier !

— C'est caractéristique de votre personnalité que vous ne m'ayez pas demandé de les laisser justement dans ce but.

— Ce serait idiot ! dit Churchill en mettant son cigare dans un cendrier et en se levant. Si je possédais ces livres déjà tout écrits, je ne me satisferais pas de les publier tels qu'ils sont. J'y trouverais sans aucun doute des imperfections que je passerais des années à corriger, pour m'apercevoir que j'ai détruit tous les éléments qui en font un classique dans votre avenir.

Stefan se mit à rire.

— Je suis sérieux, dit Churchill. Vous m'avez dit que cette histoire serait considérée comme une œuvre définitive, cela me suffit. Je l'écrirai telle que je l'ai écrite, pour ainsi dire, sans risquer de tout gâcher.

— C'est peut-être sage.

Tandis que Stefan rangeait ses livres, Churchill se balançait légèrement sur ses pieds, les mains dans le dos.

325

— Il y a tant de questions que j'aimerais vous poser sur l'avenir à la construction duquel je participe ! Tant de choses qui sont beaucoup plus intéressantes que de savoir si mes livres auront du succès ou pas.

— Je dois vraiment y aller, mais...

— Je sais, dit le Premier ministre, je ne voudrais pas vous retarder. Mais je brûle de curiosité. Voyons... que deviendra l'Union soviétique après la guerre ?

Stefan hésita, ferma son sac et dit :

— Monsieur le Premier ministre, j'ai le regret de vous dire que l'Union soviétique sera beaucoup plus puissante que les Etats-Unis.

Pour la première fois, Churchill eut l'air surpris.

— Leur abominable système remportera un succès économique ? donnera une société d'abondance ?

— Non, non. Leur système aboutira à la ruine économique, mais à une puissance militaire extraordinaire. Ils armeront toute la société et élimineront tous les dissidents. Certains disent que leurs camps rivaliseront avec les camps de concentration du Troisième Reich.

L'expression de Churchill était toujours insondable, mais son regard trahissait un certain trouble.

— Et pourtant, ce sont nos Alliés.

— Oui, monsieur. Et sans eux, peut-être que le Reich n'aurait pas été battu.

— Oh, que si, mais moins vite, dit Churchill confiant. On dit que la politique fait d'étranges compagnons de lit, mais les alliances de guerre sont encore bien pires, ajouta-t-il en soupirant.

Stefan était prêt à partir.

Ils se serrèrent la main.

— Votre institut sera réduit en cailloux, en cendres et en poussière, vous avez ma parole.

— C'est tout ce dont j'ai besoin.

Il fouilla sous sa chemise et appuya trois fois sur le bouton qui activait le lien entre la ceinture et le portail.

Au même instant, lui sembla-t-il, il se retrouva à l'institut de Berlin. Il sortit du cylindre et retourna à la console de commandes. Il s'était écoulé exactement onze minutes depuis son départ à Londres.

Il avait toujours mal à l'épaule, mais pas plus qu'avant. Pourtant, ces élancements incessants l'épuisaient et il se reposa un instant dans le fauteuil, face aux commandes.

Ensuite, à l'aide des données calculées sur l'IBM en 1989, il programma son avant-dernier saut. Cette fois, il irait cinq jours plus loin, à onze heures, le 21 mars, dans un autre souterrain anti-aérien, à Berlin, cette fois.

Quand le portail fut prêt, il y entra, sans arme. Il ne prit pas non plus les six volumes de Churchill.

En passant le point de transmission, il éprouva de nouveau les chatouillements désagréables qui pénétraient à l'intérieur de sa peau et de ses os, avant de ressortir immédiatement vers l'extérieur de son corps.

La pièce souterraine sans fenêtre dans laquelle Stefan atterrit n'était éclairée que par une lampe de bureau et s'illumina brièvement à l'arrivée de Stefan. Dans cette étrange lueur, il vit clairement la silhouette de Hitler.

· 20 ·

Une minute.

Laura se blottit contre Chris derrière la Buick. Sans bouger, elle regarda vers le sud, là où elle savait qu'il y avait un homme, et vers le nord où elle pensait que d'autres ennemis se cachaient.

Un calme surnaturel envahissait le désert.

Sans un souffle d'air, la vaste étendue ne semblait pas respirer davantage qu'un cadavre. Le soleil déversait ses rayons, si bien que la plaine aride semblait aussi lumineuse que le ciel ; à l'autre bout, les cieux étincelants se mêlaient à la terre, faisant disparaître l'horizon. Bien qu'il ne fasse guère plus de vingt-cinq degrés, on aurait dit que la chaleur avait fait fondre buissons, rochers, herbes et sable.

Une minute.

Il restait sans doute moins d'une minute avant que Stefan ne revienne de 1944, et il leur serait d'un grand secours, non seulement parce qu'il avait un Uzi, mais aussi parce qu'il était son gardien. Son *gardien*. Bien qu'elle connaisse ses origines et sache qu'il n'avait rien de surnaturel, d'une certaine manière, pour elle, il restait une figure de rêve, capable d'accomplir des miracles.

Pas de mouvement au sud.

Pas de mouvement au nord.

— Ils arrivent, dit Chris.

— Ça va aller, mon chéri, dit-elle doucement.

Pourtant, son cœur tambourinait. Elle était terrifiée, mais surtout, elle ressentait un sentiment de perte, comme si par un instinct primitif, elle savait que son fils, le seul enfant qu'elle aurait jamais, était déjà mort, pas parce qu'elle n'avait pas réussi à le protéger, mais parce qu'il était censé ne jamais être né et que le destin ne se laissait pas vaincre. Non, non, cette fois, elle serait la plus forte. Elle s'accrocherait à son fils unique. Elle ne le perdrait pas comme elle avait déjà perdu tant d'êtres chers. Il était à elle. Il n'appartenait pas au destin. Il était à elle. *A elle.*

— Ça va aller, mon chéri.

Soudain, elle perçut un mouvement au sud.

· 21 ·

Dans le bureau du bunker privé de Hitler, à Berlin, tout comme dans le souterrain londonien, l'énergie du voyage dans le temps se dispersa en éclairs de lumière, dessinant des centaines de serpents sur le sol et les murs de béton. Ce déploiement lumineux et sonore n'attira pourtant pas les gardes, car à ce moment précis, Berlin était assailli par l'aviation alliée. Le bunker tremblait sous l'impact des bombes, et même à cette profondeur, le vacarme de l'attaque couvrit l'arrivée bruyante de Stefan.

Hitler pivota dans son fauteuil pour lui faire face. Il ne parut pas plus surpris que Churchill, mais il est vrai qu'il était au courant du travail de l'institut, contrairement à Churchill, et il comprit immédiatement comment Stefan s'était matérialisé. De plus, il savait que Stefan était le fils d'un de ses premiers et loyaux défenseurs et qu'il avait longtemps travaillé pour la cause parmi les SS.

Bien que Stefan ne se fût pas attendu à lire la surprise sur le visage du Führer, il avait espéré voir ses traits de vautour torturés par la peur. Après tout, si le Führer avait lu les derniers rapports de la Gestapo — ce qui était vraisemblable —, il savait que Stefan était accusé d'avoir tué Penlovski, Januskaya et Volkaw six jours auparavant, le 15 mars, et de s'être enfui dans l'avenir. Il pensait

328

sans doute que Stefan avait entrepris ce voyage illicite six jours plus tôt, juste avant d'avoir tué les chercheurs, et qu'il allait le tuer lui aussi. Pourtant, s'il avait peur, il ne le montra pas. Toujours assis, il se contenta d'ouvrir un tiroir et d'en sortir un Luger.

Au moment où les dernières charges électriques se dissipaient, Stefan tendit le bras en avant en disant avec toute la fausse passion qu'il pouvait feindre :

— *Heil Hitler !*

Afin de prouver qu'il n'était pas animé d'intentions hostiles, il tomba sur un genou, comme devant un autel, et inclina la tête, se transformant ainsi en cible facile et consentante.

— *Mein Führer*, je suis venu laver mon nom et vous informer de la présence de traîtres au sein de l'institut et des unités de la Gestapo responsables de sa sécurité.

Pendant un long moment, le dictateur garda le silence.

Le choc des bombardements, haut dans le ciel, se propageait par vagues sous la terre, dans les parois de béton et d'acier de sept mètres d'épaisseur, et emplissait le bunker d'un grondement hostile. Chaque fois qu'une bombe tombait dans les environs, les trois peintures, saisies au Louvre pendant l'occupation de Paris, vibraient sur le mur, et le pot à crayons de cuivre sur le bureau du Führer tintait dans un bruit creux.

— Lève-toi, Stefan, assieds-toi, dit-il en indiquant un fauteuil de cuir marron, un des rares meubles de cette pièce aveugle.

Il posa le Luger sur son bureau, mais à portée de main.

— Pour ton honneur comme pour celui de ton père, j'espère que tu es aussi innocent que tu le prétends.

Stefan parla d'une voix forte, car il savait que le Führer admirait la force, mais parfois teintée d'une fausse révérence, comme s'il croyait vraiment se trouver en présence de l'homme en qui s'incarnait l'esprit du peuple allemand, passé, présent et à venir. Plus que par la force, Hitler se sentait flatté par le respect qu'il imposait à ses subordonnés. Stefan devait jouer serré, mais ce n'était pas la première fois qu'il rencontrait le dictateur. Il avait une certaine habitude de s'attirer les bonnes grâces de ce mégalomane, de cette vipère déguisée en homme.

— *Mein Führer*, ce n'est pas moi qui ai tué Vladimir Penlovski, Januskaya et Volkaw. C'est Kokoschka. C'est un traître à la patrie, et je l'ai surpris dans la salle de documentation de l'institut

329

juste après qu'il eut tué Januskaya et Volkaw. Il a tiré sur moi, dit Stefan en mettant la main droite sur son épaule. Je peux vous montrer la blessure si vous voulez. Je me suis réfugié au laboratoire. J'étais abasourdi, je ne savais pas combien d'hommes étaient impliqués dans cette trahison. Je ne savais plus vers qui me tourner, je n'avais qu'une seule solution, me réfugier dans l'avenir avant que Kokoschka me tue.

— Le rapport du colonel Kokoschka raconte une tout autre histoire. Il dit avoir tiré alors que tu tentais de t'échapper *après* avoir tué Penlovski et les autres.

— S'il en était ainsi, *mein Führer*, pourquoi serais-je revenu laver mon nom ? Si j'étais un traître qui avait plus foi en l'avenir qu'en vous, ne serais-je pas resté dans cet avenir, en toute sécurité, au lieu de revenir vers vous ?

— Mais étais-tu en sécurité, Stefan ? dit Hitler avec un sourire pervers. Je crois savoir que deux escadrons de la Gestapo et, plus tard, un escadron SS sont partis à ta recherche.

Stefan fut troublé par la mention des SS car c'étaient sûrement eux qui étaient arrivés à Palm Springs moins d'une heure avant son départ et qui avaient provoqué les éclairs dans le ciel bleu du désert. Soudain, il eut encore plus peur pour Laura et Chris, car les capacités meurtrières et le dévouement à la cause des SS étaient bien plus grands encore que ceux de la Gestapo.

Il se rendit compte qu'on n'avait pas dit à Hitler que les deux équipes de la Gestapo avaient été mises en déroute par une femme ; il pensait que Stefan s'était dressé contre eux, sans savoir qu'il était dans le coma au moment de la bataille. Comme cela entrait dans la série de mensonges qu'il avait l'intention de raconter, Stefan ajouta :

— *Mein Führer*, je me suis débarrassé de ces hommes quand ils se sont lancés à ma poursuite, et je l'ai fait en toute bonne conscience, car je savais que ce n'étaient que des traîtres qui voulaient m'empêcher de vous prévenir de l'existence d'un noyau subversif au sein de l'institut. Kokoschka a disparu depuis, je me trompe ? Et je crois savoir que cinq autres hommes de l'institut ont suivi la même voie. Ils n'avaient plus foi en l'avenir du Reich. Ils ont eu peur que l'on découvre leur rôle dans la tuerie du 15 mars, alors ils se sont enfuis.

Stefan marqua une pause pour donner plus d'impact à son discours.

Tandis que les explosions s'éloignaient et que le bombardement marquait une pause, Hitler observait Stefan intensément. Son regard était aussi perçant et aussi direct que celui de Winston Churchill, mais il n'avait pas cette franchise d'homme à homme qui avait marqué l'attitude du Premier ministre. Hitler regardait Stefan, tel un soi-disant dieu observant l'une de ses créatures pour voir si elle n'est pas victime d'une dangereuse mutation, un dieu malin et sans amour qui n'appréciait que l'obéissance aveugle.

— S'il y a des traîtres à l'institut, que cherchent-ils ?

— A vous induire en erreur. Ils vous présentent des fausses informations sur l'avenir dans l'espoir de vous faire commettre de graves erreurs militaires. Ils vous ont dit que dans la dernière année de la guerre, presque toutes vos décisions se révéleraient avoir été des erreurs, mais c'est faux. Tel que l'avenir est aujourd'hui, vous ne perdrez la guerre que de justesse. Avec quelques modifications dans votre stratégie, vous *pouvez* gagner.

Le visage de Hitler se durcit, ses yeux se plissèrent, non parce qu'il soupçonnait Stefan, mais parce que soudain il soupçonnait tous ceux qui lui avaient dit qu'il commettrait des erreurs fatales dans les jours à venir. Stefan l'encourageait à croire à son infaillibilité, et ce mégalomane n'était que trop enclin à faire confiance à son génie.

Stefan lui parla de six modifications qu'il prétendait décisives dans certains combats clés mais elles n'auraient aucune conséquence sur leur issue et ne concernaient en fait que des engagements mineurs.

Pourtant, le Führer préférait croire qu'il était presque au bord de la victoire plutôt que du côté de la défaite, et ne fut que trop prompt à sauter sur les suggestions de Stefan, stratégies audacieuses proches des décisions que le dictateur aurait pu prendre lui-même. Il se leva et fit les cent pas, tout excité.

— Dès les premiers rapports sur l'avenir qui m'ont été présentés par l'institut, j'ai senti quelque chose de faux dans la situation qu'ils décrivaient. Je ne voyais pas comment je pouvais avoir conduit la guerre aussi brillamment que jusqu'à maintenant et commettre toute une série d'erreurs aussi grossières. Oh, bien sûr, les temps sont difficiles, mais cela ne va pas durer. Quand les Alliés auront enfin lancé leur invasion de l'Europe prévue depuis si longtemps, ils échoueront. Nous les renverrons tous à la mer.

Il murmurait presque, mais avec cette passion hypnotisante si caractéristique de tous ses discours en public.

— Avec cet échec, ils dépenseront la plupart de leurs réserves. Il faudra qu'ils battent en retraite sur un large front, et ils ne pourront pas reconstituer leurs forces et lancer d'offensives pendant des mois et des mois. Nous en profiterons pour consolider nos places fortes en Europe, pour battre ces barbares de Russes, et nous serons plus puissants que jamais !

Il cessa de marcher et cligna des yeux comme s'il se réveillait d'une transe.

— Oui, et cette invasion de l'Europe ? Le jour J, comme on l'appelle, paraît-il. Les rapports de l'institut me signalent que les Alliés débarqueront en Normandie ?

— Mensonges ! dit Stefan.

Voilà, ils en étaient arrivés au cœur du problème qui avait conduit Stefan dans ce bunker en cette nuit de mars. Hitler avait appris par l'institut que les plages de Normandie seraient le théâtre du Débarquement. Dans l'avenir qui avait été planifié pour lui, le Führer se tromperait et se préparerait à mettre les Alliés en déroute ailleurs, laissant la Normandie mal défendue. Il fallait l'encourager à s'en tenir à la stratégie qu'il aurait suivie si l'institut n'avait pas existé. Il devait perdre la guerre, comme l'avait prévu le destin. Une lourde responsabilité reposait sur les épaules de Stefan : miner l'influence de l'institut et assurer ainsi le succès du Débarquement.

· 22 ·

Klietmann avança de quelques mètres supplémentaires, et se retrouva en avant de la Buick, de profil par rapport à la femme. Il resta allongé derrière l'arête d'une roche blanche veinée de quartz bleu, attendant que Hubatsch fasse un mouvement au sud. Quand la femme serait distraite, il bondirait hors de sa cachette et tirerait tout en courant. Il la réduirait en miettes avant qu'elle ait le temps de se retourner et de voir son exterminateur.

Allez, sergent, dépêche-toi, ne te planque pas comme un froussard de juif, pensa Klietmann. Allez, sors ton nez, montre-toi.

Un instant plus tard, Hubatsch sortit de sa cachette et la femme le vit courir. Tandis qu'elle détournait son attention vers lui, Klietmann surgit de son abri.

· 23 ·

Se penchant en avant sur son fauteuil de cuivre, Stefan dit :

— Des mensonges, rien que des mensonges, *mein Führer*. Vous détourner sur les plages de Normandie, c'est ça le but du complot des traîtres. Ils veulent vous forcer à commettre une erreur que vous n'étiez pas censé commettre. Ils veulent que vous concentriez toutes vos forces sur la Normandie alors que le débarquement aura lieu à...

— Calais !

— Oui, c'est ça.

— J'étais sûr que cela se produirait dans les environs de Calais, tout au nord de la côte. Ils traverseront la Manche là où le passage est le plus étroit.

— Vous avez parfaitement raison, *mein Führer*. Des troupes débarqueront effectivement en Normandie le 7 juin...

En fait, ce serait le 6, mais les conditions atmosphériques seraient si défavorables que le Haut Commandement allemand ne croirait jamais les Alliés capables d'entreprendre une telle opération dans la tempête.

— ... Mais il s'agira d'une diversion destinée à écarter vos panzers du théâtre principal, près de Calais...

Cette information jouait sur tous les préjugés du Führer et son sens de l'infaillibilité. Il retourna à sa chaise et donna un coup de poing sur son bureau.

— Oui, c'est ce qui semble le plus plausible, Stefan, mais... j'ai des documents, des pages de livres d'histoire de la guerre qu'on m'a ramenées de l'avenir et...

— Des faux ! s'exclama Stefan, comptant sur le tempérament paranoïaque du dictateur pour faire accepter son mensonge. Au lieu de vous ramener les documents réels, ils ont fabriqué des faux pour vous induire en erreur.

Avec un peu de chance, le bombardement promis par Churchill aurait lieu le lendemain, détruisant le portail en miettes, avec tous les documents qu'il contenait ainsi que tous ceux qui savaient le reconstruire. Le Führer n'aurait donc pas la moindre

333

chance de pouvoir ouvrir une enquête pour vérifier la véracité des dires de Stefan.

Hitler garda le silence pendant une longue minute, les yeux fixés sur le Luger, réfléchissant intensément.

Dehors, les bombardements reprirent de plus belle, faisant vibrer les toiles sur le mur et les crayons.

Stefan attendait, impatient de savoir si Hitler l'avait cru.

— Comment es-tu revenu ? Le portail est bien gardé depuis la disparition de Kokoschka et des cinq autres.

— Je ne suis pas revenu par le portail, je suis directement revenu de l'avenir en utilisant ma ceinture.

C'était le mensonge le plus audacieux de tous, car la ceinture ne fonctionnait pas comme une machine à voyager dans le temps, c'était simplement un équipement de retour qui ne pouvait que ramener le voyageur à son point de départ. Il comptait sur l'ignorance des politiciens pour le sauver. Ils savaient approximativement ce qui se passait, mais en comprenaient rarement les détails. Hitler connaissait le portail, mais peut-être seulement dans ses grandes lignes. Il ne savait sans doute rien de précis sur le fonctionnement des ceintures.

Si Hitler savait que Stefan était revenu avec la ceinture de Kokoschka, il comprendrait immédiatement que Kokoschka et les autres ne s'étaient pas enfuis mais avaient été simplement éliminés. Toute l'histoire de complot s'écroulerait en un instant et Stefan serait un homme mort.

— Tu t'es servi de la ceinture sans passer par le portail ? C'est possible ?

La bouche sèche, mais s'exprimant avec conviction, Stefan répondit :

— Oh oui, c'est assez simple de régler la ceinture pour qu'elle ne se contente pas de vous ramener au portail et qu'elle vous permette de voyager à votre gré. Heureusement, d'ailleurs, sinon, en essayant de vous joindre, j'aurais été arrêté par les juifs qui le contrôlent.

— Les juifs ? s'exclama Hitler, surpris.

— Oui. D'après ce que je sais, le complot à l'institut a été ourdi par des membres du personnel qui ont du sang juif dans les veines mais qui ont réussi à dissimuler leur origine.

Le visage du Führer se durcit d'un soudain accès de rage.

334

— Des juifs ! On en revient toujours au même problème. L'institut aussi, maintenant.

En entendant cette phrase, Stefan savait avoir remis le cours de l'histoire sur le droit chemin.

Le destin lutte pour rétablir ce qui était prévu.

· 24 ·

— Chris, cache-toi sous la voiture, dit Laura.

Au moment où elle parlait, l'homme qui approchait par le sud se leva et courut le long du fossé, se dirigeant vers elle et vers le maigre abri fourni par une dune basse.

Elle sauta sur ses pieds, sûre que la Buick la protégerait, et ouvrit le feu. Les douze premières balles rebondirent aux pieds de l'homme, mais les suivantes le blessèrent aux jambes. Il tomba en hurlant et fut de nouveau touché au sol. Puis il roula deux fois sur lui-même et dégringola au fond du ravin, à dix mètres en contrebas.

Au moment où il disparaissait, Laura entendit un crépitement de tir de mitraillette derrière elle. Avant qu'elle ait le temps de se retourner, elle fut touchée dans le dos et s'écroula, face contre terre.

· 25 ·

— Les juifs, dit Hitler en furie. Et à propos, cette arme nucléaire qui devait nous permettre de gagner la guerre ?

— Encore des mensonges, *mein Führer*. Malgré les nombreuses tentatives, cette arme n'a jamais vu le jour. C'est une invention des conspirateurs pour gâcher l'énergie et les ressources du Reich.

Un grondement transperça les murs, comme s'ils avaient été dans les cieux, au beau milieu d'un orage, et non sous terre.

Les lourds cadres des toiles de maîtres tremblèrent.

Les crayons cliquetèrent.

Hitler regarda Stefan droit dans les yeux et l'observa.

— Si tu n'avais pas été loyal, je suppose que tu serais venu armé et que tu m'aurais tué immédiatement.

Stefan y avait songé, car ce n'était qu'en tuant Adolf Hitler qu'il pourrait se laver des souillures de son âme. Pourtant, cela aurait été un acte égoïste, car cela aurait radicalement bouleversé le cours de l'histoire et cela aurait mis l'avenir en jeu. S'il modifiait trop profondément la série d'événements que le destin avait prévue, il changerait peut-être le monde pour le pire en général, et en particulier pour Laura. Qu'arriverait-il si, après avoir tué Hitler, il retournait en 1989 et trouvait un monde si différent de celui qu'il avait quitté que Laura n'aurait jamais eu la chance de naître ?

Il mourait d'envie d'exterminer ce serpent à peau humaine, mais il ne pouvait prendre la responsabilité des conséquences qui s'ensuivraient. Le bon sens lui disait qu'il ne pouvait ainsi changer les choses que pour le mieux, mais il savait que le bon sens et le destin n'étaient que rarement conciliables.

— Oui, si j'avais été un traître, j'aurais pu vous tuer. Et j'ai peur que les véritables conspirateurs de l'institut n'envisagent un jour une telle opération.

Hitler pâlit.

— Demain, je ferai boucler l'institut. Le portail du temps restera fermé jusqu'à ce qu'on ait éliminé les brebis galeuses.

Les bombes de Churchill te battront peut-être sur le poteau, pensa Stefan.

— Nous gagnerons, Stefan, nous gagnerons en gardant foi en notre destin, pas en jouant les voyants. Nous gagnerons car tel est notre destin.

— Oui, *mein Führer,* tel est notre destin. Nous sommes du côté de la vérité, répondit Stefan.

Hitler sourit. Envahi d'une vague de sensiblerie étrange parce que soudaine, il parla du père de Stefan, Franz, et des premiers jours à Munich : la réunion secrète dans l'appartement d'Anton Drexler, les réunions publiques dans les bars, le *Hofbräuhaus* et l'*Eberlbräu.*

Stefan l'écouta, faussement fasciné, mais quand le dictateur répéta qu'il éprouvait une confiance inébranlable dans le fils de Franz Krieger, Stefan en profita pour faire ses adieux :

— *Mein Führer,* j'ai une confiance inébranlable en vous, et je resterai éternellement votre fidèle serviteur.

Il se leva, fit le salut hitlérien et passa la main sous sa chemise.

— Je dois partir dans l'avenir, car d'autres missions en votre nom m'attendent.

— Partir ? dit Hitler en se levant. Mais je croyais que maintenant tu allais rester à notre époque. Pourquoi t'en aller, puisque tu es lavé de tout soupçon ?

— Je crois savoir où le traître Kokoschka s'est réfugié. Il faut que je le retrouve et que je le ramène ici, car il connaît sans doute le nom de ses complices, et on peut le forcer à parler.

Il refit un rapide salut, poussa le bouton et disparut avant que Hitler puisse répondre.

Il retourna à l'institut dans la nuit du 16 mars, la nuit où Kokoschka était parti dans les montagnes de San Bernardino pour ne jamais revenir. Il avait fait de son mieux pour organiser la destruction de l'institut et, désormais, Hitler se méfierait de toutes les informations qu'il avait eues par ce biais. Il aurait hurlé de rire s'il n'avait été rongé d'anxiété en pensant aux SS qui poursuivaient Laura.

Devant la console, il entra les données calculées par l'ordinateur pour son tout dernier saut : le désert au nord de Palm Springs, où Laura et Chris l'attendaient le matin du 25 janvier 1989.

· 26 ·

En tombant, Laura savait déjà qu'elle avait été touchée à la colonne vertébrale, car elle ne ressentit aucune douleur, aucune sensation en dessous du cou.

Le destin lutte pour rétablir ce qui était prévu.

Le tir cessa.

Comme elle ne pouvait bouger que la tête, elle se tourna vers Chris et le vit, aussi paralysé qu'elle, mais de terreur. Derrière l'enfant, à une quinzaine de mètres, un homme en chemise blanche, pantalon noir et lunettes de soleil, arrivait, avec un pistolet mitrailleur.

— Chris, cours ! Cours ! Cours !

Le visage de l'enfant se tordit de chagrin, comme s'il savait qu'il allait laisser sa mère mourir seule. Il courut dans le désert aussi vite que ses petites jambes le lui permettaient en faisant des zigzags, pour s'exposer le moins possible.

Laura vit le tueur lever son arme.

Dans le laboratoire principal, Stefan ouvrit le panneau qui dissimulait le cadran d'enregistrement des sauts.

Le rouleau de papier de cinq centimètres de large indiquait tous les voyages de la soirée : un saut au 10 janvier 1988, le voyage de Kokoschka vers les montagnes de San Bernardino, là où il avait tué Daniel Packard ; huit voyages vers 6 000 000 000 après Jésus-Christ, les cinq hommes et les huit paquets d'animaux de laboratoire dont il s'était débarrassé. Ses deux voyages étaient également enregistrés, l'un vers le 20 mars 1944, avec la latitude et la longitude des souterrains de St. James' Park, l'autre pour le 21 mars 1944, avec les coordonnées précises du bunker de Hitler. La destination du saut qu'il venait de programmer mais n'avait pas encore accompli figurait également sur le papier : Palm Springs, 25 janvier 1989. Il le déchira, le fourra dans sa poche et remit un rouleau de papier vierge. On s'apercevrait que quelqu'un avait trafiqué le rouleau, mais on croirait que c'était Kokoschka et les autres fuyards qui avaient voulu effacer leurs traces.

Il referma le panneau et passa les lanières du sac plein des livres de Churchill. Il enfila la bandoulière de l'Uzi et prit son pistolet muni d'un silencieux.

Il jeta un coup d'œil dans la pièce pour voir s'il n'avait rien laissé qui pourrait trahir sa présence. Les listings de l'imprimante IBM étaient bien rangés dans sa poche. La cartouche de Vexxon avait été envoyée à des milliards d'années, sous le soleil mort ou mourant. Apparemment, il n'avait rien oublié.

Il entra dans le portail et s'approcha du point de transmission avec plus d'espoir qu'il n'en avait jamais eu. Il avait réussi à organiser la destruction de l'institut et la défaite des nazis grâce à une série de manipulations machiavéliques, et sans aucun doute, lui et Laura sauraient mettre en échec cette petite patrouille de SS de Palm Springs.

— Non ! cria Laura, paralysée sur le sol du désert.

Son cri n'était guère plus qu'un murmure, car elle n'avait plus ni force ni musculature thoracique.

Le pistolet mitrailleur ouvrit le feu et pendant un instant, elle espéra que Chris serait hors de portée de tir, espoir vain et désespéré, car ce n'était qu'un petit garçon, avec des petites jambes, et il n'était qu'à quelques pas quand les balles le touchèrent, déchirèrent son dos fragile et le plaquèrent au sol, dans un bain de sang.

La douleur de son corps qui lui était épargnée n'aurait pas compté à côté de celle qu'elle éprouva en voyant le corps inanimé de son fils. Malgré les nombreuses tragédies de sa vie, jamais elle n'avait connu une peine si intense. C'était comme si toutes les morts antérieures, son adorable père, Nina Dockweiler, la douce Ruthie, et Danny pour qui elle se serait volontiers sacrifiée, se renouvelaient dans cette fatalité d'un destin bien déterminé à l'écraser. Elle ne souffrait pas seulement de la mort de Chris, mais aussi de toutes les morts précédentes. Elle était insensible et immobile, mais spirituellement torturée, détruite, incapable de se montrer courageuse, d'espérer, ou même de s'intéresser à ce qui se passait. Son fils était mort. Elle n'avait pas réussi à le sauver, et tous ses espoirs étaient morts avec lui. Elle se sentait terriblement seule dans un univers hostile et froid et n'aspirait plus qu'à la mort, au néant, à la fin de ses chagrins.

L'homme s'approcha d'elle.

— Tuez-moi, je vous en prie, tuez-moi, dit-elle d'une voix si faible qu'il ne l'entendit probablement pas.

A quoi cela avait-il servi de vivre ? A quoi cela avait-il servi d'endurer toutes ces souffrances ? Pourquoi avait-elle souffert, si tout devait finir comme ça ? Quelle conscience cruelle régissait les lois de l'univers pour l'obliger ainsi à lutter et à se débattre avant de s'apercevoir à la fin que cela avait été en vain.

Christopher Robbin était mort.

De grosses larmes chaudes lui roulaient sur le visage, mais c'était la seule sensation qu'elle pût éprouver, avec la rugosité de la pierre contre sa joue droite.

En quelques pas, l'homme arriva jusqu'à elle. Il lui donna un coup de pied. Elle ne le sut que parce qu'elle vit son mocassin s'enfoncer dans ses côtes.

— Tuez-moi.

Soudain, elle eut peur que le destin ne s'applique un peu trop à reproduire ce qu'il avait prévu, auquel cas, elle continuerait à vivre, mais dans le fauteuil roulant dont Stefan l'avait sauvée en intervenant le jour de sa naissance. Chris était un enfant qui n'avait jamais eu de place dans les projets du destin, et maintenant, il était retiré de l'existence. Peut-être survivrait-elle, car elle était destinée à la chaise roulante. Elle eut une vision de son avenir, vivante, paraplégique ou quadriplégique, piégée dans son fauteuil, pis encore, piégée dans une vie de tragédies, de souvenirs amers, de chagrins insensés, de regrets pour son fils, son mari, son père, et tous ceux qu'elle avait perdus.

— Oh, je vous en supplie, pour l'amour de Dieu, tuez-moi.

— Eh bien oui, je dois être le messager de Dieu, dit-il avec un rire désagréable. Je vais répondre à tes prières.

Un éclair explosa et un coup de tonnerre roula dans le désert.

Grâce aux calculs effectués sur l'ordinateur, Stefan revint exactement à l'endroit d'où il était parti, cinq minutes plus tard. La première chose qu'il vit fut le corps ensanglanté de Laura avec le SS qui se tenait debout près d'elle. Plus loin, il aperçut Chris.

L'homme en noir réagit immédiatement au son de l'orage et se tourna vers Stefan.

Stefan poussa trois fois le bouton de sa ceinture. La pression atmosphérique augmenta immédiatement ; l'air s'emplit d'une odeur d'ozone et de fils électriques chauffés.

Le SS le vit, leva son arme et ouvrit le feu instantanément sur lui.

Avant que les balles ne le touchent, Stefan bondit hors de 1989 et se retrouva à l'institut dans la nuit du 16 mars 1944.

— Merde ! s'écria Klietmann en voyant Krieger s'enfuir sur la route du temps, indemne.

Bracher se précipita vers lui en hurlant :

— C'était lui ! C'était lui !

— Je sais bien que c'était lui, qui voulais-tu que cela soit d'autre !

— Qu'est-ce qu'il mijote ? Pourquoi est-il rentré ? Qu'est-ce que c'est que cette histoire ?

— Je ne sais pas, dit Klietmann, furieux. Tout ce que je sais, dit-il en se penchant vers la femme, c'est qu'il vous a vus, toi et le garçon, et il n'a même pas essayé de vous venger. Il s'est enfui pour sauver sa peau. Qu'est-ce que tu penses de ton héros, maintenant ?

Laura continua à le supplier pour qu'il la tue.

Klietmann fit un pas en arrière.

— Bracher, écarte-toi.

Bracher s'éloigna, et Klietmann envoya une rafale d'une vingtaine de balles qui transpercèrent le corps de la femme, la tuant sur le coup.

— Vous auriez pu l'interroger, dit le caporal Bracher. Lui demander ce que manigançait Krieger.

— Elle était paralysée, répondit Klietmann, avec impatience. Elle ne sentait plus rien. Je lui ai donné un coup de pied qui a dû lui casser la moitié des côtes, elle n'a pas moufté. Comment torturer quelqu'un qui ne souffre pas ?

Mars, 1944. L'institut.

Le cœur tambourinant comme le marteau d'un forgeron, Stefan se précipita hors du portail et alla reprogrammer la machine. Il sortit les calculs de sa poche et les étala sur le bureau dans une niche de la console.

Il s'assit, prit un crayon et sortit un bloc-notes d'un tiroir. Ses mains tremblaient tant que son crayon lui échappa des mains à deux reprises.

Il disposait de tous les calculs qui l'avaient ramené dans ce désert cinq minutes après son départ. Il pouvait faire un compte à rebours à partir de ces chiffres et trouver les données qui le ramèneraient au même endroit quatre minutes et cinquante-cinq secondes plus tôt, cinq secondes après qu'il eut quitté Chris et Laura.

S'il ne s'absentait que cinq secondes, les SS n'auraient pas encore eu le temps de la tuer. Il pourrait ajouter sa puissance de feu au combat, cela suffirait peut-être à en changer l'issue.

Il avait appris les bases mathématiques nécessaires pour

effectuer ces calculs quand on l'avait nommé à l'institut à l'automne 1943. Le travail n'était pas trop compliqué, car il n'avait pas besoin de tout recommencer dès le début. Il devait simplement corriger les données de l'ordinateur de quelques minutes.

Mais, devant sa feuille de papier, il était incapable de réfléchir, car Laura et Chris étaient morts.

Sans eux, il ne lui restait plus rien.

Tu peux les faire revivre, se dit-il. Dépêche-toi, tu peux tout empêcher avant que cela arrive.

Il se pencha sur sa tâche et travailla près d'une heure. Il savait qu'il ne viendrait sans doute personne à l'institut à cette heure de la nuit, mais il s'imaginait entendre les bruits de bottes des SS au rez-de-chaussée. Deux fois, il se tourna vers le portail, à demi convaincu d'avoir entendu les cinq hommes envoyés en 6 000 000 000 après Jésus-Christ revenir, ressuscités par il ne savait quel miracle.

Quand il eut terminé, il vérifia longuement ses calculs avant d'entrer les données. Son pistolet mitrailleur dans une main, son Colt Commander dans l'autre, il monta dans le portail, passa le point de transmission...

... et se retrouva à l'institut.

Il resta un moment dans le portail, éberlué, abasourdi. Il retraversa le champ de l'énergie...

... et se retrouva à l'institut.

L'explication lui vint soudain à l'esprit avec une telle force qu'il se courba en deux, comme s'il venait de recevoir un coup dans l'estomac. Il ne pouvait pas revenir plus tôt, car il avait déjà atterri à cet endroit cinq minutes après l'avoir quitté. S'il y retournait, il se rencontrerait sûrement, créant un paradoxe impossible. Paradoxe ! Le mécanisme du cosmos interdisait au voyageur du temps de se croiser à quelque endroit que ce soit de la route du temps. Si on le tentait malgré tout, cela ratait infailliblement. La nature hait le paradoxe.

Il se souvenait de Chris dans cette chambre d'hôtel sordide, s'écriant avec un rire enjoué et charmant : « Paradoxe ! Paradoxe ! Tu te rends compte, maman ? C'est quand même fantastique ! »

Il devait bien exister un moyen.

Il retourna vers la console de commandes, posa ses armes et s'assit.

La sueur ruisselait sur son visage. Il s'essuya le visage sur sa manche de chemise.

Réfléchis!

Il regarda l'Uzi et se demanda s'il ne pouvait pas au moins lui envoyer les armes. Sans doute pas. Il les avait avec lui quand il était retourné dans le désert, et s'il essayait de les lui faire parvenir quatre minutes et cinquante-cinq secondes plus tôt, elles existeraient deux fois au même endroit. Paradoxe.

Peut-être pouvait-il envoyer autre chose, quelque chose qui venait de cette pièce, quelque chose qui ne créerait pas de paradoxe.

Il repoussa les armes, reprit son crayon et se mit à écrire un mot sur une feuille de bloc-notes : LES SS VOUS TUERONT SI VOUS RESTEZ PRÈS DE LA VOITURE. CACHEZ-VOUS. Il marqua une pause et réfléchit un instant. Où pouvaient-ils bien se cacher dans cette plaine désertique ? Il ajouta : DANS LE FOSSÉ. Il arracha la page. Puis, saisi d'une arrière-pensée, il griffonna à la hâte : LA DEUXIÈME CARTOUCHE DE VEXXON. C'EST UNE ARME AUSSI.

Il fouilla dans les tiroirs, à la recherche d'un flacon à goulot étroit, mais ne trouva aucun ustensile de ce genre ; en effet, là où il se trouvait, les recherches concernaient davantage l'électromagnétisme que la chimie. Il se rendit dans les autres laboratoires et mit enfin la main sur ce qu'il désirait.

Il entra les données sur la console, pénétra dans le portail, s'approcha du point de transmission et jeta l'éprouvette contenant son message, tel un naufragé qui envoie sa bouteille à la mer.

Elle ne rebondit pas vers lui.

... Mais immédiatement, le vide fut comblé par une rafale de vent chaud qui se leva, apportant la légère odeur alcaline du désert.

Accroché aux jupes de sa mère, Chris s'exclama :

— Ouaouh ! C'était fantastique ! Maman, tu trouves pas ?

Elle ne lui répondit pas car elle avait remarqué une voiture blanche qui quittait la route et avançait dans le désert. Elle se dirigea vers eux et le chauffeur accéléra.

Des éclairs explosèrent, le tonnerre gronda. Une bouteille de verre se matérialisa à ses pieds, sortie de nulle part, et se brisa en mille morceaux. Il y avait un papier à l'intérieur.

Chris le ramassa parmi les débris de verre. Avec son aplomb extraordinaire dans ce genre de domaine, il claironna :

— Ça doit venir de Stefan !

Laura le lui prit des mains, lut le mot, sans oublier la voiture qui approchait. Elle ne comprit pas comment ce message était arrivé jusqu'à elle, mais elle y crut. Avant d'avoir terminé sa lecture, alors que les éclairs scintillaient toujours dans le ciel, par-dessus les grondements du tonnerre, elle entendit le bruit d'un moteur.

Elle leva les yeux et vit le véhicule accélérer dans leur direction. Il était encore à environ trois cents mètres mais avançait rapidement.

— Chris, va chercher les deux Uzi et va m'attendre au bord du ravin. Dépêche-toi !

Tandis que le garçon ouvrait la porte de la voiture, Laura se précipita vers le coffre. Elle saisit la cartouche de Vexxon et rattrapa Chris avant même qu'il soit parvenu au ravin profond, sculpté par les eaux qui l'inondaient au cours de la saison des pluies, mais asséché pour le moment.

La voiture blanche n'était plus qu'à cent cinquante mètres.

— Viens, il faut trouver le moyen de descendre.

Les parois du ravin, à peine inclinées, descendaient vers le fond, dix mètres plus bas. Façonnées par l'érosion, elles présentaient des centaines de petites rigoles verticales, atteignant parfois à peine quelques centimètres de large, parfois larges de plus d'un mètre. Au cours des orages, l'eau du désert ruisselait dans ces gouttières et se déversait au fond du ravin en torrents dévastateurs. Dans certaines de ces rigoles, la terre avait été lavée, révélant des roches ici et là qui ralentissaient la descente, tandis que d'autres étaient partiellement obstruées par quelques touffes d'herbe qui avaient pris racine dans les parois du ravin.

A une centaine de mètres, la voiture quitta le sol de schiste et roula dans le sable, ce qui la força à ralentir.

Laura avait parcouru une vingtaine de mètres le long du fossé quand elle vit une rigole qui descendait droit vers le fond, sans la moindre touffe d'herbe ni la moindre roche. C'était un chemin d'un mètre de large et de dix mètres de long de pente terreuse.

Elle y jeta la cartouche de Vexxon et s'y glissa à mi-corps avant de s'arrêter.

Elle prit un Uzi des mains de Chris, se tourna vers la voiture qui n'était plus qu'à soixante-quinze mètres, et ouvrit le feu. Deux balles au moins traversèrent le pare-brise qui se craquela instantanément.

La Toyota — elle la reconnaissait à présent — fit un tour et demi sur elle-même, soulevant des nuages de poussière, et déracina quelques amarantes encore vertes. Elle s'arrêta à environ quarante mètres, l'avant vers le nord, le siège du passager face à elle. Les portes s'ouvrirent de l'autre côté. Les occupants rampaient pour rester à couvert.

Elle prit l'autre Uzi des mains de Chris.

— Vite, descends, fiston. Laisse-toi glisser. Quand tu verras la cartouche, pousse-la jusqu'en bas.

Il glissa le long du fossé, poussé par la force de gravité, mais en s'aidant de temps en temps quand le frottement l'arrêtait. C'était exactement le genre de cascade qui aurait suscité le courroux de toute mère aimante en d'autres circonstances, mais Laura l'applaudit.

Elle tira environ une centaine de balles vers la Toyota, espérant percer le réservoir et incendier la voiture grâce à une étincelle providentielle, pour brûler vifs ces salauds qui sortaient de l'autre côté, mais elle n'obtint pas le résultat escompté.

Quand elle arrêta de tirer, ils ripostèrent mais elle ne resta pas assez longtemps sur place pour leur offrir une cible. Le second Uzi tenu à deux mains devant elle, elle s'assit sur le bord du ravin et disparut par le chemin que Chris avait déjà emprunté. En quelques secondes, elle arriva au fond.

Des amarantes sèches étaient tombées au fond du ravin. Du bois, érodé par le temps, venu des ruines lointaines d'une vieille cabane du désert, et quelques pierres jonchaient le sol. Rien n'offrait une couverture suffisante pour se protéger des balles qui ne tarderaient pas à les assaillir.

— Maman ? demanda Chris, inquiet pour la suite des événements.

La rivière asséchée devait avoir des vingtaines d'affluents, dispersés dans le désert, dont beaucoup avaient aussi des ramifications. Le réseau de drainage du désert était un véritable labyrinthe. Ils ne pouvaient pas s'y cacher éternellement, mais en

mettant quelques vieux branchages entre eux et leurs poursuivants, peut-être gagneraient-ils suffisamment de temps pour
préparer une embuscade.

— Allez, vite, mon bébé, suis le ravin central, tourne à droite
dès que tu verras un embranchement, et attends-moi.

— Qu'est-ce que tu vas faire ?

— Je vais attendre qu'ils pointent leur nez là-haut, et je vais les
faire dégringoler. Allez, vas-y.

Chris se mit à courir.

Laissant la cartouche de Vexxon en vue, Laura se dirigea vers la
paroi par laquelle ils étaient descendus, mais se cacha un peu plus
loin, là où celle-ci, presque verticale, plus profondément creusée,
était à demi dissimulée à la vue par un buisson. Elle s'aplatit
contre la paroi, en toute confiance.

A l'est, Chris avait disparu dans un ravin adjacent.

Un moment plus tard, elle entendit des voix. Elle attendit,
attendit, pour leur faire croire que Chris et elle étaient partis, puis
elle sortit de son abri et balaya le sommet du ravin d'une rafale de
balles.

Il y avait quatre hommes en haut, elle tua les deux premiers,
mais le troisième et le quatrième firent un bond en arrière, et
disparurent avant qu'elle les atteigne. Un des corps était resté en
haut, un bras et une jambe dépassant par-dessus bord ; l'autre
tomba en perdant ses lunettes dans la chute.

Mars 1944. L'institut.

En ne voyant pas la bouteille rebondir vers lui, Stefan était
presque sûr d'avoir réussi à joindre Laura quelques secondes
après son propre départ, avant qu'elle ne soit tuée.

Il retourna à la console et se mit à faire les calculs pour arriver
quelques minutes après son premier retour. Ce voyage-là, il
pouvait le faire, car il n'aurait pas la possibilité de se rencontrer et
donc de créer un paradoxe.

Cette fois non plus, l'opération ne fut pas trop difficile ; en
effet, il pouvait s'appuyer sur les données calculées par l'IBM PC.
Bien qu'il sût que le temps qui s'écoulait à l'institut ne s'écoulait
pas au même rythme qu'en 1989, il était impatient de rejoindre
Laura. Même si elle avait tenu compte du message, même si

l'avenir dans lequel il l'avait vue était modifié et qu'elle fût toujours en vie, il faudrait qu'elle se débarrasse des SS, et elle aurait besoin d'aide.

En quarante minutes, il parvint aux résultats désirés et programma la porte.

De nouveau, il ouvrit le panneau et déchira le papier qui avait enregistré son saut.

Son pistolet et son Uzi en main, grinçant des dents sous la douleur qui lui labourait l'épaule, il pénétra dans le portail.

La cartouche de Vexxon et l'Uzi en main, Laura rejoignit Chris dans le ravin plus étroit, sur la droite, à une soixantaine de mètres de l'endroit par où ils étaient descendus. En haut, dans le désert, un des tueurs survivants jeta le corps en équilibre précaire par-dessus bord, sans doute pour voir si elle était encore en dessous et si elle essaierait de tirer. Comme il n'y eut pas de réponse, les deux hommes s'enhardirent. L'un s'allongea près du bord et tira pour couvrir son collègue qui entamait la descente.

Quand le deuxième eut rejoint le premier, Laura avança courageusement, tourna le coin du ravin et lâcha une seconde rafale. Ses attaquants furent si surpris par son agressivité qu'ils ne rendirent pas le tir et allèrent s'abriter dans l'une des profondes entailles du mur. Un seul réussit à se dissimuler entièrement. Elle tira sur le deuxième.

Elle recula et ramassa la cartouche.

— Allez, viens. Vite !

Tandis qu'ils couraient au fond du ravin, à la recherche d'un autre embranchement du labyrinthe, un autre éclair déchira le ciel bleu.

— M. Krieger ! s'exclama Chris.

Stefan revint dans le désert sept minutes après être parti pour rencontrer Churchill et Hitler en 1944, deux minutes après son premier retour, quand il avait vu Chris et Laura assassinés par les SS. Cette fois, il n'y avait pas de corps, mais seulement la Buick et la Toyota criblée de balles, dans une position légèrement différente.

Espérant que son astuce avait marché, Stefan se précipita vers le ravin et le longea en courant, cherchant quelqu'un, ami ou ennemi. Il vit les trois cadavres d'hommes à dix mètres en contrebas.

Il y en avait un quatrième. Les escadrons SS comportaient toujours quatre hommes au moins. Quelque part dans ce dédale de ravins qui traversaient le désert, tels des zigzags d'éclairs, Laura cherchait toujours à échapper au quatrième homme.

Dans la paroi, Stefan découvrit un canal presque vertical qui semblait avoir été déjà utilisé. Il se débarrassa de son sac de livres et glissa. Son dos frotta la terre, et sa blessure lui cuisit un peu plus. En bas, quand il se leva, il fut pris d'étourdissements et la bile lui monta à la gorge.

Quelque part dans ce dédale, vers l'est, une mitraillette crépita.

Elle s'arrêta face à un autre embranchement, et fit signe à Chris de ne pas faire de bruit.

Respirant par la bouche, elle attendait que le dernier tueur dépasse l'endroit qu'elle venait de quitter. Même dans la terre molle, on percevait les bruits de pas.

Elle se pencha pour tirer, mais il se montrait extrêmement prudent, à présent. Il courait lentement, plié en deux. Le tir trahit la position de Laura. Il traversa le ravin et se cacha derrière la paroi d'où partait l'embranchement, si bien que Laura ne pouvait viser qu'en avançant dans le ravin où il l'attendait.

En fait, elle essaya, mais quand elle tira, la rafale s'arrêta en moins d'une seconde. Le magasin ne contenait plus qu'une dizaine de balles.

Klietmann s'aperçut que l'Uzi était vide. Il sortit un peu de sa crevasse et la vit jeter son arme. Elle disparut dans la bouche d'un autre embranchement.

Il réfléchit à ce qu'il avait vu, plus haut dans la Buick : un revolver .38. Elle n'avait sans doute pas eu le temps de le prendre, tellement elle s'était précipitée vite sur cet étrange extincteur du coffre.

Elle avait donc deux Uzi, vides tous les deux. Avait-elle d'autres armes de poing que celle qu'elle avait laissée dans la voiture ?

Improbable. Les armes automatiques étaient utiles à cette distance dans de nombreuses circonstances. Mais à moins qu'elle ne soit un fin tireur, un revolver ne lui servirait pas à grand-chose, sauf de près. Et elle n'aurait que six coups pour se débarrasser de son adversaire ou mourir dans ses bras. Un revolver ne servirait à rien.

Que lui restait-il donc ? La cartouche ? Cela ressemblait plutôt à un extincteur chimique.

Il alla à sa rencontre.

Le ravin était beaucoup plus étroit que le précédent, lui-même plus étroit que le premier. Il n'avait que sept mètres de profondeur et seulement trois mètres de large à la bouche et rétrécissait de moitié en se frayant un chemin sinueux dans la terre du désert. A une centaine de mètres, il se terminait en cul-de-sac.

A l'extrémité, Laura chercha une issue. Des deux côtés, les parois étaient trop abruptes, trop lisses et trop fragiles pour qu'on puisse les escalader, mais derrière, le mur montait en pente acceptable et des buissons de bouteloue offraient des points d'appui. Pourtant, ils ne seraient qu'à mi-pente quand leur poursuivant les verrait, et, ainsi suspendus, ils seraient des cibles faciles.

Il fallait qu'elle reste là où elle se trouvait.

Au bout de ce ravin gigantesque, elle leva les yeux vers le rectangle de ciel bleu et se crut au fond d'une immense tombe construite pour des géants.

Le destin lutte pour rétablir ce qui était prévu.

Elle poussa Chris derrière elle, contre la paroi. En avant, à une vingtaine de mètres, le ravin tournait vers la gauche. Le tueur apparaîtrait par là dans une ou deux minutes.

Elle s'agenouilla pour défaire le fil de sécurité de la commande manuelle de sa cartouche de Vexxon. Mais le fil n'était pas simplement passé dans la poignée, il était enroulé plusieurs fois et fermé par une soudure. On ne pouvait pas le défaire. Il fallait le couper, et elle n'avait aucun outil.

Une pierre, peut-être ? Une pierre pointue dont elle pourrait se servir comme d'une lime ?

— Chris, va me chercher une pierre, une pierre bien coupante.

Tandis que Chris fouillait le sol délavé du désert, elle observa la minuterie automatique, qui permettait également de faire sortir le gaz. C'était un système très simple, un écran rotatif calibré en minutes ; si on voulait le régler sur vingt minutes par exemple, il suffisait de mettre le chiffre vingt en face de la marque rouge du cadre. En appuyant sur le bouton au centre, le compte à rebours commençait.

Le seul problème était que l'on ne pouvait pas le régler sur moins de cinq minutes. Son agresseur arriverait avant.

Néanmoins elle tourna le cadran sur le temps minimal et pressa sur le bouton. Le tic-tac commença.

— Voilà, maman, dit Chris en lui présentant une pierre.

Malgré la minuterie en marche, elle se mit au travail et commença à scier le fil de fer épais. Toutes les deux ou trois secondes elle levait les yeux pour voir si son assassin arrivait, mais le ravin restait désert.

Stefan suivit les empreintes de pas qui maculaient le lit du ravin. Il ne savait pas s'il avait beaucoup de retard. Les autres n'avaient que quelques minutes d'avance, mais ils devaient avancer plus vite car sa douleur dans l'épaule, son épuisement et ses étourdissements le ralentissaient.

Il avait ôté le silencieux de son fusil, l'avait jeté et avait glissé son arme dans sa ceinture. Il tenait l'Uzi à deux mains, en position de tir.

Klietmann s'était débarrassé de ses Ray-Ban, car le ravin était très ombragé, surtout dans les passages les plus étroits qui ne laissaient que peu de place à la lumière.

Comme ses mocassins Bally pleins de sable aux semelles

glissantes ne lui permettaient pas d'avancer d'un pas sûr, il les enleva, ainsi que ses chaussettes, et continua pieds nus, ce qui améliorait beaucoup les choses.

Il ne poursuivait pas la femme et l'enfant aussi rapidement qu'il l'aurait souhaité en partie parce qu'il marchait pieds nus, mais aussi parce qu'il devait surveiller ce qui se passait derrière lui à chaque pas. Il avait vu les éclairs et entendu le tonnerre. Krieger était de retour et devait suivre sa trace, comme lui suivait celle de la femme. Il n'avait pas la moindre envie de se transformer en gibier pour ce *tigre-là* !

Sur la minuterie, deux minutes s'étaient écoulées.

Laura avait scié pendant tout ce temps avec la pierre que Chris lui avait donnée, puis avec une seconde quand la première s'était effritée dans ses mains. Ce pays était incapable de produire un timbre qui collait, un tank capable de traverser un ruisseau à coup sûr, incapable de protéger l'environnement ou de combattre la pauvreté, mais il savait fabriquer du fil de fer indestructible ! Ce matériau avait dû être inventé pour les voyages spatiaux et reconverti dans des emplois plus terre à terre. C'était sûrement ce fil que Dieu utilisait pour attacher les piliers qui soutiennent le monde !

Elle avait les doigts à vif, la pierre ruisselait de sang, et elle n'avait coupé que la moitié des fils quand l'homme aux pieds nus, en pantalon noir et chemise blanche apparut à l'angle du ravin, à une vingtaine de mètres.

Klietmann avançait prudemment, se demandant ce qu'elle pouvait bien fabriquer à s'énerver comme une folle sur cet extincteur. Croyait-elle vraiment qu'un nuage de fumée chimique allait le désorienter et les protéger des balles ?

Ou bien l'extincteur était-il autre chose que ce qu'il pensait ? Depuis qu'il était arrivé à Palm Springs, moins de deux heures auparavant, il avait rencontré plusieurs choses qui n'étaient pas ce qu'elles semblaient être. Une bande rouge sur le trottoir par exemple ne signifiait pas ARRÊT AUTORISÉ EN CAS D'URGENCE mais

351

STATIONNEMENT INTERDIT. Comment savoir ? Comment savoir ce que contenait cette cartouche avec laquelle elle se débattait ?

Elle leva les yeux vers lui et se remit au travail.

Klietmann avançait le long du fossé qui n'était plus assez large pour que deux hommes y marchent de front. S'il avait pu voir le garçon, il aurait tiré de là. Si elle l'avait caché quelque part dans une crevasse, il la forcerait à révéler sa position, car il avait eu l'ordre de les tuer tous, Krieger, la femme et l'enfant. Il ne pensait pas le gamin capable de mettre le Reich en danger, mais il n'était pas du genre à discuter les ordres.

Stefan vit une paire de chaussures abandonnées et une paire de chaussettes noires pleines de sable. Plus tôt, il avait trouvé une paire de lunettes.

C'était la première fois qu'il poursuivait un homme qui se déshabillait en chemin, et au début, il trouva la situation comique. Mais il se souvint du monde décrit dans les romans de Laura Shane, un monde où comédie et terreur s'entremêlaient, un monde où la tragédie frappait au milieu d'un fou rire, et soudain, les chaussures lui firent peur *parce qu'elles* étaient drôles ; il pensait follement que s'il riait, cela déclencherait la mort de Chris et de Laura.

Et cette fois, s'ils mouraient, il ne pourrait plus les sauver en retournant à l'institut et en leur envoyant un autre message plutôt que la bouteille, car il ne disposait que d'un trou de cinq secondes pour agir, et même avec un IBM, il ne parviendrait jamais à une telle précision.

Les empreintes de pieds nus conduisaient à la bouche d'un nouvel embranchement. Bien que la douleur dans son épaule gauche le fasse transpirer et tourner, tel Robinson Crusoé suivant celle de Vendredi, il suivit la piste, mais une piste bien plus menaçante.

De plus en plus désespérée, Laura observait le nazi qui se faufilait à travers les ombres le long du couloir de terre. L'Uzi était braqué sur elle, mais, pour des raisons mystérieuses, il ne tira pas. Elle profita de ce moment de répit miraculeux pour s'acharner sur les fils de sa cartouche de Vexxon.

Même dans ces circonstances, elle s'accrochait à l'espoir grâce à une phrase d'un de ses propres romans qui lui revenait à l'esprit : *Au cœur de la tragédie et du désespoir, quand il tombe une nuit sans fin, on peut toujours espérer que le compagnon de la nuit n'est pas une autre nuit, mais un nouveau jour on peut espérer que l'obscurité laisse place à la lumière La mort n'est qu'une partie de la création, l'autre, c'est la vie.*

A moins d'une dizaine de mètres, le tueur demanda :

— Où est l'enfant ? L'enfant ? Où est-il ?

Elle sentait Chris derrière elle, blotti dans l'ombre entre elle et la paroi du cul-de-sac. Elle se demanda si son corps suffirait à le protéger des balles, et si, après l'avoir tuée, l'homme partirait sans s'apercevoir que Chris était toujours vivant dans la niche sombre.

La minuterie cliqueta. Le gaz jaillit dans une riche senteur d'abricot et dans une odeur nauséabonde de jus de citron et de lait caillé.

Klietmann ne vit rien sortir de la cartouche, mais il entendit quelque chose : le sifflement d'une armée de serpents.

Un instant plus tard, il eut l'impression qu'une main lui avait pénétré dans le corps, avait saisi son estomac et le lui arrachait furieusement. Il se plia en deux et vomit convulsivement sur ses pieds. Dans un éclair douloureux qui lui poignarda les yeux de l'intérieur, quelque chose implosa dans ses sinus. Le sang jaillit de ses narines. En tombant sur le sol, il appuya instinctivement sur la détente de l'Uzi. Sûr de mourir et de perdre toute maîtrise de lui-même, il tenta un dernier effort de volonté pour rouler sur le côté, face à la femme, pour que sa dernière rafale de balles l'emporte avec lui.

Peu après s'être enfilé dans le plus étroit des ravins, où les murs semblaient se resserrer au sommet au lieu de s'ouvrir sur le ciel, Stefan entendit une rafale de mitraillette, toute proche, et il se précipita en avant. Il trébucha sur les pierres, mais il suivit le

353

couloir tortueux jusqu'au cul-de-sac, où il vit l'officier SS empoisonné par le Vexxon.

Derrière le corps, Laura était assise, jambes écartées, la cartouche entre les cuisses, les mains sanglantes crispées sur le métal. Tête penchée, le menton sur la poitrine, elle paraissait toute molle et dépourvue de vie, comme une poupée de chiffon.

— Laura, non ! dit-il d'une voix qu'il reconnut à peine comme la sienne. Non, non !

Elle leva la tête, lui fit un clin d'œil et sourit faiblement. Vivante !

— Chris ! s'exclama-t-il en passant au-dessus du cadavre.

Elle repoussa la cartouche qui sifflait toujours et se déplaça sur le côté.

Chris sortit du noir en demandant :

— Monsieur Krieger ? Vous allez bien ? On dirait un épouvantail ! Excuse-moi, maman, mais c'est vrai !

Pour la première fois en plus de vingt ans, ou en plus de soixante-cinq ans si l'on comptait les années sautées en passant à l'époque de Laura, Stefan Krieger pleura. Il en fut surpris lui-même, car il pensait que sa vie sous le joug du Troisième Reich l'avait rendu incapable de pleurer pour quoi ou qui que ce soit. Plus surprenant encore... ces premières larmes étaient des larmes de joie.

SEPT

L'avenir

· 1 ·

Plus d'une heure plus tard, quand la police longea la route 111 à la poursuite des assassins du policier de patrouille, qu'ils trouvèrent la Toyota criblée de balles, virent le sang sur le bord du ravin, l'Uzi abandonné, et aperçurent Laura et Chris se hisser hors du fossé près de la Buick équipée des plaques d'une Nissan, ils s'attendaient à voir les lieux jonchés de cadavres. Ils ne furent pas déçus. Ils découvrirent les trois premiers sur le lit du ravin asséché et le quatrième dans un embranchement un peu plus loin où la femme épuisée les conduisit.

Dans les jours qui suivirent, Laura sembla coopérer volontairement avec les forces de police locales, les autorités fédérales et nationales, mais tout le monde sentait qu'elle ne disait pas toute la vérité. Les dealers qui avaient tué son mari l'année précédente lui avaient finalement envoyé des tueurs à gages, de peur qu'elle ne réussît un jour à les identifier. Ils étaient venus à Big Bear avec un tel déploiement de forces qu'elle avait dû s'enfuir. Elle n'était pas allée voir la police car elle ne la croyait pas capable de les protéger, elle et son fils. Elle était restée sur la route pendant quinze jours après l'assaut de la nuit du 10 janvier, et, malgré les précautions qu'elle avait prises, ses agresseurs l'avaient retrouvée à Palm Springs, l'avaient poursuivie sur la route 111, l'avaient forcée à se réfugier dans le désert et l'avaient traquée au fond du ravin où elle était finalement venue à bout des tueurs.

Cette histoire d'une femme qui avait exterminé quatre tueurs a gages expérimentés, plus un autre dont on avait retrouvé la tête chez Brenkshaw, n'aurait pas été plausible si Laura n'avait prouvé sa maîtrise des arts martiaux et du maniement des armes, et si elle n'avait possédé tout un arsenal qu'auraient envié certains pays du tiers monde. Au cours des interrogatoires, quand la police lui demanda comment elle s'était procuré les Uzi modifiés et la cartouche de gaz, elle avait répondu :

— J'écris des romans, et pour mon travail, je dois faire des recherches. Je sais comment savoir tout ce que je veux savoir et obtenir tout ce dont j'ai besoin.

Elle leur livra Gros Jack, et le Palais de la Pizza s'avéra conforme à la description qu'elle en avait donnée.

— Je ne lui en veux pas, confia Gros Jack à la presse lors de son procès. Elle ne me doit rien. Les gens ne doivent que ce qu'ils ont envie de devoir. Je suis anarchiste. Les nanas dans son genre, ça me plaît. Et puis, je n'irai pas en prison. Je suis bien tros gros, ça serait la mort assurée. Ce serait un châtiment trop cruel.

Elle ne voulut pas leur dire le nom de l'homme qu'elle avait amené chez le Dr Brenkshaw dans la nuit du 10 au 11 janvier, pour que le médecin soigne ses blessures par balle. Elle dit simplement que c'était un ami qui était avec elle dans la maison de Big Bear quand les tueurs étaient arrivés. Il n'avait aucun rapport avec cette histoire et sa vie serait brisée si elle l'impliquait dans cette affaire sordide, assura-t-elle en sous-entendant que c'était un homme marié avec lequel elle avait une aventure. Il se remettait de sa blessure et avait assez souffert comme ça.

Les autorités firent pression sur elle pour qu'elle révèle l'identité de cet inconnu, mais elle ne démordait pas de sa version, et avec elle, elles avaient peu de possibilités de chantage car Laura pouvait s'offrir les meilleurs avocats du pays. Personne ne voulut croire à cet amant mystérieux. Il n'y avait pas besoin de fouiller bien loin pour apprendre qu'elle s'entendait excessivement bien avec son mari, mort depuis un an seulement, et elle ne s'était pas encore suffisamment remise de ce décès pour se lancer dans une aventure sur la tombe de Danny Packard.

Non, elle ne savait pas pourquoi aucun des morts n'avait de papiers d'identité ni pourquoi ils étaient tous habillés de la même façon. Elle ne pouvait pas expliquer non plus pourquoi ils avaient dû voler une voiture à deux vieilles femmes devant l'église, ni pourquoi ils avaient été pris de panique à Palm Springs et avaient tué un policier Deux des corps avaient des marques de ce qui apparaissait comme une sorte de bandage bien serré et pourtant, aucun d'eux ne portait un tel équipement. Qui pouvait prétendre comprendre les motivations de ce genre d'individus ? fit remarquer Laura. C'était un mystère que même les plus grands sociologues et criminologues ne pouvaient expliquer, et si ces experts étaient incapables de jeter la lumière sur les raisons de conduites aussi pathologiques, comment voulait-on qu'elle éclaire le phénomène plus terre à terre mais tout aussi bizarre de la disparition des bandages ? Quand elle fut confrontée aux deux vieilles femmes dont on avait volé la Toyota, qui soutenaient que les tueurs étaient des anges, elle écouta avec intérêt, presque fascinée, mais demanda ensuite si on allait lui présenter tous les cinglés qui s'intéressaient à cette histoire.

Elle restait de granit.

Elle restait de fer.

Elle restait d'acier.

Impossible de la briser.

La police la harcelait avec la force du dieu Thor cognant avec Mjöllnir, son célèbre marteau, mais en vain. Au bout de quelques jours, ils étaient agacés, au bout de quelques semaines, furieux. Au bout de trois mois, ils la haïssaient et avaient envie de la punir de ne pas trembler de peur devant leur pouvoir. Au bout de six mois, ils étaient fatigués, au bout de dix mois, ils se lassèrent, et après un an, ils se résignèrent à abandonner.

Bien sûr, ils avaient aussi interrogé son fils, Chris, le maillon faible. Ils ne s'étaient pas montrés aussi agressifs avec lui, choisissant plutôt la mièvrerie, les sourires, les tricheries pour tenter de le pousser à révéler ce que cachait sa mère. Mais quand ils lui parlaient du mystérieux inconnu, il leur racontait la vie d'Indiana Jones, de Luke Skywalker et de Han Solo. Quand ils essayaient de lui arracher quelques détails sur ce qui s'était vraiment passé dans le ravin, il leur parlait de sire Thomas Crapaud, l'envoyé de la reine d'Angleterre qui louait une chambre chez eux. Quand ils essayaient de savoir au moins où lui et sa mère s'étaient cachés entre le 10 et le 25 janvier, le garçon répondait :

— J'ai dormi pendant tout le temps, je crois que j'étais dans le coma. J'avais la malaria ou la fièvre de Mars, peut-être, et je suis devenu amnésique comme Vil Coyote quand Beep-Beep s'est arrangé pour qu'il se fasse tomber un rocher sur la tête.

Quand finalement Chris s'énervait de les voir ne rien comprendre, il ajoutait :

— Vous voyez, c'est des histoires de famille. Vous savez ce que c'est, les histoires de famille ? Je peux en parler qu'avec ma maman, parce que si on se met à raconter tout ça à des étrangers, qu'est-ce qu'on devient quand on a envie de rentrer à la maison ?

Pour compliquer les choses, Laura Shane présenta ses excuses à tous ceux dont elle avait emprunté ou endommagé les biens dans sa fuite. A la famille qui possédait la Buick, elle offrit une Cadillac. A l'homme dont elle avait volé les plaques minéralogiques de sa Nissan, elle offrit une Nissan toute neuve. A chaque fois, elle rendit tout au centuple et se fit des amis.

Ses romans étaient sans cesse réimprimés, et certains prirent la tête de liste des best-sellers en livres de poche, des années après leur premier succès. Les maisons d'édition se battaient pour acheter les droits des œuvres encore disponibles. Des rumeurs, peut-être encouragées par son propre agent, mais fort vraisemblables, prétendaient que les éditeurs faisaient la queue pour se disputer le privilège de lui verser une avance pour son prochain roman.

· 2 ·

Cette année-là, Laura et Chris manquèrent beaucoup à Stefan Krieger, mais la vie dans la demeure de Beverly Hills des Gaines n'était pas une lourde épreuve. Les lieux étaient splendides, la nourriture délicieuse. Jason s'amusait à lui expliquer les secrets du montage, et Thelma ne manquait pas de le faire rire.

— Ecoute, Krieger, lui dit-elle un jour d'été près de la piscine. Tu en as peut-être marre d'attendre ici, mais imagine ce qui aurait pu t'arriver ! Tu serais toujours avec eux, à une époque où il n'y avait même pas de sacs-poubelle en plastique, pas de sous-vêtements fluorescents, pas de films de Thelma Ackerson, ni de reprises de vieux navets. Non mais tu vois un peu tous les avantages dont tu profites ici ?

— C'est que...

Il observa un moment les étincelles de soleil sur la surface de l'eau chlorée.

— J'ai peur que pendant cette année de séparation, je perde toutes mes chances de gagner son amour.

— On ne peut pas gagner Laura, *Herr* Krieger. Ce n'est pas une boîte de céréales en prime lors d'une réunion Tupperware ! On ne gagne pas une femme comme Laura. C'est elle qui décide du moment où elle se donne.

— Tu n'es guère encourageante.

— Ce n'est pas mon boulot...

— Je sais.

— ...mon boulot...

— Oui, je sais.

— ...c'est la comédie. Enfin, avec mes airs ravagés, j'aurais sûrement autant de succès comme putain en vadrouille... au moins sur les chantiers sordides.

A Noël, Chris et Laura allèrent passer les fêtes chez les Gaines, et, pour cadeau de Noël, Laura apporta à Stefan ses *nouveaux papiers*. Bien que surveillée pendant la plus grande partie de l'année, elle avait réussi à se procurer un permis de conduire, une carte de sécurité sociale, des cartes de crédit et un passeport au nom de Steven Krieger.

Elle les lui donna le matin de Noël, dans une boîte de chez Neiman-Marcus.

— Tous les documents sont valides. Dans *La Rivière sans fin*, deux de mes personnages sont en cavale à la recherche d'une nouvelle identité...

— Oui, dit Stefan, je l'ai lu. Trois fois.

— Trois fois le même livre ! s'exclama Jason.

Ils étaient tous rassemblés autour du sapin de Noël en train de s'empiffrer de confiseries, et Jason était plus joyeux que jamais.

— Laura, à ta place, je me méfierais de cet individu. Pour moi, c'est un maniaque obsessionnel !

— Ah, bien sûr, dit Thelma, pour vous les gens de Hollywood, tous ceux qui ouvrent un livre, ne serait-ce qu'une seule fois, sont des horribles intellectuels ou des psychopathes. Dis-moi, Laura, comment as-tu fait pour dégoter des faux papiers ?

— Ce ne sont pas des faux, dit Chris, ce sont des vrais !

— Exact, dit Laura, tous les papiers sont officiellement

enregistrés dans les dossiers de la police. Pour *La Rivière sans fin*, j'ai dû faire une enquête sur la façon d'obtenir des faux papiers de grande qualité, et j'ai déniché un homme à San Francisco qui a une véritable industrie dans le sous-sol d'un bar topless.

— Il n'y a pas de toit ? demanda Chris.

Laura ébouriffa la chevelure de Chris.

— Peu importe, si vous fouillez un peu mieux, vous trouverez des papiers de banque. J'ai ouvert un compte pour vous.

— Mais, Laura, je ne peux pas accepter d'argent.

— Comment ça ? Vous m'avez sauvée du fauteuil roulant, vous m'avez sauvé la vie, et je ne pourrais pas vous donner d'argent si j'en ai envie ? Thelma, il est fou ou quoi ?

— C'est un homme, dit Thelma.

— Oui, ça doit tout expliquer.

— Poilu, type néanderthal, excès de testostérone, hanté par les souvenirs de la gloire perdue des expéditions mammouths... Ce sont tous les mêmes.

— Des hommes ! dit Laura.

— Des hommes ! acquiesça Thelma.

A sa grande surprise, et presque contre son gré, Stefan Krieger sentit une partie des ténèbres s'éloigner de lui, la lumière commençait à poindre dans son cœur.

· 3 ·

L'année des douze ans de Chris, Jason et Thelma achetèrent une petite maison à Monterey, donnant sur la plus belle côte du monde, et ils insistèrent pour que Laura, Chris et Stefan viennent au mois d'août, alors que tous deux avaient un moment libre entre deux films. Sur la péninsule, les matinées étaient fraîches et brumeuses, les journées chaudes et claires, les nuits franchement froides malgré la saison, et ce climat avait des pouvoirs vivifiants.

Le deuxième jour du mois, Stefan et Chris allèrent se promener sur la plage avec Jason. Sur les rochers, non loin de là, des otaries se réchauffaient au soleil dans des cris joyeux. Des touristes, garés pare-chocs contre pare-chocs le long de la route qui conduisait à la mer, s'aventuraient sur le sable pour prendre des photos de ces adorateurs du soleil, les « phoques », comme ils disaient.

— D'année en année, dit Jason, il y a de plus en plus de

touristes. C'est une véritable invasion. Et regarde, ce sont tous des Japonais, des Allemands ou des Russes. Il y a moins d'un demi-siècle, on se battait contre ces trois pays, c'était la plus grande guerre de l'histoire, et maintenant, ils sont tous plus riches que nous. Les Japonais, c'est l'électronique et les voitures, les Russes, les ordinateurs, et les Allemands les machines en tout genre. Vraiment, Stefan, je trouve que les Américains ont tendance à mieux traiter leurs anciens ennemis que leurs anciens amis !

Stefan s'arrêta pour regarder les otaries qui attiraient l'attention des touristes, et repensa à l'erreur qu'il avait commise au cours de son entretien avec Churchill.

Voyons... que deviendra l'Union soviétique après la guerre ?

Ce vieux renard avait parlé d'un ton détaché, comme si la question lui était venue par hasard, et qu'elle ne fût pas plus importante que celle de savoir si la forme des costumes pour hommes allait changer ; mais en fait, sa requête avait été savamment calculée. Se fiant à ce que Stefan lui avait dit, Churchill avait convaincu les Alliés de l'Ouest de poursuivre les combats après la défaite de l'Allemagne. Arguant de la proximité de l'Europe de l'Est qui pourrait se retourner un jour contre eux, les autres Alliés avaient combattu les Soviétiques, les forçant à se confiner dans leur terre natale, puis les écrasant totalement. En fait, pendant toute la guerre avec l'Allemagne, l'Union soviétique avait bénéficié des armes et du matériel fournis par les Etats-Unis, et quand ce soutien lui fut retiré, la défaite ne fut plus qu'une question de mois. Après tout, c'étaient eux qui avaient le plus souffert de la guerre contre leur ancien allié, Hitler. A présent, le monde contemporain était bien différent de ce qu'avait prévu le destin, et tout cela, parce que Stefan avait répondu à une seule et unique question de Winston Churchill.

Contrairement à Jason, Thelma, Laura ou Chris, Stefan vivait en dehors de son temps, dans une époque qui ne faisait pas partie de son destin. Les années écoulées depuis la guerre faisaient partie de son avenir, alors que pour tous les autres, c'était du passé. Lui se souvenait donc a la fois de l'avenir qui aurait dû exister et de celui qui avait en fait remplacé l'ancien. A part lui, personne ne pouvait se souvenir d'un autre monde que celui-ci dans lequel il n'y avait aucune hostilité d'une puissance contre une autre, dans lequel aucun arsenal nucléaire n'attendait son voisin, dans lequel la démocratie florissait, y compris en Russie, d'un monde différent de cet univers de paix et d'abondance.

Le destin lutte pour rétablir ce qui était prévu.

Heureusement que parfois, il échoue.

Laura et Thelma s'étaient installées sur des rocking-chairs sous le porche pendant que les hommes étaient partis se promener

— Shane ? Tu es heureuse avec lui ?

— Il est un peu mélancolique.

— Oui, mais charmant.

— Ce ne sera jamais Danny.

— Danny est mort.

Laura fit un signe de tête. Elles se balançaient.

— Il dit que je l'ai racheté.

— Comme une entreprise en faillite, tu veux dire ?

— Je l'aime.

— Je sais, répondit Thelma.

— Je ne pensais pas... pouvoir... aimer un homme de cette façon.

— Qu'est-ce que tu racontes, Shane ? Tu as trouvé une nouvelle position ? Dis donc, tu approches de la quarantaine, ce sera fait dans quelques lunes, il serait temps que tu renonces à tes fantaisies libidineuses.

— Tu es incorrigible.

— J'espère bien.

— Et toi, Thelma ? Tu es heureuse ?

Thelma caressa son énorme ventre. Elle était enceinte de sept mois.

— Très heureuse. Je t'ai dit que... c'étaient des jumeaux ?

— Oui, tu m'as dit.

— Des jumeaux, dit Thelma, comme si cette perspective la terrifiait. Imagine comme Ruthie serait contente pour moi !

Des jumeaux.

Le destin lutte pour rétablir ce qui était prévu.

Heureusement que parfois, il réussit.

Elles restèrent un moment, dans un silence amical, à respirer l'air de la mer et à écouter la brise bruisser dans les pins et les cyprès.

— Tu te souviens du jour où je suis venue te voir à la montagne et où tu t'entraînais au tir dans le jardin ?

— Oui.

— Tu tirais sur des silhouettes d'hommes. Toutes griffes dehors, des fusils cachés dans tous les coins... Ce jour-là, tu m'as dit que tu avais passé presque toute ta vie à supporter ce que le destin t'avait imposé, mais que tu en avais assez, que tu allais te battre pour te protéger. T'étais vraiment furieuse, ce jour-là, vraiment amère.

— Oui.

— Et maintenant, tu es toujours une battante, mais tu sais aussi te résigner. Le monde est toujours plein de morts et de tragédies. Et malgré tout, tu n'es plus amère ?

— Non.

— Tu peux me donner ton secret ?

— J'ai appris une troisième leçon, c'est tout. Enfant, j'ai appris à supporter. Après la mort de Danny, j'ai appris à me battre. Maintenant, j'ai appris à accepter. Le destin *existe*.

— Oh ! là, là ! on dirait de la philosophie orientale ! Le destin existe ! La prochaine fois, tu vas me demander de méditer et de me regarder le nombril !

— Le problème, c'est que dans ton état, ton nombril, tu ne peux même pas le voir !

— Oh si, avec des miroirs bien disposés.

Laura se mit à rire.

— Je t'aime, Thelma.

— Je t'aime, frangine.

Elles se balançaient.

Sur la plage, la marée montait.

« BLÊME »

« SPÉCIAL SUSPENSE »

MARY HIGGINS CLARK
La Nuit du renard
(Grand Prix de littérature policière 1980)
La Clinique du Docteur H
Un cri dans la nuit
La Maison du Guet
Le Démon du passé
Ne pleure pas, ma belle
Dors ma jolie

TOM KAKONIS
Chicane au Michigan

STEPHEN KING
Cujo
Charlie
Simetierre (hors série)
Différentes saisons (hors série)
Brume (hors série)
Running man (hors série)
Ça (hors série)
Misery (hors série)
Les Tommyknockers (hors série)

DEAN R. KOONTZ
Chasse à mort
Les Étrangers

FROMENTAL / LANDON
Le Système de l'homme-mort

PATRICIA J. MACDONALD
Un étranger dans la maison
Petite sœur
Sans retour

LAURENCE ORIOL
Le tueur est parmi nous
Le Domaine du Prince

ALAIN PARIS
Impact
Opération Gomorrhe

RICHARD NORTH PATTERSON
Projection privée

STEPHEN PETERS
Central Park

NICHOLAS PROFFITT
L'Exécuteur du Mékong

FRANCIS RYCK
Le Nuage et la Foudre
Le Piège

BROOKS STANWOOD
Jogging

« SPÉCIAL FANTASTIQUE »

CLIVE BARKER
Livre de Sang
Une course d'enfer

JAMES HERBERT
Pierre de Lune

ANNE RICE
Lestat le Vampire

« SPÉCIAL POLICIER »

WILLIAM BAYER
Voir Jérusalem et mourir

NINO FILASTÒ
Le Repaire de l'aubergiste

HUGUES PAGAN
Last Affair (hors série)
L'Étage des morts

PATRICK RAYNAL
Fenêtre sur femmes

LAWRENCE SANDERS
Le Privé de Wall Street
Les Jeux de Timothy

ANDREW VACHSS
La Sorcière de Brooklyn
Blue Belle

*La composition de ce livre
a été effectuée par Bussière à Saint-Amand,
l'impression et le brochage ont été effectués
sur presse CAMERON
dans les ateliers de la S.E.P.C.
à Saint-Amand (Cher)
pour les Éditions Albin Michel*

*Achevé d'imprimer en mai 1990
N° d'édition 11168. N° d'impression 1069-882
Dépôt légal : mai 1990*